S0-AHE-368

Joachim Kügler (Hrsg.)

Die Macht der Nase

Stuttgarter Bibelstudien
187

Herausgegeben von
Hans-Josef Klauck und Erich Zenger

Joachim Kügler (Hrsg.)

Die Macht der Nase

Zur religiösen Bedeutung des Duftes

Religionsgeschichte – Bibel – Liturgie

Verlag Katholisches Bibelwerk GmbH
Stuttgart

Die Deutsche Bibliothek – CIP-Einheitsaufnahme

Die Macht der Nase : zur religiösen Bedeutung des Duftes ;
Religionsgeschichte – Bibel – Liturgie / Joachim Kügler (Hrsg.). –
Stuttgart : Verl. Kath. Bibelwerk, 2000
(Stuttgarter Bibelstudien ; 187)
ISBN 3-460-04871-9

ISBN 3-460-04871-9
Alle Rechte vorbehalten
© 2000 Verlag Katholisches Bibelwerk GmbH, Stuttgart
Gesamtherstellung: Friedrich Pustet, Regensburg

Zum
Gedächtnis
an

HELMUT MERKLEIN

17. September 1940 - 30. September 1999

Inhaltsverzeichnis

Vorwort

Ein überirdisch schöner Körper räkelt sich in der Davidoff-Sonne - LUST AUF DUFT...

Düfte schaffen Wohlbefinden, prägen unsere Wahrnehmung, haften in unserem Gedächtnis. Düfte bestimmen, ob wahrgenommen oder nicht, unser Leben und sind deshalb auch ein Machtmittel, über dessen Funktionalisierung man sich nicht wundern sollte. Duftstoffe gehören ganz selbstverständlich zum Arsenal der Marketing-Strategen, wenn es um die Steigerung der Kauflust geht. Verschiedene Arbeitgeber sind schon dazu übergegangen, ihre Mitarbeiter gezielt zu "beduften", um deren Arbeitsleistung zu erhöhen. Auch die alternative Medizin hat die Wirkungen verschiedener Duftstoffe erkannt und versucht, diese in der Aromatherapie zu nutzen. Und schließlich realisiert sich die Verfestlichung des Alltags und die Veralltäglichung des Exzeptionellen in der Omnipräsenz kostbarer Düfte. Die immer neue Sehnsucht nach dem angenehmen Geruch und die immer neue Befriedigung dieser Sehnsucht gehören sicher zu den auffälligsten Charakteristika der erlebnisorientierten Gesellschaften der späten Moderne. Theologie und Kirche freilich stehen merkwürdig abseits dieser gesellschaftlichen Entwicklung, und man muß kein böswilliger Spötter sein, um im abgestandenen Geruch vieler kirchlicher Räume die Verwahrlosung kirchlichen Lebens und die lebensferne Zeitlosigkeit mancher Theologie wiederzuerkennen. Natürlich kann es für eine Theologie, die sich selbst ernst nimmt, nicht darum gehen, sich jedem modischen Trend anzubiedern und nun auch dem weitgehend kommerzialisierten Duftrausch der Gesellschaft kritiklos nachzueifern, aber eine theologische Besinnung auf die spezifisch religiöse Tradition des Duftes dürfte das Mindeste sein, was die Zeichen der Zeit einfordern.

Während die Liturgiewissenschaft das Phänomen Duft nie ganz vernachlässigt hat, ist für die Bibelwissenschaften die Beschäftigung mit dem Duft noch recht neu. Eingehendere Untersuchungen fehlen. Dieses Forschungsdesiderat greifen die Beiträge von Ulrike BECHMANN zum Alten Testament und von Joachim KÜGLER zur Religionsgeschichte, zum Frühjudentum und zum Neuen Testament auf. Peter WÜNSCHE skizziert abschließend, wie christliche Liturgie die antike Duftsymbolik rezipiert und unter dem Einfluß biblischer Konzeptionen transformiert hat, und gibt praktische Hinweise für einen sinnvollen und sinnlichen Duftgebrauch im heutigen Gottesdienst.

Der Dank des Herausgebers geht an Frau Irene GOLDFUß, die mit der ihr eigenen gutgelaunten Professionalität die Druckvorlage redigiert hat.
Der neue Herausgeber der Reihe, Prof. Dr. Hans-Josef KLAUCK, hat die Entscheidung seines Vorgängers, den Band in die Reihe der Stuttgarter Bibelstudien aufzunehmen, bestätigt und so für unverzögerte Veröffentlichung gesorgt. Dafür sei ihm an dieser Stelle herzlich Dank gesagt.

Gewidmet ist das Buch dem viel zu früh verstorbenen Lehrer und Freund Prof. Dr. Helmut MERKLEIN, der als Herausgeber der SBS-Reihe unser Duftprojekt von der ersten Idee an mit großem Wohlwollen und mit der ihm eigenen wissenschaftlichen und geistlichen Neugier auf alles, was Menschen denken und glauben, begleitet hat. Eigentlich als Geschenk zu seinem 60. Geburtstag geplant, ist das Buch jetzt seinem Gedächtnis gewidmet. Daß er das Erscheinen nicht mehr erlebt, ist für uns schmerzlich, aber es bleibt zu hoffen, daß ihm nun größere Freuden zuteil werden.

EIN WILLKOMMEN SCHALLT DIR ENTGEGEN VON DEINEM VATER,
EIN WILLKOMMEN SCHALLT DIR ENTGEGEN VON RE.
GEÖFFNET SIND DIR DIE BEIDEN TÜRFLÜGEL DES HIMMELS,
AUFGETAN SIND DIR DIE BEIDEN TÜRFLÜGEL DES STERNENHIMMELS.
Pyramidentexte, Spruch 412

I. *Die Macht der Nase: Duftdeutungen und ihre psychophysiologischen Grundlagen*

JOACHIM KÜGLER

1. *Geruch, Gefühl und Identität*

Im Vergleich mit vielen Tieren muß das Riechvermögen des Menschen als unterentwickelt bzw. verkümmert bezeichnet werden. Trotzdem beeinflussen Geruchswahrnehmungen in entscheidender Weise die Selbst- und Weltwahrnehmung des Menschen. Dabei wirken Gerüche sehr direkt.
Etwa 30 Millionen Riechzellen im oberen Nasenbereich treten mit ihren feinen Sinneshaaren in Kontakt mit der Außenwelt und registrieren Geruchstoffe in der Atemluft.[1] Mit ihren langen, dünnen Nervenfortsätzen haben die Riechzellen direkten Zugang zum Gehirn. Diese Nervenfortsätze leiten (als *Nervus olfactorius* gebündelt) die entsprechenden Sinnesreize an den *Bulbus olfactorius* des Vorderhirns weiter, von wo sie in verschiedene (teilweise entwicklungsgeschichtlich sehr alte) Teile des Gehirns weitergeleitet werden. Dazu gehört auch das *Limbische System*, welches eine entscheidende Rolle bei Motivation und Emotion spielt.[2] So ist es nicht verwunderlich, wenn Gerüche auf das engste mit unseren Emotionen verbunden sind.
Daneben weist der Trigeminusnerv freie Nervenendigungen in der Nasenschleimhaut und im Mundrachenraum auf, die unter anderem Riechfunktion haben. Diese Trigeminusfasern reagieren zwar oft erst auf hohe Konzentrationen von Geruchsstoffen, tragen aber mit den Empfindungen "stechend", "beißend" und "brennend scharf" ebenfalls zu unserer Geruchswahrnehmung bei.

---

1 Zur Physiologie des Geruchs vgl. H. HATT, Geruch und Geschmack, in: R. F. SCHMIDT/ G. THEWS/ F. LANG (Hg.), Physiologie des Menschen, Berlin 28 2000, 316-327; bes. 322-327.

2 Zur Funktion des Limbischen Systems vgl. N. BIRNBAUMER/ W. JÄNIG, Motivation und Emotion: Die Rolle des limbischen Systems bei Motivation und Emotion, in: SCHMIDT/ THEWS/ LANG, Physiologie, 176-180.

Schließlich findet sich bei den meisten Menschen das stark rückgebildete sog. Jakobsonsche Organ *(Organum vomeronasale)*. Dieses Organ, das bei anderen Säugetieren zum Teil gut ausgeprägt ist, dient dort zur Erkennung von Geruchsstoffen, die von der betreffenden Spezies als Signalstoffe *(Pheromone)* benutzt werden. Es gibt Hinweise darauf, daß beim Menschen über dieses Organ Substanzen wirken, die den männlichen bzw. weiblichen Sexualhormonen verwandt sind. Bisherige Forschungen deuten darauf hin, daß z.B. ein bestimmter Geruchsstoff (Androstenon), der im Achselschweiß des Mannes enthalten ist, *"den Zyklus der Frau synchronisieren kann"*, aber von Frauen *"nur während der Zeit des Eisprunges signifikant positiv beurteilt wird"*[3]. Auch wenn wir nur wenige sprachliche Kategorien haben, um unsere Geruchswahrnehmungen auszudrücken, kann man beim Menschen von etwa 10.000 unterscheidbaren Gerüchen ausgehen,[4] die in sieben bis zehn Geruchsklassen eingeteilt werden. Obwohl wir Gerüche nicht bewußt aus der Erinnerung aufrufen können, bleiben Geruchswahrnehmungen aufgrund ihrer Verbindung mit bestimmten Affekten lange in unserem Gedächtnis haften. Geruchswahrnehmungen werden offensichtlich weit stabiler im Gedächtnis gespeichert als Wahrnehmungen von Bildern und Tönen.[5] Duftstoffe wirken auf die Gefühlslage und beeinflussen so die menschliche Leistungsfähigkeit[6] wie auch Entscheidungsdispositionen[7].

---

3 HATT, Geruch und Geschmack, 326.

4 Bei manchen Menschen ist die Geruchswahrnehmung allerdings deutlich eingeschränkt: Ihren Riechzellen fehlen die Rezeptormoleküle für bestimmte Geruchstoffe, was zu einer Unempfindlichkeit für die entsprechenden Geruchsgruppen führt. Diese angeborene Geruchsunempfindlichkeit ist zu unterscheiden von der Gewöhnung an bestimmte Gerüche, die zwar auch dazu führt, daß wir bestimmte Gerüche nicht mehr bewußt wahrnehmen, aber eben erworben ist und auch nicht dauerhaft sein muß.

5 Vgl. W. KRÖBER-RIEL/ R. MÖCKS/ B. NEIBECKER, Zur Wirkung von Duftstoffen. Erster Untersuchungsbericht für Henkel, Düsseldorf, Saarbrücken 1981, 4 f; H. KNOBLICH/ B. SCHUBERT, Marketing mit Duftstoffen, München [3]1995, 6-8.

6 HATT weist darauf hin, daß bestimmte Firmen versuchen, das Arbeitsverhalten ihrer MitarbeiterInnen durch gezielte Beduftung am Arbeitsplatz zu optimieren. Vgl. HATT , Geruch und Geschmack, 327.

7 Gerüche beeinflussen z.B. Kaufentscheidungen, was zur Entwicklung entsprechender Marketingstrategien geführt hat. Zum Duftmarketing vgl. KRÖBER-RIEL/ MÖCKS/ NEIBECKER, Wirkung von Duftstoffen; R. MÖCKS,

Bestimmte Gerüche (z. B. Melisse, Rose) wirken beruhigend, andere (etwa Rosmarin und Zitrusfrüchte) belebend, wieder andere (wie die erwähnten Pheromone) können als sexuelle Lockstoffe fungieren und eine erotisierende Wirkung haben. Und schließlich werden im Weihrauch Inhaltsstoffe vermutet, die auch im Haschischrauch vorkommen und berauschend wirken. MARTINETZ, LOHS und JANZEN schlußfolgern, daß *"ein den kultischen Handlungen entgegenkommender stimulierender Effekt erklärbar ist"*,[8] der u. a. ein Motiv für die häufige Verwendung in Kult und Magie bietet.

Mit ihrer emotionalen Wirkung beeinflussen Gerüche auch unser Sozialleben. Sie sind nämlich ein wichtiger Faktor bei der Wahrnehmung anderer Menschen, weil sie an der Entstehung von Sympathie oder Antipathie beteiligt sind. Wenn der Eigengeruch anderer Menschen auf uns unangenehm wirkt, dann prägt das unsere emotionale Haltung zu ihnen, und es wird uns schwerfallen, Sympathie aufzubauen: Wir können sie "nicht riechen". Wirkt dagegen der Eigengeruch des anderen angenehm, dann fördert dies das Entstehen von Sympathie und die Entwicklung emotional positiv besetzter Beziehungen.
Gerüche unterstützen die Identifizierung von Individuen. Untersuchungen haben gezeigt, daß bei vielen Tieren Geruchsstoffe eine wichtige Rolle in der Beziehung zwischen Muttertieren und ihren Jungen spielen. Das gilt für Insekten ebenso wie für Säugetiere. Der Geruch der Mutter hält die Jungen in ihrer Nähe, wo Ernährung, Schutz und Sicherheit gewährleistet sind. Umgekehrt erkennt das Muttertier seine Jungen am Geruch und kann sie von fremden Nachkommen unterscheiden.[9] Eine ähnliche Funktion von Gerüchen kann heute auch für den

---

Zur Wirkung von Duftstoffen. Zweiter Untersuchungsbericht für Henkel, Düsseldorf, Saarbrücken 1982; KNOBLICH/ SCHUBERT, Marketing. Aufschlußreich auch die Verheißungen einer anwendungsorientierten Broschüre, wo als "Duftziele" u.a. angegeben werden: bessere Informationsaufnahme und -verarbeitung, Steigerung der Konzentrations- und Leistungsfähigkeit, Stimulation der Kreativität, freudigere Kaufbereitschaft, höhere Erinnerungswerte, Erhöhung des Konsumerlebnisses. Vgl. A. WEIDMANN, CO: Corporate Odour. Die emotionale Dimension im Marketing, Buochs 2000.

8 D. MARTINETZ/ K. LOHS/ J. JANZEN, Weihrauch und Myrrhe. Kulturgeschichte und wirtschaftliche Bedeutung, Stuttgart 1988, 139.

9 Vgl. A. LEGUÉRER, Die Macht der Gerüche. Eine Philosophie der Nase, Stuttgart 1992, 39. Zur Rolle von Gerüchen im Sozialleben verschiedener

Menschen als gesichert gelten:[10] Das menschliche Neugeborene erkennt die Brust seiner Mutter an einem Geruch, der durch Drüsen, die um die Brustwarzen liegen, abgesondert wird. Neugeborene können auch den Duft der eigenen Mutter von dem einer anderen Frau unterscheiden. In der Interaktion von Mutter und Säugling spielt die Geruchswahrnehmung eine wichtige Rolle, indem sie auch nach der körperlichen Trennung durch die Geburt die symbiotische Verbindung zwischen ihnen bestärkt. Das Riechen unterstützt das Wiedererkennen, stiftet Vertrauen, Geborgenheit und Wohlbehagen.

Der spezifische Eigengeruch eines jeden Menschen ist genetisch festgelegt und basiert auf der immunologischen Selbst-Fremd-Unterscheidung. Diese genetische Festlegung des individuellen Eigengeruchs führt dazu, daß der Geruch von Menschen umso ähnlicher ist, je näher sie miteinander verwandt sind.[11] Der individuelle Eigengeruch des Menschen beeinflußt deshalb nicht nur die Mutter-Kind-Beziehung, sondern ist auch die Basis für den Familiengeruch. Die genetische Ähnlichkeit der engsten Verwandten ergibt eine entsprechende Ähnlichkeit im Eigengeruch der Familienmitglieder, was den Zusammenhalt der Familie bestärkt und die Wahrnehmung der Inzestschranke beeinflußt. Die Erkennungsfunktion, die der Eigengeruch in der Mutter-Kind-Beziehung und in der Familie besitzt, spielt auch eine Rolle bei der Partnerwahl, die ja die Integration eines Fremden in die Familie bedeutet. Der genetisch basierte Individualgeruch hat schließlich sogar Einfluß auf die Fehlgeburtenrate.

Die bindende und abgrenzende Funktion des menschlichen Geruchs ist auch in den weiteren sozialen Beziehungen des Individuums zu Gruppen jenseits der Familie anzutreffen, aber auch in den Beziehungen zwischen Gruppen. Das gilt sowohl für tierische wie für menschliche Gesellschaften. Wer "den richtigen Stallgeruch" hat, gehört zur eigenen Gruppe und wird als "einer von uns" akzeptiert. Geruchswahrnehmungen sind daher ein wichtiger Faktor bei der Identiätsbildung sozialer

---

Säugetiere vgl. R. E. BROWN/ D. W. MACDONALD (Hg.), Social odours in mammals, 2 Bde., Oxford 1985.

[10] Vgl. HATT, Geruch und Geschmack, 326; R. L. DOTY, The primates III: humans, in: BROWN/ MACDONALD, Social odours 2, 804-832.

[11] *"Eineiige Zwillinge können auch von speziell trainierten Tieren nicht mehr am Geruch unterschieden werden, außer einer der Zwillinge hat eine Knochenmarktransplantation erhalten."* So HATT, Geruch und Geschmack, 326.

Gruppen und ihrer Abgrenzung von anderen Gruppen, wobei es hier nicht mehr nur um genetisch festgelegte Gerüche geht, sondern auch schon um kulturelle Konzeptionen des Geruchs.
Annik LEGUÉRER verweist auf die Rolle von (fiktiven und realen) Geruchswahrnehmungen in der Ausbildung und Stabilisierung von sozialen, nationalen oder rassischen Abgrenzungen.[12] So war mit dem europäischen Antisemitismus seit dem Mittelalter die Vorstellung von üblem Geruch der Juden verbunden. Im 19. Jh. ist es das arbeitende Volk, das als besonders übelriechend wahrgenommen wird und von dem sich das Bürgertum durch Hygiene und Parfum abgrenzt. In der Epoche der "Erbfeindschaft" zwischen Frankreich und Deutschland entwickelt sich in Frankreich ein breiter wissenschaftlicher Diskurs über die Schweißfüße der deutschen Soldaten. Eine "rationale" medizinische Erklärung des wegen seiner Intensität und Widerwärtigkeit schlichtweg unerträglichen deutschen Gestanks aus dem Kriegsjahr 1915 ging dahin, daß der Deutsche quasi durch die Füße uriniert, weil seine Nierenfunktion durch den Giftgehalt seines Urins überlastet ist. Der betreffende Arzt ist davon überzeugt, daß der *"urotoxische Koeffizient"* des deutschen Urins um 25 % höher ist als beim französischen, was *"bedeutet, daß, wenn 45 Kubikzentimeter französischen Urins nötig sind, um ein Kilo Meerschweinchen zu töten, dasselbe Resultat mit 30 Kubikzentimeter deutschen Urins zu erzielen ist"*[13].
In den USA spielt der Geruch der Schwarzen eine wichtige Rolle in den Abgrenzungsstrategien der Weißen. Es gehört zu den beliebten rassistischen Unterstellungen, schwarze Aufsteiger würden sich übermäßig parfümieren und sogar Pillen nehmen, um ihren Eigengeruch zu bekämpfen. Wo dies zutrifft, haben Schwarze offensichtlich die Diskriminierung ihres Eigengeruchs durch die weiße Majorität internalisiert und praktizieren eine Art der geruchlichen Selbstverleugnung, die letztlich einen partiellen Identitätsverlust bedeutet. Und man kann sogar die Frage stellen, ob die Mißbilligung des eigenen Geruchs nicht heißt, *"daß man sich verbieten müßte, zu existieren"*[14]?
Auch wenn diese suggestive Frage etwas überzogen erscheint - man wird schließlich nicht allen, die tagtäglich desodorierend und parfümie-

---

[12] Vgl. LEGUÉRER, Gerüche, 40-46.

[13] Dr. Bérillon, zitiert nach LEGUÉRER, Gerüche, 42.

[14] LEGUÉRER, Gerüche, 45. Zur politischen Dimension des Geruchs vgl. auch C. CLASSEN/ D. HOWES/ A. SYNNOTT, Aroma. The cultural history of smell, London 1994, 161-179.

rend ihren Körpergeruch bekämpfen, Identitätsstörungen unterstellen wollen! -, so macht sie doch auf den engen Zusammenhang von Geruchswahrnehmung und Identitätsbildung aufmerksam, der in vielen Kulturen eine wichtige Rolle spielt. Weil der Geruch ein so entscheidender Faktor bei der Wahrnehmung des anderen und der Konstitution zwischenmenschlicher Beziehungen ist, kann der Eigengeruch eines Menschen als konstitutiver Teil der Person verstanden werden.
Wie sehr sich diese kulturelle Konzeption des Geruchs, die in der genetischen Determination des Eigengeruchs eine physiologische Basis hat, auf die Konzeption personaler Identität auswirkt, läßt sich sehr schön auch an literarischen Zeugnissen zeigen.

So erzählt Patrick SÜSKIND in seinem Roman "Das Parfum" die Geschichte des Mörders Grenouille, der grauenhafte Morde begeht, um den perfekten Duft komponieren zu können.
Der Auslöser für diese Sehnsucht nach dem vollkommenen Parfum ist die völlige Geruchlosigkeit von Grenouille selbst, welche nichts anderes als Identitätslosigkeit bedeutet. Schon als Säugling werden ihm Liebe und Fürsorge verweigert, weil ihm jeder Eigengeruch fehlt. Seine Amme will ihn selbst für eine kräftige Lohnsteigerung nicht weiter versorgen und begründet dies damit, daß es sie *"vor diesem Säugling graust, weil er nicht riecht, wie Kinder riechen sollen"*[15].
Und in seinem weiteren Leben macht Grenouille die Erfahrung, daß die Menschen, die an ihm vorübergehen, keine Notiz von ihm nehmen, weil sie nichts von seiner Existenz bemerken.

> *Es war kein Raum um ihn gewesen, kein Wellenschlag, den er, wie andre Leute, in der Atmosphäre schlug, kein Schatten, sozusagen, den er über das Gesicht der andern Menschen hätte werfen können. (192)*

Er wird von den anderen empfunden als *"ein Wesen, das, wiewohl unleugbar* da, *auf irgendeine Weise nicht präsent war" (192)*.
Als es ihm schließlich gelingt, diesen Identitätsmangel durch das vollkommene Parfum zu maskieren, findet er endlich Liebe. Freilich kann das Parfum, das aus dem Tod vieler Menschen gewonnen ist, nur eine Liebe auslösen, die ebenfalls tödlich ist:
Grenouille wird im Liebeswahn zerrissen und aufgefressen (314-316).

---

[15] P. SÜSKIND, Das Parfum. Die Geschichte eines Mörders, Zürich 1985, 16 f. Seitenangaben nach dieser Ausgabe.

Als ganz anderes Beispiel für den Zusammenhang von Duft und Identität kann ein Text von Vittoria ALLIATA dienen. Sie erzählt ein Märchen aus Al-Ain, einem Dorf *"in einem Raum zwischen Oman und dem Arabischen Golf"*[16].
In diesem Märchen geht es um die voreheliche Schwangerschaft eines Mädchens. Der Vater des Mädchens, ein alter Beduine, klagt seine Tochter vor dem Scheich und seinem *madjlis* an:

> *'Ich komme zu dir, weil meine Tochter hier einen schweren Leib hat und mir nicht sagen will, wer der Vater des Kindes ist, damit ich sie und ihn töten kann und unser Name wieder ehrbar wird.' (74)*

Im Kampf um ihr Leben verteidigt sich das Mädchen Khadidscha mit einer listigen Erklärung ihrer Schwangerschaft. Sie erklärt dem Scheich, sie sei in einer eisigen Winternacht Wasser holen gegangen. Zitternd vor Kälte und Angst habe sie den Mantel eines Mannes auf dem Weg liegen sehen:

> *'Ich hob ihn auf und wickelte mich hinein, und mir wurde warm.*
> *Aber o weh! Durch den Geruch des Mantels kam in meinen Bauch ein Kind.' (74)*

Daraufhin wird der Männermantel der Unzucht mit dem Mädchen angeklagt. Aufgrund der Intervention eines Weisen, der darauf hinweist, daß nicht der Mantel schuld sei, sondern nur der Geruch, wird der Mantel dann aber freigesprochen.
Sodann klagt der Scheich den Geruch selbst als Vater des vorehelichen Kindes an:

> *'O du schändlicher Geruch, der in einem unschuldigen Mantel reist, wahrlich, du hast den schweren Leib dieses Mädchens verursacht. Wer wird für dich sprechen? Wer wird einen so hinterhältigen und schändlichen Geruch verteidigen?' (76)*

Der Geruch wird dann auch freigesprochen, weil der Geruch und sein Besitzer nicht getrennt werden können und so die eigentliche Schuld beim Menschen liegt, der den Geruch verströmt, in diesem Fall bei einem jungen Mann. Letztlich wird aber auch dieser freigesprochen, obwohl sich herausstellt, daß in jener Nacht nicht nur der Geruch im Mantel steckte, sondern eben auch sein Besitzer. Der weise Scheich löst den Konflikt auf, indem er den Jungen und das Mädchen zur sofortigen Heirat "verurteilt".

---

16 V. ALLIATA, Harem. Die Freiheit hinter dem Schleier, Frankfurt [9]1991, 73. Vgl. zum folgenden ebd. 73-77.

Interessant an dieser Erzählung ist für unseren Kontext die Verbindung zwischen Geruch und Person. Der Geruch des jungen Mannes ist nicht nur ein beliebiges äußerliches Attribut, sondern gehört so sehr zu seiner Identität, daß er sogar zum Stellvertreter der Person wird. Im Geruch ist die Person selbst präsent, und so kann der Geruch stellvertretend für seinen "Besitzer" zum Medium der Zeugung, ja zum Vater des Kindes werden.

Man mag einwenden, es handle sich ja nur um ein Märchen, und Märchen hätten nun einmal ihre eigene Logik. Aber Märchen erfinden, wie andere fiktionale Texte auch, trotzdem nichts völlig Neues, sondern bauen ihre eigene Welt aus Elementen der kulturellen Wirklichkeit, der sie entstammen. Auch Märchen geben deshalb Aufschluß auf die Kultur der Gesellschaft, in der sie erzählt werden. So kann aus diesem Märchen geschlossen werden, daß wir es hier mit einer Kultur zu tun haben, die um die zentrale Rolle des Geruchs bei der Identitätswahrnehmung weiß. Der Eigengeruch einer Person ist ein wesentlicher Teil der Person und kann deshalb als Repräsentation der Person selbst aufgefaßt werden. In seinem Geruch ist der Mensch präsent.

2. *Gedeuteter Geruch: Duft des Himmels oder Gestank des Teufels*

Die Sehnsucht nach dem angenehmen Geruch ist dem Menschen wohl angeboren. Wie bei anderen Sinneswahrnehmungen auch, wird versucht, unangenehme Reize zu meiden und sich angenehme Reize zu verschaffen.

Was freilich jeweils als angenehm oder als unangenehm empfunden wird, ist nicht einfach naturgegeben. Zwar scheint es für die Bewertung bestimmter Gerüche (z. B. für die positive Bewertung vieler Naturdüfte und die negative Bewertung von faulendem Fleisch) genetische Prädispositionen zu geben, für *"die meisten Düfte erfolgt allerdings eine* 'Prägung' *durch Erziehung oder durch die Situation, in der wir den Duft erstmals kennenlernen. Sie kann bereits im Mutterleib beginnen, z. B. abhängig von der Nahrungsaufnahme der Mutter."*[17]

Viele Bewertungen und Deutungen von Gerüchen sind also, wie schon im vorhergehenden Abschnitt deutlich wurde, Bestandteil des individuellen Lernens und des kulturellen Wissens, in das der einzelne durch früh beginnende Lernprozesse hineinwächst. JapanerInnen bewerten Gerüche als Gestank, die in europäischen Nasen unter Umständen als äußerst angenehm empfunden werden. Wenn wir uns also das Leben mit Düften angenehmer machen wollen, dann wird die Wahl der Duftstoffe nur zum Teil von genetischen Festlegungen, überwiegend aber von individuell gelernten Präferenzen und von kulturellen Vorgaben bestimmt.[18]

Bei einer historischen Betrachtung der Geruchsdeutung darf man also nicht vorschnell transkulturelle Invariablen postulieren. Was die alten ÄgypterInnen als wohlriechend empfunden haben, müßte, wenn ein direkter Vergleich möglich wäre, von modernen Menschen durchaus nicht als Duft eingeordnet werden.

Es geht aber im folgenden auch gar nicht um einen Duftvergleich, sondern um die Analyse von Geruchsdeutungen. Im Zentrum steht auch nicht die vielfältige Verwendung von Duftstoffen im alltäglichen Leben und in der Festgestaltung, sondern die spezifisch religiösen Bedeutungen, die Gerüchen zugeschrieben werden. In vielen antiken Kulturen ist der Wohlgeruch nämlich nicht nur eine angenehme Begleiterscheinung des Lebens, sondern ein Medium der Gotteserfahrung. Im

---

17 HATT, Geruch und Geschmack, 326.

18 Vgl. KRÖBER-RIEL/ MÖCKS/ NEIBECKER, Wirkung von Duftstoffen, 3 f.

Duft offenbart sich die Nähe des Göttlichen. Diese Deutung basiert selbstredend auf Erfahrungen mit der positiven Wirkung von Düften, so daß gewisse anthropologische Strukturen der Geruchserfahrung auch im religiösen Bereich erkennbar bleiben. Wie der spezifische Eigengeruch zur menschlichen Person gehört, so gehört der Duft zur Gottheit, ist Teil ihrer Person und kann so als Repräsentanz des Göttlichen fungieren.

Diese Vorstellung, die sich, wie wir am Beispiel Ägyptens sehen werden, schon im Alten Orient findet, ist später auch in der christlichen Tradition zu greifen.[19] Daß heilige Menschen einen besonderen Wohlgeruch verströmen, ist ein verbreiteter Topos in Heiligenlegenden. Solche Menschen stehen "im Ruch der Heiligkeit", wie umgekehrt mit dem Teufel und seiner Welt ein besonders widerwärtiger Gestank verbunden ist.

Im zweiten Band des *Dictionnaire critique des Reliques et des Images miraculeuses* von 1821 wird unter dem Stichwort *Odeur des Reliques* (Geruch von Reliquien) eine Geschichte aus dem 13. Jh. überliefert: Mönche eines Zisterzienserklosters bringen die Reliquien einiger der elfhundert jungfräulichen Begleiterinnen der heiligen Ursula im Chor der Klosterkirche unter, wie es ihrer Würde entspricht. Bald verbreitet sich ein unerträglicher Gestank, der von den heiligen Gebeinen herzurühren scheint. Der Abt freilich erkennt die List des Teufels, betet einen Exorzismus und vertreibt den Teufel. Sofort weicht der schreckliche Gestank einem höchst angenehmen Duft, der die Mönche zum Lobpreis Gottes bewegt. Heilige Gebeine, so die Moral der Geschichte, stinken nicht, außer wenn der Teufel sich daruntermischt.[20] Gestank ist etwas Teuflisches, während alles Himmlische einen süßen Duft verströmt.

In diese Tradition gehören auch die vielen Legenden vom himmlischen Duft der Heiligen, etwa der heiligen Teresa von Avila. Sie duftet nicht nur während ihres Lebens, sondern auch nach ihrem Tod. Die Schwester, die die Leiche Teresas gewaschen hat, bemerkt danach, daß nicht nur ihre Hände duften, sondern sogar das Wasser, mit dem sie ihre Hände gereinigt hat. Bei der Bestattung bricht ein junger Mann in Verzückung darüber aus, daß die Füße der Mutter Teresa lieblicher duften

---

[19] Vgl. dazu die vielen Beispiele bei E. LOHMEYER, Vom göttlichen Wohlgeruch, SHAW.PH 10 (1919) 9. Abh., 37-52.

[20] Vgl. J.-A.-S. COLLIN DE PLANCY, Dictionnaire critique des Reliques et des Images miraculeuses 2, Paris 1821, 358 f.

als Rosen und Orangenblüten. Und ihr vor Verwesung bewahrter Leichnam strömt noch nach Jahren und Jahrzehnten höchst angenehme Düfte aus.[21]
In den *Acta Sanctorum* werden diese Düfte als Zeichen der Heiligkeit *(signa sanctitatis)* gedeutet, und es wird auf Thomas von Aquin verwiesen, der den Wohlgeruch als Zeichen des göttlichen Gnadenwirkens auffaßt. Da Christus von Wohlgeruch erfüllt sei, dufteten auch die Gläubigen und Freunde Christi.[22] Zum Duft Christi wird auf *Gen 27* verwiesen. Im primären Kontext geht es um den Erstgeburtssegen des Isaak. Jakob erschleicht sich den Segen des blinden Vaters, indem er sich als Esau ausgibt. Dazu trägt er auch das Gewand seines Bruders. Als Isaak im Gewand den Eigengeruch des Esau wahrnimmt, ruft er aus: *"Ja, mein Sohn duftet wie das Feld, das der Herr gesegnet hat!" (Gen 27,27).* Dieser Ausruf wird (wohl wegen des Stichworts "Sohn") christologisch gedeutet. Die Rede vom Duft der Glaubenden beruht auf einer ekklesiologischen Deutung von *2Kor 2,15.* Auf diesen Paulustext soll im exegetischen Teil näher eingegangen werden, hier ist vorerst nur festzuhalten, daß es in der christlichen Tradition eine religiöse Geruchsdeutung gibt, die den Duft als Zeichen des Göttlichen auffaßt. Das Göttliche duftet und so duften auch alle Menschen, die mit dem Göttlichen in Verbindung stehen. Daß diese Deutung des Duftes bis heute greifbar ist, und zwar auch außerhalb des kirchlichen Kontexts, sei abschließend durch ein zeitgenössisches literarisches Beispiel belegt.

In seinem Roman *Milad* erzählt der syrisch-deutsche Schriftsteller Rafik SCHAMI die Geschichte von einem armen Mann aus dem syrischen Bergdorf Malula, der auszieht, um 21 Tage hintereinander satt zu werden.[23] Schon zu Beginn der Erzählung fällt der Titelheld durch seinen besonderen Eigengeruch auf.
Der Ich-Erzähler der Rahmenhandlung berichtet, wie er den alten Milad verwahrlost und schwer krank auf einer Straße in Damaskus lie-

---

21 Vgl. dazu LEGUÉRER, Gerüche, 183-188; H. LARCHER, La mémoire du soleil. Aux frontières de la mort, Méolans-Revel 1990, 23-30. Die dort vorgelegten physiologischen Erklärungsversuche vermag ich allerdings nicht nachzuvollziehen.

22 Vgl. ActaSS, Octobris VII.1, Paris 1869, 368.

23 R. SCHAMI, Milad. Von einem, der auszog, um einundzwanzig Tage satt zu werden, München 1997. - Seitenangaben nach dieser Ausgabe.

gend findet. Der Alte ist zusammengebrochen, von Folterknechten des Geheimdienstes übel zugerichtet.

Zusammen mit einem Mann, der neben mir stand, half ich Milad auf die Beine und nahm ihn mit zu mir nach Hause. Wir waren nicht wenig erstaunt, daß der alte Mann stark nach Jasmin duftete, obwohl er aussah, als hätte seine Haut seit Monaten kein Wasser gesehen. (10)

Der Duft Milads steht in deutlichem Kontrast zum Geruch normaler Leute, wie sie der Erzähler vorher im Bus angetroffen hatte:

Der etwa vierzigjährige kleine Mann vor mir schwitzte eine merkwürdige Mischung aus Ammoniak und Essig aus. Hinter mir verbreitete ein ungefähr sechzigjähriger Mann mit jedem Atemzug den Gestank von Verwesung. (8)

Milad dagegen verströmt einen wunderbaren Duft, der den Erzähler schon als Kind bezaubert hatte und ihn wünschen ließ, so zu *"leben wie Milad und so wie er immer nach Jasmin duften" (11)*. Da der Duft Milads offensichtlich nichts mit Hygiene und Parfum zu tun hat, liegt eine übernatürliche Erklärung nahe. Selma, die Tante des Erzählers erklärt:

Und weißt du, warum er nach Jasmin duftet? Das hat er von einer Fee, die nackt mit ihm in seiner Höhle tanzt. Mein Schwager schwört beim heiligen Kreuz, daß er einmal unbemerkt hinter Milad hergeschlichen ist und halbtot vor Angst beobachtet hat, wie Milad nackt mit einer Fee tanzte und sie - Gott rette meine Seele - auch liebte. (12)

Am Ende des Buches wird der Verdacht der abergläubischen Tante Selma von Milad selbst bestätigt. Nachdem er all die Abenteuer berichtet hat, die er bestehen mußte, um die für einen armen Mann aus Malula nahezu unlösbare Aufgabe zu erfüllen, 21 Tage in Folge satt zu werden, erzählt er schließlich von der ersehnten Belohnung durch seine Fee. Sie beschenkt ihn mit der Fähigkeit, allen Kindern Freude zu schenken. Und da sie zudem ihren Milad liebt, schenkt sie sich ihm auch selbst.

Da spürte ich ihre Hand auf meinen Lippen, und alsbald lag sie fest in meinen Armen. Ich küßte sie und näßte ihr Gesicht mit meinen Freudentränen, und wir liebten uns bis zur Morgenröte. Das war ihr erstes Liebesspiel mit einem Menschen, denn Feen dürfen uns eigentlich nicht zu nahe sein. Unser Ruf ist im Feenreich genauso schlecht wie der Ruf des Teufels auf Erden. Wir gelten als gefährlich und ungemein verführerisch, aber treulos. Meine Fee aber hatte sich unsterblich in mich verliebt und verstieß damit gegen die heiligen Regeln. Doch bis heute hat sie es nicht bedauert. (167)

Die Vereinigung mit der Fee bleibt für Milad nicht ohne Folgen. Das überirdische Wesen hinterläßt beim menschlichen Partner eine deutliche Spur seiner Gegenwart:

> *Ein paar Minuten nach dem Liebesspiel merkte ich zum erstenmal, daß ich nach Jasmin rieche, wenn ich schwitze, ... (167)*

Tante Selma hatte also recht: Der außergewöhnliche Duft, der Milad von anderen Menschen unterscheidet, ist übernatürlichen Ursprungs. Milad hat die Aufgabe seines Lebens bewältigt und ist von seiner Fee, die hier als Instanz des Überirdischen fungiert, belohnt worden. Er ist (theologisch gesprochen) ein Gerechtfertigter, dem die Vereinigung mit dem Himmlischen zuteil wird. Zwar ist die Vereinigung zwischen Himmel und Erde in diesem Falle nicht als mystische, sondern als sexuelle Ekstase konzipiert, aber das Grundmodell der *Unio mystica*, die ja auch oft erotische Aspekte hat, ist deutlich zu erkennen. Folge der Vereinigung mit dem Himmlischen ist jedenfalls auch hier ein übernatürlicher Duft. Dieser Duft ist das Zeichen der bleibenden Gegenwart einer himmlischen Macht; er signalisiert, daß in diesem Menschen auf Dauer etwas Göttliches wohnt, wenn es auch hier "nur" die Liebe einer Fee ist.

II. Die religiöse Bedeutung des Dufts im Alten Ägypten: Medium der Gottesnähe

JOACHIM KÜGLER

Die Vorstellung vom göttlichen Wohlgeruch ist im Alten Orient weit verbreitet, allerdings dürfte die ägyptische Kultur die am meisten entfaltete Dufttheologie bieten. Deshalb sei im Folgenden die Beschränkung auf Ägypten gestattet.
Zunächst ist festzuhalten, daß die Vorliebe für angenehme Gerüche und der entsprechende Gebrauch von Duftstoffen im Alten Ägypten selbstverständlich nicht auf den kultisch-religiösen Bereich beschränkt war. Vielmehr hängen religiöse Duftsymbolik und erfahrungsweltliche Duftkultur eng zusammen. Es ist deshalb nicht verwunderlich, wenn Duftstoffe, wie etwa Weihrauch, nicht nur im Kult, sondern auch als medizinisches oder kosmetisches Mittel verwendet werden. Man kaut z. B. Weihrauchpillen, um den Atem zu erfrischen oder vertreibt üble Gerüche aus dem Haus oder aus der Kleidung.[1] Die religiöse Bedeutung des Duftes sollte also in engem Zusammenhang mit den außerkultischen Dufterfahrungen gesehen werden.
Dabei markiert der opulente Gebrauch von Duftstoffen beim geselligen Festmahl, wie es uns vor allem in den Grabreliefs der ägyptischen Oberschicht[2] aus der Zeit des Neuen Reichs (ca. 16.-11. Jh. v.Chr.) bezeugt ist, einen Übergangsbereich und soll deshalb als erstes dargestellt werden.

---

1 Vgl. E. PASZTHORY, Salben, Schminken und Parfüme im Altertum, Mainz 1992, 13; M. PFEIFER, Der Weihrauch. Geschichte, Bedeutung, Verwendung, Regensburg 1997, 19 mit Anm. 7.

2 Bei fast allen Quellen, die uns aus dem Alten Ägypten erhalten sind, handelt es sich um kulturelle Zeugnisse des Königs und seiner hohen Beamten, also um die Hinterlassenschaft einer (hauchdünnen) Oberschicht. Von der überwältigenden Mehrheit der ägyptischen Bevölkerung wissen wir (von vereinzelten Ausnahmen abgesehen) nichts. Dies gilt es immer kritisch zu bedenken, wenn im folgenden von *der* ägyptischen Kultur die Rede ist. - Die angegebenen Jahreszeiten sollen nur eine grobe Orientierung erlauben. An der ägyptologischen Chronologiediskussion soll damit nicht teilgenommen werden.

1. *Das Fest: Jenseits von Alltag und Kult*

Das Fest ist ein Drittes. Einerseits ist es nicht Alltag, sondern von diesem ganz klar geschieden: Das Fest stellt einen Gegenentwurf zum Alltag dar, eine alternative Welt mit eigenem Wertekanon und eigenen Wahrheiten, die teilweise denen der Alltagswelt diametral gegenüberstehen.[3] Andererseits ist das gesellige Fest aber auch kein Kultgeschehen, wie es die Priester im Auftrag des Königs im Tempel vollziehen. Es geht um irdischen Lebensgenuß und Sinnenfreude, und zwar um gezielt intensivierten sinnlichen Genuß. Dazu trägt die Schönheit von Blumenschmuck, prächtigen Gefäßen und leicht bekleideten (oder nackten) jungen Dienerinnen ebenso bei wie erlesene Speisen und berauschende Getränke, Musik und Tanz. Um in die Atmosphäre des Festes ganz einzutauchen, gilt es, sich dem Genuß dieser vielfältigen Schönheit hinzugeben.

Worum es beim Fest geht, faßt ein Festlied aus einem thebanischen Beamtengrab der 18. Dynastie (1500 - 1300 v.Chr.) prägnant zusammen:

> *Sein Herz erfreuen, Schönes sehen, Tänze und Gesänge,*
> *Myrrhen auflegen, sich mit Öl salben, eine Lotusblüte an der Nase,*
> *Brot, Bier, Wein, Süßigkeiten und alles andere vor sich.*[4]

Wie der Text deutlich macht, gehören zur Intensivierung der Sinnenreize auch üppig verwendete Duftstoffe.

Die erhaltenen Festdarstellungen zeigen oft reichen Blumenschmuck und Festgäste, die an Lotusblumen riechen. Die intensivsten Gerüche dürften aber Salben und Duftöle verbreitet haben. Viele Bilder zeigen die Festgäste mit einem Salbkegel auf dem Kopf. Dieser Salbkegel dürfte im Laufe der Feier geschmolzen sein, so daß sich das flüssige Fett über Körper und Kleidung verteilte.[5] Die Teilnehmer des Festes waren also regelrecht von Duft durchtränkt.

---

3 Zu Sinn und Gestalt des ägyptischen Fests vgl. J. ASSMANN, Der schöne Tag. Sinnlichkeit und Vergänglichkeit im Altägyptischen Fest, in: J. ASSMANN, Stein und Zeit. Mensch und Gesellschaft im alten Ägypten, München 1991, 200-234. Er bezeichnet das Fest in seiner Distanz zur Alltagswelt als "Heterotop". Vgl. a.a.O., 223-226.

4 Aus dem Grab des Wesirs Rechmire (TT 100). Zitiert nach ASSMANN, Stein und Zeit, 210.

5 Ob dies bei realen Festen so praktiziert wurde, muß freilich offenbleiben. Wir haben es immerhin mit Grabdarstellungen zu tun, die bei allem bio-

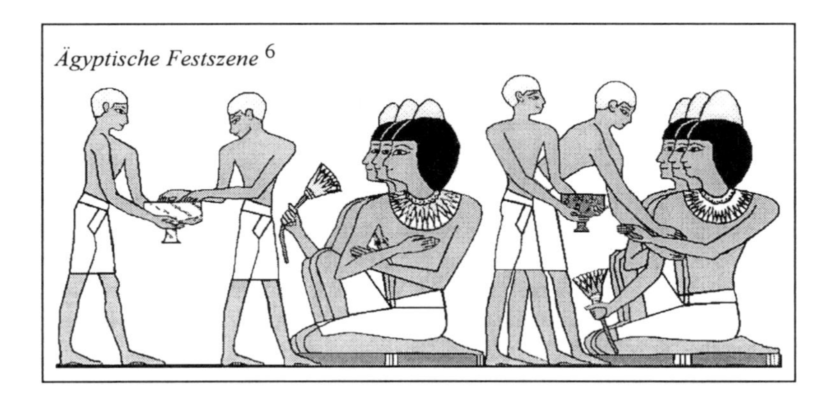
Ägyptische Festszene [6]

ASSMANN weist dem Duft im Kontext der sinnlichen Gesamtinszenierung des Festes die Funktion zu, eine affektive Verschmelzung des einzelnen Festteilnehmers mit der genußvoll wahrgenommenen Welt und mit der Gruppe der Feiernden zu befördern.[7]

Auch wenn das Fest kein Kult ist, sondern ästhetisch inszenierter sinnlicher Genuß, so steht es doch oft in Zusammenhang mit Götterfesten und hat von daher religiöse Dimensionen. So ist die Lotusblume mit dem zyklischen Wiederauftauchen der Sonne aus dem Dunkel der Nacht verbunden und symbolisiert die Hoffnung auf Wiedergeburt und Erneuerung des Lebens. Nefertem, der Gott der Lotusblume, ist zugleich der Gott der Salben und des Wohlgeruchs. Schon im Alten Reich kann er als *"Lotusblume an der Nase des Re"*[8] bezeichnet werden. Beim Riechen an der Lotusblume geht es also nicht nur um den Genuß des Blumenduftes, sondern zugleich um einen Verweis auf die damit verbundene lebensspendende Kraft des Sonnengottes.

Im Hintergrund des Festes kann auch ein bestimmter Mythos stehen. Ein Festlied spielt offensichtlich auf einen solchen mythischen Hintergrund an:

---

graphischen Bezug die Realität nicht einfach abbilden wollen, sondern das Fest als Lebensideal entwerfen und verewigen.

6 Aus dem Grab des Rechmire (TT 100). Vgl. S. SCHOSKE/ A. GRIMM/ B. KREIßL, Schönheit - Abglanz der Göttlichkeit. Kosmetik im Alten Ägypten (SAS 5), München 1990, Abb. 2 (hinterer Umschlag innen).

7 Vgl. ASSMANN, Stein und Zeit, 206 f.

8 M. LURKER, Lexikon der Götter und Symbole der alten Ägypter. Handbuch der mystischen und magischen Welt Ägyptens, Darmstadt 1987, 127.142.

O schöner Tag, der vom Himmel kam!
Ihr Männer greift nach ihm!
Die herrliche Göttin ruht entblößtem Gesichts dem, der kommt ...[9]

Es geht hier wohl um die heilige Hochzeit, welche beim thebanischen Talfest eine Rolle gespielt hat.[10] Die herrliche Göttin ist Hathor, die unverhüllt auf ihren Bräutigam Amun wartet. In den königlichen Riten des Talfests zieht nämlich Amun von seinem Tempel in Karnak aus und besucht das Hathorheiligtum im Wüstental von Deir el-Bahari. Das Festgelage erhält durch diesen mythischen Kontext einen religiösen Deutungsrahmen, der klar macht, *"daß die Schönheit, die es im Fest zu genießen gilt, nichts anderes als die 'Emanation' des im Fest erschienen Gottes ist. Die im Fest inszenierte* sinnliche *Schönheit ist eine 'Atmosphärisierung' der göttlichen Gegenwart und Ausstrahlung"*[11]. Sinnlicher Genuß und religiöse Bedeutung sind hier kein Gegensatz. Irdische und himmlische Welt, die im Alltag getrennt sind, verschmelzen im Fest. Die sinnlich erfahrbare Schönheit kann in der festlichen Inszenierung des geglückten Lebens zum Erfahrungsort der Realpräsenz des Göttlichen werden. Der Duft des Festes spielt dabei eine zentrale Rolle, denn in ihm senkt sich der Himmel auf die Erde herab. In einem Festlied aus der Zeit der 20. Dynastie heißt es dazu:

Es sinkt der Himmel herab auf Luft, die ihn nicht trägt,[12]
und er bringt dir seinen Duft, einen betäubenden Wohlgeruch,
der die Anwesenden trunken macht.[13]

Man kann das Sinnprogramm des altägyptischen Festes prägnant als (punktuelle und situative) Realisation des menschlichen Heils beschreiben. Es geht dabei um ein gelungenes Leben (vor und nach dem Tod), das als Verschmelzung von Himmel und Erde gedeutet werden kann. Im Rahmen dieses Sinnprogramms einer heilen Welt ist der Duft des Festes dann als sakramentale Vergegenwärtigung des Göttlichen zu begreifen.

---

9 Zitiert nach ASSMANN, Stein und Zeit, 211.

10 Zum Talfest vgl. E. GRAEFE, Talfest, LÄ 6, 187-189.

11 ASSMANN, Stein und Zeit, 211.

12 Im Hintergrund dieser Formulierung steht das charakteristische "Weltbild" Ägyptens: Die Himmelsgöttin Nut beugt sich über den Erdgott Geb. Der Luftgott Schu stützt Nut und trennt sie damit von Geb. Vgl. LURKER, Lexikon, 177 f.

13 Aus dem Pap. Chester Beatty I; vgl. ASSMANN, Stein und Zeit, 212.

2. *Duft und Kult*

Wohlgeruch ist ein Zeichen des Lebens und weist auf die Nähe der lebenspendenden Götter hin.[14] Daß nämlich Gottheiten einen besonderen Wohlgeruch verströmen, gehört zu den häufig belegten ägyptischen Vorstellungen. Unter den Duftstoffen ist es der Weihrauch, der in bezug auf die Götterwelt die Hauptrolle spielt.[15] Die besondere Bedeutung des Weihrauchs wird schon durch die Begrifflichkeit angezeigt: Die ägyptische Bezeichnung *snṯr* (= "Weihrauch") läßt sich nämlich aufgrund der üblichen Schreibungen (mit dem Gottesideogramm) als kausatives Derivat von *nṯr* (="Gott") verstehen und ist dann als "Vergottungsmittel" aufzufassen.

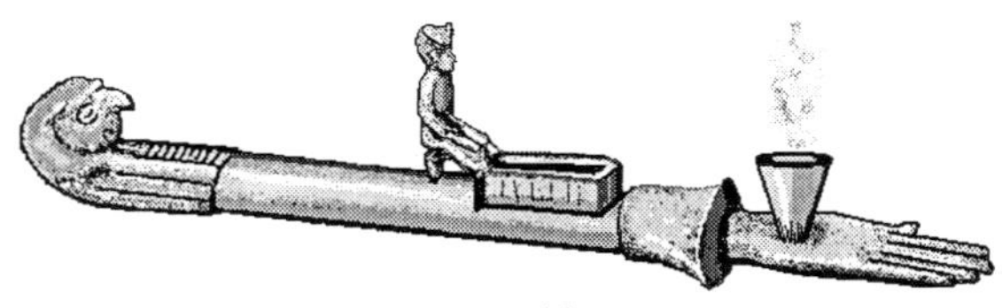

Spätägyptischer Räucherarm[16]

Im Tempelkult spielt der Weihrauch deshalb eine herausragende Rolle. Räucherungen begleiten zahlreiche kultische Einzelaktionen. Was den Göttern im Kult gegeben wird, muß den Gottheiten angemessen sein. Nur Heiliges dient dem Heiligen. Die ägyptischen Kulttexte machen denn auch deutlich, daß im Opfer den Göttern etwas gegeben wird, was zu ihnen gehört, weil es von ihnen stammt. Weihrauch wird gedeutet als *"Gottesschweiß, der auf die Erde fiel"*[17]. Dementsprechend heißt es in einem Ritualtext für den täglichen Gottesdienst:

---

14 Vgl PASZTHORY, Salben, 12 f.

15 Leider geht R. GERMER, Weihrauch, LÄ 6, 1167-1169, auf die religiöse Dimension des Weihrauchs gar nicht ein.

16 Etwa 600 v.Chr., Bronze, 46 cm lang, Räuchernapf und Rauch virtuell ergänzt. Der Falkenkopf stellt einen Bezug zum Königsgott Horus dar. Das Königsfigürchen und die Form des Behälters für die Weihrauchkörner (Königskartusche) weisen darauf hin, daß theologisch immer der König der Opfernde ist, auch wenn er in der Praxis meist von Priestern vertreten wird. Vgl. SCHOSKE/ GRIMM/ KREIßL, Schönheit, 66 Abb. 16. Computergraphik: J. K.

17 LURKER, Lexikon, 160.

Euer Schweiß werde euch zuteil, ihr Götter!
Euer Tau werde euch zuteil, ihr Göttinnen,
der Tau eurer Körper werde euch zuteil! [18]

Im Kult wird den Göttern also kein fremder Geruch dargebracht, sondern ihr eigener Schweiß. Der Weihrauchduft ist der Eigengeruch der Gottheiten. Wenn ein Mensch in den Weihrauchduft mit hineingenommen wird, dann wird er vergöttlicht und in die Familie der Götter aufgenommen.

Unter den Göttern ist es vor allem Amun, der mit dem Weihrauchland Punt in Verbindung gesetzt wird. In der Amuntheologie des Neuen Reiches ist Amun der,

dessen Duft die Götter lieben, wenn er heimkehrt aus Punt,
reich an Wohlgerüchen, wenn er aus dem Nubierland herabkommt,
schönen Gesichts, wenn er aus dem Gotteslande kommt. [19]

Und im *Tausend-Strophen-Lied*[20], einem Zeugnis der Neuformulierung der ägyptischen Amuntheologie nach der monotheistischen Zwischenphase unter Amenophis IV./ Echnaton (also nach 1324 v.Chr.), heißt es später ganz ähnlich:

Zu dir kommen die Bewohner von Punt.
Das Gottesland grünt für dich, aus Liebe zu dir.
Es rudern für dich [deine Schiffe], *beladen mit Gummiharz,*
um deinen Tempel mit Festesduft festlich zu machen.
Die Weihrauchbäume träufeln dir Myrrhen.
Der Duft deines Taus (= Weihrauch) *gelangt in deine Nase,*
und (die Bienen) *arbeiten am Honig ...* [21]

---

18 Zitiert nach E. KAUSEN, Das tägliche Tempelritual, TUAT 2.3 (1988) 391-405: 399. Vgl. G. ROEDER (Hg.), Kulte und Orakel im Alten Ägypten (Neuausgabe), Zürich 1998, 83.

19 Vgl. J. ASSMANN (Hg.), Ägyptische Hymnen und Gebete, 2. verb. u. erw. Aufl., Göttingen 1999 (= ÄHG), Nr. 87A, 30-33. - Die Heiligkeit des Weihrauchs drückt sich auch darin aus, daß das Weihrauchland Punt (eine nicht immer genau zu bestimmende Gegend am Roten Meer) Gottesland genannt wird.

20 Beim *Tausend-Strophen-Lied* (Pap. Leiden I 350) handelt es sich um einen Amunhymnus aus der Zeit nach Echnaton. Der Text stellt keinen kultischen Hymnus dar, sondern theologische Literatur in poetischer Form. Vgl. W. BEYERLIN (Hg.), Religionsgeschichtliches Textbuch zum Alten Testament (ATD.Ergänzungsreihe 1), Göttingen 1975, 46 f.

21 Zitiert nach BEYERLIN, Textbuch, 47 (Übersetzung von H. BRUNNER).

Im Ritual der Darbringung der Ma'at[22] an Amun-Re als Schöpfer- und Weltgott wird Ma'at als Tochter des Amun-Re verstanden, deren Anblick auf den Gott verjüngend wirkt. Sie selbst duftet, und ihr Vater lebt *"vom Duft ihres Taus"*.[23] Daß mit dem Dufttau der Ma'at konkret der Geruch des im Kult verbrannten Weihrauchs gemeint ist, wird im folgenden deutlich, wenn auch andere konkrete Opfergaben, von denen der Schöpfergott sich nährt, als Ma'at interpretiert werden:

Du ißt von Ma'at, du trinkst von Ma'at,
dein Brot ist Ma'at, dein Bier ist Ma'at,
du atmest Weihrauch ein als Ma'at, die Luft deiner Nase ist Ma'at,
Atum kommt zu dir mit Ma'at. [24]

Das Ritual der Darbringung der Ma'at dient der Aufrechterhaltung der kosmischen Ordnung, wie sie sich im Sonnenlauf ausdrückt. Dabei geht es nicht um die Angst, die Sonne könne nicht mehr aufgehen, wenn das Opfer unterbleibt, sondern um die Sorge, das kosmische Geschehen könne seinen Zusammenhang mit der menschlichen Ordnung, seinen Sinn verlieren.[25] Damit dies nicht geschieht, muß die duftende Ma'at dem Schöpfergott immer neu dargebracht werden.
Der göttliche Duft des Amun spielt auch eine wichtige Rolle in den berühmten Reliefzyklen, die die göttliche Zeugung des ägyptischen Königs erzählen.[26] Eine der zentralen Szenen ist SZENE IV, welche die Zeugung des königlich-göttlichen Kindes zeigt.[27]

---

22 Unter Ma'at ist ägyptisch die kosmische und soziale Weltordnung zu verstehen. Aufgabe des Königs ist es, diese Ma'at, die ständig bedroht ist, durch sein Handeln aufrechtzuerhalten. Er hat für umfassende Ordnung und Harmonie zu sorgen. Es geht dabei um Harmonie zwischen den Göttern durch geordnetes Kultwesen, zwischen Gott und Mensch durch ausreichende Opfer und Harmonie zwischen den Menschen durch Schutz der Schwachen und Rechtsprechung. Im Ma'at-Ritual wird das Handeln des Königs kultisch realisiert und dabei der Gottheit zurückgegeben, was von ihr ausgeht. Vgl. J. ASSMANN, Ma'at. Gerechtigkeit und Unsterblichkeit im alten Ägypten, München 1990, 174-195.

23 Vgl. ÄHG Nr. 125, 34-36.

24 Zitiert nach ÄHG Nr. 125, 52-58.

25 Vgl. ASSMANN, Ma'at, 195.

26 Die beiden wichtigsten Belege für den Geburtszyklus sind die großen Fassungen, die im Totentempel der Königin Hatschepsut (1490-1468 v.Chr.) in Deir el-Bahari ***(D)*** und im Amuntempel von Amenophis III. (1402-1364 v.Chr.) in Luxor ***(L)*** zu finden sind. Vgl. H. BRUNNER, Die Geburt des Gottkönigs. Studien zur Überlieferung eines altägyptischen Mythos (ÄA

Über der Szene schwebt eine geflügelte Sonne, die auf die Heiligkeit des Dargestellten schließen läßt. Amun und die Königin sitzen einander gegenüber, begleitet von zwei Göttinnen, die die Füße des Paares stützen und auf einem Bett sitzen. Amun ist durch die Federkrone gekennzeichnet. Er hält der Königin das Zeichen des Lebens *(ʿanḫ)* an die Nase, durch die der Lebensatem aufgenommen wird.[28] Diese überaus häufig dargestellte Geste bedeutet allgemein nur die Übertragung göttlicher Lebenskraft, hat hier durch den Kontext aber sicher auch eine weitere Konnotation, weil ja es um die Zeugung eines Kindes geht. Bei dem Lebensodem, den Amun der Königin gibt, ist deswegen auch an die Lebenskraft des königlichen Kindes zu denken. Die gegenseitige Berührung der Hände ist eine Ausdrucksform der ehelichen Gemeinschaft.[29] Die Bettfläche, die sich Amun und die Königin teilen, ist wie das ägyptische Schriftzeichen für "Himmel" *(pt)* gestaltet, was auf die Heiligkeit des dargestellten Geschehens schließen läßt.
Das Bild meidet also jede direkte Darstellung der sexuellen Gemeinschaft und beschränkt sich auf eine symbolische Andeutung von Gemeinschaft und Übertragung von Lebenskraft. Die Texte, die eine große Unabhängigkeit vom Bild auszeichnet, sind etwas deutlicher in ihrem Bezug auf die Zeugung des Kindes, aber auch hier wird jede direkte Schilderung des Sexualaktes vermieden.
Die beiden Haupttexte sind links und rechts neben dem Bild angeordnet, wobei der rechte zuerst zu lesen ist:

---

10), Wiesbaden [2]1986; J. KÜGLER, Pharao und Christus? Religionsgeschichtliche Untersuchung zur Frage einer Verbindung zwischen altägyptischer Königstheologie und neutestamentlicher Christologie im Lukasevangelium (BBB 113), Bodenheim 1997, 21-76.

27 Vgl. BRUNNER, Gottkönig, 35-58. Die Fassungen von ***L*** und ***D*** laufen weitgehend parallel. Ich beziehe mich, soweit nicht anders vermerkt, auf ***L***. Die Vorlage für unsere Computergraphik (J. K.) findet sich bei BRUNNER, Gottkönig, Tafel 4. Seine Zeichnung wurde geringfügig ergänzt.

28 Alle Götter können Lebenskraft übermitteln, aber mit Amun ist in besonderer Weise die Vorstellung vom Lebensatem verbunden. *"Sein Hauch ist Atemluft für jede Nase"* (ÄHG 141, 12). Er ist, so H. BRUNNER, der *"Herr des Lebensodems, der sich im Lufthauch erleben läßt"* (Altägyptische Religion, Darmstadt [4]1989, 18).

29 Vgl. A. EGGEBRECHT (Hg.), Sennefer. Die Grabkammer des Bürgermeisters von Theben, Mainz [2]1991, 67 Abb. 46; allgemein S. HODEL-HOENES, Leben und Tod im Alten Ägypten. Thebanische Privatgräber des Neuen Reiches, Darmstadt 1991, 101-122.

SZENE IV
DIE ZEUGUNG DES KÖNIGLICH-GÖTTLICHEN KINDES

Gesprochen durch die Königsmutter Mutemwia vor der Majestät dieses herrlichen Gottes,
Amun, des Herrn von Karnak:
Wie groß sind doch deine Bas!
Wie vollkommen ist diese deine ...!
Wie verborgen sind die Pläne, die du geschmiedet hast! Wie zufrieden (ḥtp) *ist dein Herz über meine Majestät!*
Dein Duft ist in allen meinen Gliedern!, nachdem die Majestät dieses Gottes alles, was er wollte, mit ihr getan hatte.
Da sprach Amun, der Herr von Karnak, vor ihrer Majestät:
Amun-ist-zufrieden (Imn-ḥtp = Amenophis), *Herrscher von Theben, ist der Name dieses Kindes, das ich in deinen Leib gegeben habe, gemäß dieser Knüpfung von Worten, die aus deinem Mund gekommen ist. Er wird dieses wohltätige Königtum in diesem ganzen Lande ausüben. Mein Ba gehört ihm, mein Ansehen gehört ihm, meine weiße Krone gehört ihm, er ist es, der die beiden Länder beherrschen wird wie Re ewiglich.*

Gesprochen durch Amun-Re, den Herrn von Karnak, den vordersten seiner Ipet, nachdem er seine Gestalt zu der dieses ihres Gatten, des Königs von Ober- und Unterägypten, Men-Cheperu-Re, begabt mit Leben, gemacht hatte.
Er fand sie, wie sie ruhte im Innersten ihres Palastes. Sie erwachte wegen des Gottesduftes, sie lachte Seiner Majestät entgegen. Er ging sogleich zu ihr; er entbrannte in Liebe zu ihr. Er ließ sie ihn sehen in seiner Gottesgestalt, nachdem er vor sie gekommen war, so daß sie jubelte beim Anblick seiner Vollkommenheit. Seine Liebe, sie ging ein in ihren Leib. Der Palast war überflutet von Gottesduft. Und alle seine Gerüche waren solche aus Punt.

Für das Verständnis dieser Szene ist die Ausrichtung auf das königliche Kind entscheidend. Es handelt sich dabei um den künftigen König, der dann nach seiner Amtsübernahme der Auftraggeber des Reliefs ist. Auch wenn das königliche Kind im Bild nicht vorkommt, stehen seine Zeugung und sein zukünftiges Königtum im Zentrum der Szene. Hier liegt die primäre Intention der Begegnung von Gott und Königin.
Was die genauere Deutung dieser Szene angeht, so hat ASSMANN vor allem auf den Gegensatz von göttlicher und menschlicher Sphäre abgehoben. Amun, der König der Götter, überschreitet diese Grenze, indem er die menschliche Gestalt des königlichen Gatten annimmt und in den Palast geht, um den Beischlaf mit einer Sterblichen zu vollziehen.[30] Es scheint mir aber fraglich, ob in diesem Aspekt die zentrale Aussage des Textes gesehen werden sollte, vor allem, wenn er als Gegensatz zwischen Sterblichkeit und Unsterblichkeit gefaßt wird.[31] Vielleicht sollte man besser von einer symbolischen Überlagerung von Göttlichem und Menschlichem sprechen, die deutlich machen will, daß sich die Verbindung von Himmel und Erde in Person und Rolle des Königs realisiert. Der König ist ja für Ägypten das Bindeglied zwischen göttlicher und menschlicher Welt.[32]
Daß der Duft des Gottes in der Überlagerung von göttlicher und menschlicher Welt, wie sie sich bei der Zeugung des Königs vollzieht, eine besondere Rolle spielt, ist schon aus der wiederholten Erwähnung ersichtlich.[33]

---

[30] Vgl. J. ASSMANN, Die Zeugung des Sohnes. Bild, Spiel, Erzählung und das Problem des ägyptischen Mythos, in: J. ASSMANN/ W. BURKERT/ F. STOLZ, Funktionen und Leistungen des Mythos. Drei altorientalische Beispiele (OBO 48), Fribourg 1982, 13-61: 26 f.

[31] Was die bildliche Darstellung angeht, so erscheint die Königin stets als ebenbürtige Partnerin der Götter (gleich groß; in königlich-göttlichem Ornat). Ihr Menschsein wird weder geleugnet noch besonders hervorgehoben. Die Texte betonen keineswegs die Sterblichkeit der Königin, sondern im Gegenteil stets ihre Würde als königliche Frau, die *"lebt wie Re"* (SZENE I). Man sollte deshalb den griechischen Gegensatz zwischen der göttlichen Unsterblichkeit und der menschlichen Sterblichkeit hier besser nicht eintragen.

[32] Zur Rolle des ägyptischen Königs vgl. ASSMANN, Ma'at, 200-236.

[33] Zur religiösen Dimension des Wohlgeruchs in der ägyptischen Tradition vgl. E. LOHMEYER, Vom göttlichen Wohlgeruch, SHAW.PH 10 (1919) 9. Abhandlung, 15-22; E. HORNUNG, Der Eine und die Vielen. Ägyptische Gottesvorstellungen, Darmstadt [5]1993, 122-124.141; PASZTHORY, Salben,

Zunächst wird festgestellt, daß die Königin vom Duft, den der Gott verströmt, erwacht. Am Duft kann sie die Gegenwart des Gottes erkennen, noch bevor er sich ihr in seiner Gottesgestalt zeigt. So ist die Königin auf die direkte Begegnung mit der Gottheit vorbereitet, denn der Duft des Gottes übernimmt die Funktion eines Mediums und schafft eine Atmosphäre, die ein schreckloses Eintauchen in das Wesen dessen erlaubt, der sich dann offenbart. Die direkte Begegnung mit dem Göttlichen führt bei der Königin deshalb nicht zu Furcht und Erschrecken, sondern zur Erwiderung der Liebe und zum Jubellied, weil sie durch den Duft schon in die göttliche Sphäre aufgenommen ist. Der Duft ist die atmosphärische Gegenwart des Gottes und vermittelt zwischen göttlicher und menschlicher Welt.[34] Amun überwindet die Distanz zwischen Gott und Mensch, indem er die Königin durch den Duft in eine göttliche Aura einhüllt, sie in gewisser Weise vergöttlicht und damit die Möglichkeit einer Gemeinsamkeit zwischen Gott und Mensch konstituiert.

Sodann heißt es, daß der göttliche Duft, der durch den Hinweis auf Punt als Weihrauchduft charakterisiert wird, den Palast erfüllt. Als Ort eines heiligen Geschehens ist der Palast ein heiliger Ort. Wie in einem Tempel findet hier eine direkte Begegnung von Gott und Mensch statt, und deshalb ist der Palast wie ein Tempel vom Wohlgeruch des göttlichen Weihrauchduftes ganz und gar erfüllt, "überflutet".

Schließlich wird im zweiten Teil des Textes, nach der Vereinigung zwischen Gott und Königin, noch gesagt, daß der Duft des Gottes in allen Gliedern der Königin ist. Wird der Duft als Medium der göttlichen Gegenwart verstanden, dann bedeutet dies, daß etwas von der Ge-

---

12-18; P. FAURE, Magie der Düfte. Eine Kulturgeschichte der Wohlgerüche. Von den Pharaonen zu den Römern, München 1993, 21-50. Speziell zum Geburtszyklus: I. SHIRUN-GRUMACH, Offenbarung, Orakel und Königsnovelle (ÄAT 24), Wiesbaden 1993, 91 f.

34 Auch wenn die erotische Qualität des Duftes in der ägyptischen Kultur nicht zu bestreiten ist, kann die Behauptung, der Duft beziehe sich auf das Räucherwerk, das während einer Liebesnacht im Harem verbrannt werde, nur als Mißverständnis eingestuft werden. Das gilt erst recht für die Vermutung, das Entzücken der Königin über die "Gottesgestalt" beziehe sich eigentlich auf die sichtbare Erregung ihres königlichen Gemahls, der mit dem ityphallischen Amun-Min verglichen werde. Gegen K. P. KUHLMANN, Das Ammoneion. Archäologie, Geschichte und Kultpraxis des Orakels von Siwa (AV 75), Mainz 1988, 150 mit Anm. 1187.

genwart des Amun nun in der Königin präsent ist.[35] Die Begegnung des Menschen mit dem Göttlichen hinterläßt ihre Spuren. Sie führt zu einer Art Vergöttlichung, welche sich im göttlichen Duft ausdrückt. Diese Vergöttlichung hat in bezug auf die Königin zwei mögliche Sinndimensionen.

Von SHIRUN-GRUMACH wird die Rolle der Hathor als Braut des Amun bei der Heiligen Hochzeit ins Spiel gebracht. Diese Rolle wird in der Begegnung mit Amun auf die Königin übertragen. Als Hathor, der Herrin von Punt, kommt ihr dann als göttliche Eigenschaft auch der Duft von Punt zu. Im Geburtszyklus von Ramses II. (1279-1213 v.Chr.) spricht Amun zur Königin:

Dein Geruch erfreut mich;
dein Duft ist der des Gotteslandes;
dein Wohlgeruch ist der von Punt.[36]

Allerdings ist festzuhalten, daß die Übertragung der Hathorrolle nur im Geburtszyklus von Ramses II. (und späteren Texten) einigermaßen deutlich wird, weil dort die Königin aktiv den göttlichen Duft ausstrahlt. In den Texten von ***D*** und ***L*** ist davon aber nicht die Rede. Es geht immer um den Duft des Amun. Vom Kontext her dürfte dort eher an das Kind zu denken sein, das Amun der Königin in den Leib gegeben hat. Das, was von Amun in der Königin zurückbleibt und sich manifestiert im Duft, der den ganzen Körper der Königin erfüllt, ist konkret sein königlich-göttlicher Sohn, von dem Amun später in SZENE V sagt, sein Leib sei *"der des Amun"*. Insofern Sohn und Vater als Einheit betrachtet werden, ist es also die Gegenwart von Amun selbst, die sich im Duft ausdrückt.[37] Und die Vergöttlichung, die die Königin erfahren hat, wäre dann weniger in der Übertragung der Hathorrolle zu sehen, denn in ihrer Würde als Königinmutter, wie sie dann in SZENE VII hervorgehoben wird.[38]

---

35 Wegen der Unabhängigkeit von Text und Bild darf der Duft des Amun nicht einfach mit der im Bild gezeigten Übertragung von Lebenskraft identifiziert werden. Der Text deutet nicht an, daß der göttliche Duft das Mittel der Zeugung ist. Gegen Th. HOPFNER, Plutarch über Isis und Osiris. 1. Teil: Die Sage. Text, Übersetzung und Kommentar, Prag 1940, 52.

36 Zitiert nach SHIRUN-GRUMACH, Offenbarung, 92. Vgl. auch BRUNNER, Gottkönig, 225.

37 Zu SZENE V vgl. KÜGLER, Pharao, 39 f. - Zur Einheit von Vater und Sohn in Ägypten vgl. ASSMANN, Stein und Zeit, 135.

38 Zu SZENE VII vgl. KÜGLER, Pharao, 43 f.

Die Funktion des Duftes in der Zeugungsszene läßt sich weiter deuten, wenn man den *kultischen Kontext* des Geburtszyklus beachtet.[39] Für die Fassung von Amenophis III. ***(L)*** bildet diesen Kontext der Luxortempel, für den die Verbindung von Königskult und Amunkult charakteristisch ist.[40] Die primäre Kulthandlung, der der Luxortempel diente, war das *Opetfest.*

In diesem Fest, das seit der 18. Dynastie belegt ist, wurde die jährliche Regeneration des Amun-Re vollzogen.[41] *"Der Luxor-Tempel galt als eine 'Stätte des Ersten Males', das heißt als ein Ort der Entstehung der Welt. Der Tempel stand auf einem Urhügel. Hierher mußte Amunre am Jahrestag der Weltentstehung zurückkehren, um den Schöpfungsvorgang zu wiederholen und damit eine zyklische Erneuerung der Welt und seiner selbst zu bewirken."*[42]

---

39 Wir haben es hier ja nicht mit literarischen Texten (und Bildern) oder mit politischen Propagandamitteln zu tun, sondern mit Reliefs, die an Tempelwänden angebracht sind. Falls K. DORN in seiner Rezension zu KÜGLER, Pharao (ThRv 95 (1999) 205-208: 206), noch einmal die Propagandathese aufwärmen wollte (was aber nicht ganz deutlich wird), so entspräche das nicht mehr dem Stand der Forschung. Selbstverständlich mußte sich ein ägyptischer König legitimieren, besonders Ausnahmefälle wie Hatschepsut als Frau, aber solche Legitimationsprobleme wurden durch Orakel oder fiktive Designation durch den Vorgänger gelöst (vgl. R. GUNDLACH, Die Legitimation des ägyptischen Königs - Versuch einer Systematisierung, in: R. GUNDLACH/ Ch. RAEDLER (Hg.), Selbstverständnis und Realität. Akten des Symposiums zur ägyptischen Königsideologie (ÄAT 36,1), Wiesbaden 1997, 11-20). Und ebenso selbstverständlich war die Planung und Durchführung einer Großanlage immer auch eine Botschaft an die mächtigen Priester und Beamten (vgl. dazu etwa die große Puntinschrift Hatschepsuts, die deutlich werden läßt, wie große Vorhaben des Pharao vor der Hofgesellschaft präsentiert und erläutert wurden.), aber hier liegt nicht der Skopus der Tempeldarstellungen. Sie sind vor allem Ausdruck des königlichen Selbstverständnisses im Angesicht der Götter. Die Beziehung zur Götterwelt wird bei modernen Interpretationen leicht unterschätzt. Weil diese Götter für uns heute nicht mehr existieren, können wir nur noch schwer nachvollziehen, welchen Realitätsgehalt die altägyptische Götterwelt für die Zeitgenossen hatte.

40 Vgl D. ARNOLD, Die Tempel Ägyptens. Götterwohnungen, Kultstätten, Baudenkmäler, Zürich 1992, 127-132.

41 Vgl. W. J. MURNANE, Opetfest, LÄ 4, 574-579; K. KOCH, Geschichte der ägyptischen Religion, Stuttgart 1993, 294 f.

42 ARNOLD, Tempel, 128.

In enger Verbindung damit stand der Kult für den lebenden König und seinen königlichen Ka.[43] Der Luxortempel war der Ort, an dem der Herrscher mit seinem königlichen Ka vereinigt und so in ein göttliches Wesen verwandelt wurde. Ihm wurde die göttliche Ka-Kraft des Königtums übertragen. Er trat ein in das (überindividuell gedachte) Kraftfeld der königlichen Nachfolge, das ihn befähigte, das Königsamt auszuüben. Die entsprechenden Herrscherriten wurden mit den Amunriten verbunden und beim Opetfest jährlich wiederholt. Durch die unlösbare theologische Verbindung zweier Mysterien, die Verjüngung Amuns und die Wiedergeburt des Königs, konnte der Luxortempel zur wichtigsten Kultstätte für den lebenden Herrscher und seinen königlichen Ka werden.

Der Geburtszyklus erhält in seiner Luxorfassung durch diesen kultischen Rahmen seine spezifische pragmatische Intention: Er trägt bei zur kultischen Verbindung von Amun und König, indem er die Verwandtschaft der beiden betont. *"Der Sinn des Zyklus wäre demnach die symbolische Konstitution der Möglichkeit, die Erneuerung des königlichen Ka als Regeneration des Amun-Re und umgekehrt feiern zu können."*[44]

Der rituelle Kontext des Opetfestes gibt manchen Einzelheiten des Geburtszyklus eine zusätzliche semantische Dimension. Das gilt auch für den göttlichen Duft, welcher seine Entsprechung im Weihrauchopfer findet, wobei der Weihrauch seinem Namen *(snṯr)* entsprechend als Vergottungsmittel fungiert. Dieses spielt eine zentrale Rolle bei der Vergöttlichung des Königs. *"In dem Wohlgeruch des von Menschen gespendeten Weihrauchs vereinen sich Gottheit und König."*[45] Der königliche Sohn wird in den Eigengeruch des göttlichen Vaters hineingenommen.

So kann das Weihrauchopfer im Opetritual verstanden werden als kultische Realisation der Einheit des göttlichen Vaters mit seinem geliebten leiblichen Sohn, die auch im Reliefzyklus wiederholt betont wird. Nach der Erneuerung seiner göttlich-königlichen Würde in der Ver-

---

43 Vgl. zum folgenden L. BELL, Luxor Temple and the Cult of the Royal Ka, JNES 44 (1985) 251-294; H. MERKLEIN, Ägyptische Einflüsse auf die messianische Sohn-Gottes-Aussage des Neuen Testaments, in: H. CANCIK/ H. LICHTENBERGER/ P. SCHÄFER (Hg.), Geschichte - Tradition - Reflexion. FS Martin Hengel. III. Frühes Christentum, Tübingen 1996, 21-48: 27 f.

44 MERKLEIN, Ägyptische Einflüsse, 28.

45 LOHMEYER, Wohlgeruch, 21. Vgl. BELL, Luxor Temple, 283-285.

schmelzung mit Amun wird der König dann der Festgemeinde präsentiert. Rituell vergöttlicht ist der "amunhaft" gewordene König zum Zeichen der Einheit mit seinem göttlichen Vater mit den Widderhörnern des Amun geschmückt.[46]

Bei der *Hatschepsutfassung* in Deir el-Bahari liegt die Sache etwas anders. Dort haben wir es mit einem Totentempel der Königin,[47] mit einem *Millionenjahrhaus* zu tun.[48] Die Funktion dieser Totentempel bestand vor allem darin, den Kult des verstorbenen Königs mit dem des Götterkönigs Amun zu verbinden und den Totenkult in den Kult Amuns (und zahlreicher anderer Gottheiten) einzubetten. Die pragmatische Intention des Geburtszyklus besteht vor allem in seinem Beitrag zu dieser Verbindung.
So wie biographische Inschriften helfen sollten, die eigene Identität für das Jenseits zu sichern, das Totengericht gut zu überstehen und das Weiterleben zu erwerben, so stellt sich in Deir el-Bahari die Königin den Göttern vor und tritt in Gemeinschaft mit denen, zu denen sie von Anfang an gehörte. Sie hat sich als ma'atgemäßer König, als *Horus auf Erden* bewährt. Ihr Geburtszyklus hält diese theologische Qualität ihres Königtums nach ihrem Ursprung hin fest und konstituiert in göttlicher Zeugung, Geburt und Versorgung eine symbolische Wirklichkeit, welche die Basis dafür bildet, daß in der verstorbenen Königin Amun selbst verehrt werden kann. Als Tochter des Amun darf sie als Erscheinungsform des Gottes gelten. Ihre Kultbilder gehören zum Kult des Amun, weil sie nicht nur ihre Gegenwart verkörpern, sondern zugleich die ihres göttlichen Vaters. So kann ihr Königtum gemäß der Ma'at

---

46 BELL lädt dazu ein, sich die jubelnde Menschenmenge vorzustellen, die vor dem Tempel wartete, um nach Abschluß der Zeremonien den göttlichen König zu schauen, der aus dem Dunkel des Tempels wieder im Licht der Sonne auftauchte. Vgl. BELL, Luxor Temple, 272 f.

47 Wenn ich von Hatschepsut als Königin spreche, so entspricht das zwar ihrem biologischen Geschlecht, nicht aber ihrer politischen Rolle. Sie agiert ja nicht als Frau eines Königs, sondern übt das (männlich geprägte) Königsamt in eigener Vollmacht aus, ist also *König* von Ober- und Unterägypten *(nswt bjtj)*. Die Darstellungen zeigen sie dementsprechend immer männlich, in den Texten werden männliche und weibliche Bezeichnungen verwendet.

48 Hatschepsuts Anlage heißt *"Der große Tempel von Millionen von Jahren, der Tempel des Amun* ḏsr-ḏsrw *an seiner trefflichen Stätte des ersten Males"*. Vgl. D. ARNOLD, Deir el-Bahari, LÄ 1 (1975) 1006-1025, hier: 1017-1022; ARNOLD, Tempel, 134-138.

auch nach ihrem Tod auf millionenfache Dauer Bestand haben, wie es den göttlichen Verheißungen im Geburtszyklus entspricht.[49]
Welch wichtige Rolle in diesem Rahmen der göttliche Wohlgeruch spielt, wird in mehreren Texten deutlich.
Hier ist zunächst auf die *Punthalle* zu verweisen, die in engem architektonischen Zusammenhang mit dem Geburtszyklus steht und darauf hinweist, daß der gesamte Totentempel als neues Punt für Amun verstanden werden soll. Die Inschriften berichten von der Puntexpedition der Königin und bezeugen, daß die Unternehmung auf einen Befehl Amuns zurückgeht, den die Königin selbst im Allerheiligsten von Karnak vor der *Treppe des Herrn der Götter* erhalten hat.
Die Königin wird aufgefordert,

> *...aufzuspüren die Wege nach Punt,*
> *zu enthüllen die Pfade zur Myrrhenterrasse,*
> *zu führen das Heer zu Wasser und zu Lande,*
> *um die Wunder zu bringen aus dem Gottesland zu diesem Gott,*
> *der ihre Sichtbarkeit* (nfr.w) *geschaffen hat...*[50]

Entsprechend diesem Befehl hat die Königin die Schätze von Punt nach Ägypten geholt, in Deir el-Bahari ein neues Gottesland Punt geschaffen und sich damit als Tochter Gottes bewährt. Dem entspricht, daß Amun in demselben Text Hatschepsut als *"meine süße Tochter"* anspricht. Die königliche Gotteskindschaft wird in den Punttexten auch mit dem Duft von Punt verbunden:

> [Ihre] *Majestät selbst vollbringt es mit ihren beiden Armen,*
> *die besten Myrrhen sind auf allen ihren Gliedern,*
> *ihr Geruch ist der Wohlgeruch des Gottes,*
> *ihr Duft vermischt sich mit dem von Punt,*
> *ihre Haut ist mit Elektron vergoldet und*
> *strahlt wie die Sterne inmitten der Festhalle vor dem ganzen Land.*[51]

Der Duft der Bäume aus Punt, die Hatschepsut für Amun herbeigeholt hat, überträgt sich auf die Königin. Ist mit Amun vor allem der Duft des Weihrauchlandes Punt assoziiert, so drückt die Übertragung des Puntduftes auf Hatschepsut ihre Einheit mit Amun aus. In der tatkräftigen Bewährung ihrer Gottestochterschaft werden ihr die göttlichen

---

49 Vgl. MERKLEIN, Ägyptische Einflüsse, 29.

50 Zitiert nach SHIRUN-GRUMACH, Offenbarung, 72. Oft wird *nfr.w* mit "Schönheit" übersetzt.

51 Zitiert nach SHIRUN-GRUMACH, Offenbarung, 92. Vgl. HORNUNG, Der Eine und die Vielen, 123 f.

Düfte des Amun zu eigen. Sie übernimmt den Eigengeruch des Vaters und wird so vergöttlicht.[52]
Was die mütterliche Seite der Gottestochterschaft Hatschepsuts angeht, so ist auf Hathor zu verweisen, die als Herrin von Punt gilt und der die *Hathorkapelle* gewidmet ist, die in unmittelbarer Nachbarschaft zur Punthalle liegt. Das zentrale Thema der Reliefs dieser Kapelle ist die mütterliche Fürsorge der Hathor für ihre Tochter Hatschepsut. Dazu gehört auch das Stillen der Königin, welches ein zentrales Thema der Reliefs dieser Kapelle darstellt. Beim Stillen geht es nicht nur um die Ernährung der Königin, sondern um die Übertragung göttlicher Kräfte: Leben und Zauberkraft, Heil und Dauer. Die Göttin läßt die Königin an ihrem Euter trinken und gibt sich damit als Mutter der Königin, als ihre Schöpferin und Schützerin zu erkennen. Sie spricht zu Hatschepsut:

Ich bin zu dir gekommen, meine geliebte Tochter Hatschepsut,
um deine Hand zu küssen und deine Glieder zu lecken,
um deine Majestät mit Leben und Heil zu vereinen,
wie ich es für Horus getan habe im Papyrusdickicht von Chemnis.
Ich habe deine Majestät gesäugt an meiner Brust,
ich habe dich erfüllt mit meiner Zauberkraft,
mit jenem meinem Wasser des Lebens und des Heils.
Ich bin deine Mutter, die deinen Leib aufzog,
ich habe deine Schönheit geschaffen.
Ich bin gekommen, dein Schutz zu sein
und dich von meiner Milch kosten zu lassen,
auf daß du lebest und dauerst durch sie.[53]

Im Kontext der Übertragung göttlicher Kräfte auf die Königin kommt auch dem Duft eine wichtige Rolle zu. Hathor, die sich in Kuhgestalt der thronenden Königin nähert und deren Hand leckt, spricht:

mein Geruch soll an dir sein wie (der Geruch) von Punt,
damit süß werde dein Duft mehr als (der Duft der) Götter.[54]

Die Übertragung des göttlichen Duftes durch Hathor darf nicht als äußerliches Beduften verstanden werden. Es geht bei der Übertragung göttlichen Duftes um die Übertragung göttlichen Wesens. Das Lecken und Küssen steht nämlich im Kontext der mütterlichen Beziehung

---

52 Die Vergöttlichung der Königin kommt auch in der goldenen Färbung ihrer Haut zum Ausdruck, denn Gold ist das Fleisch der Götter. Vgl. HORNUNG, Der Eine und die Vielen, 124. Zur Goldsymbolik vgl. auch LURKER, Lexikon, 83 f.

53 Vgl. ASSMANN, Zeugung des Sohnes, 37.

54 Zitiert nach SHIRUN-GRUMACH, Offenbarung, 90.

Hathors zur Königin. Hier liegt also eine Analogie zur Amunrelation vor. Hatschepsut wird durch die Übertragung des göttlichen Eigengeruchs ihrer Mutter in die göttliche Familie aufgenommen.

So kann festgehalten werden, daß die zentrale Aussage der Reliefzyklen, die göttliche Qualität des Königs und sein Eintreten in eine verwandtschaftliche Konstellation mit den Göttern, vor allem mit Amun, ist. Jener wird als Vater des Königs angesprochen und dieser mit ihm als Sohn (Amenophis III.) bzw. Tochter (Hatschepsut) in Verbindung gesetzt, was mit einer kultischen Anbindung korrespondiert. Dabei wird in ***D*** vor allem die postmortale Existenz in Blick genommen. Das Königtum Hatschepsuts wird verewigt im Hinblick auf ihr jenseitiges Leben. In ***L*** geht es vor allem um die zyklische Erneuerung der Göttlichkeit des Königtums durch die Verbindung mit der Erneuerung des Amun.

Vor diesem Hintergrund ist der göttliche Duft des Amun im Geburtszyklus als Medium der göttlichen Gegenwart zu verstehen. Er schafft eine Atmosphäre, die den Menschen, der in sie hineingenommen wird, vergöttlicht, indem er ihn duftmäßig an die Gottheit angleicht. Dies gilt in beiden Geburtszyklen für die Königin als Partnerin Amuns bei der Zeugung des Königs und im weiteren Kontext der betreffenden Tempel für den König selbst.

Im Luxortempel stiftet der göttliche Duft des Weihrauchs eine Gemeinsamkeit zwischen König und Gott. Der König wird im Duft des Weihrauchopfers dem Eigengeruch seines göttlichen Vaters angeglichen und damit vergöttlicht. Amenophis III. und Amun sind in dem einen göttlichen Duft verbunden. Sohn und Vater sind eins.

Ganz ähnlich wird bei Hatschepsut durch die Inschriften der Punthalle und der Hathorkapelle eine duftmäßige Angleichung an Hathor als Mutter und Amun als Vater ausgedrückt. Der göttliche Duft von Punt als Familiengeruch drückt die Zugehörigkeit der Königin zu ihrer göttlichen Familie aus.

3. *Duft im Kampf gegen den Tod*

In Analogie zu der Erfahrung der vitalisierenden und stimulierenden Wirkung von Düften im außerkultischen Bereich ist die religiöse Duftsymbolik Ägyptens charakterisiert durch die Vorstellung, daß der Wohlgeruch ein Zeichen des Lebens ist und auf die Nähe der lebenspendenden Götter hinweist, während umgekehrt der Gestank ein Zeichen des Todes ist.[55] Bei der kultischen Behandlung der Leiche im Kontext des Jenseitsglaubens gilt es daher, den Verwesungsgeruch und damit den Tod zu bannen und durch Wohlgeruch dauerhaftes jenseitiges Leben zu sichern. Diese Zusammenhänge sind schon in den Pyramidentexten aus dem Alten Reich, wie sie etwa in den Pyramiden der Könige Unas[56], Teti[57] und Pepi II.[58] erhalten sind, voll ausgebildet.
In *Spruch 412* der Pyramidentexte findet sich ein Element, das als besonders alt angesehen wird; SETHE spricht in seinem Kommentar von einem Text aus der Zeit, *"in der die Konservierung des Leichnams noch unvollkommen war"*[59]. Es handelt sich um die in *§ 722a.b* stehende Aufforderung an den Leichnam des Toten, nicht zu verfaulen:

> *Fleisch dieses* NN[60] *verfaule nicht, verwese nicht,*
> *werde nicht schlecht an deinem Geruch!*

Die körperliche Unversehrtheit des toten Königs ist freilich kein Wert an sich, sondern erhält seine Relevanz aus einem ganzheitlichen Menschenbild. Der konservierte Leib ist die Basis für die Existenz der geistigen Lebenskräfte (und umgekehrt) und damit eine Voraussetzung für seinen Aufstieg in die himmlische Welt der Götter.[61] Der Tote soll den Himmel betreten wie ein Stern und unter den Göttern machtvoll wie ein König sein.[62]
Die rituelle Behandlung des Toten sichert ihm das Erreichen dieses Ziels, und dem so versorgten Toten kann dann die Aufnahme in den Himmel verheißen werden:

---

55 Vgl PASZTHORY, Salben, 12 f.
56 Ca. 2380-2350 v.Chr.
57 Ca. 2318-2300 v.Chr.
58 Ca. 2245-2180 v.Chr.
59 K. SETHE, Übersetzung und Kommentar zu den Altägyptischen Pyramidentexten, 6 Bde., Hamburg (z.T. 2. unver. Auflage) 1962, hier: 3, 340.
60 Hier ist der Name des betreffenden Königs zu ergänzen.
61 Vgl. KOCH, Religion, 87-89.
62 Vgl. *§ 723* (Übersetzung SETHE, Pyramidentexte 3, 334).

Ein Willkommen schallt dir entgegen seitens deines Vaters,
ein Willkommen schallt dir entgegen seitens des Re.
Geöffnet sind dir die beiden Türflügel des Himmels,
aufgetan sind dir die beiden Türflügel des Sternenhimmels.[63]

Die Sohnesbeziehung zu Re, welche dem König als "Sohn des Re" schon auf Erden göttliche Qualität verlieh, ist nun auch eine wichtige Basis für seine Himmelfahrt und wird in mehreren Sprüchen thematisiert. Als Beispiel sei *Spruch 576* genannt, wo der Tote als Same des Re bezeichnet wird, *"empfangen dem Re, er ist geboren dem Re"(§ 1508a.b)*. Welche Bedeutung die Gottessohnschaft für die Gewißheit hat, der Vergänglichkeit zu entgehen und in die Götterwelt aufgenommen zu werden, zeigt die direkte Fortsetzung des Textes:

NN *wird nicht verfaulen, er wird nicht verwesen,*
NN *wird nicht befeindet werden von eurem Zorn, ihr Götter.* [64]

Dieser in *Spruch 576* stereotyp wiederkehrende Text[65] leitet auch eine Aussage über die Sohnesbeziehung des Königs zur Himmelsgöttin Nut ein, wobei sich die Verwandtschaft zwischen König und Gottheit im Familiengeruch ausdrückt. Die Mutter erkennt ihren Sohn am Geruch. Der Geruch des Toten ist der Geruch des Gottes Osiris, der hier als leiblicher Sohn der Himmelsgöttin bezeichnet wird.

NN *wird nicht verfaulen, er wird nicht verwesen,*
NN *wird nicht befeindet werden von eurem Zorn, ihr Götter.*
NN *ist zu dir gekommen, Mutter des* NN,
er ist zu dir gekommen, Nut,
Sein Geruch ist der Geruch deines Sohnes,
der Geruch des NN *ist* [der des] *Osiris, deines Sohnes,*
der aus dir gekommen ist.[66]

Auch in den Pyramidentexten spielt der Weihrauch unter den verschiedenen Duftstoffen, die im Totenkult verwendet wurden, eine entscheidende Rolle für die duftmäßige Angleichung des Toten an seine göttli-

---

63 *Spruch 412, §§ 726b-727a.* Zitiert nach SETHE, Pyramidentexte 3, 335.

64 *§ 1509a.b.* Zitiert nach SETHE, Pyramidentexte 5, 458. Allerdings wird der tote König nicht nur mit Re sondern auch mit vielen anderen Gottheiten in ein Kindschaftsverhältnis gesetzt. Er ist der Sohn des Osiris (z.B. *§ 1505*), der Göttin von Elkab, die ihn stillt und nie entwöhnt *(§ 729),* und vieler anderer Gottheiten. Und in *§ 728* kann sogar gesagt werden, daß er überhaupt keine menschlichen Eltern hat, also rein göttlicher Abstammung ist.

65 Vgl. *§§ 1501.1504.1506.*

66 *§§ 1515 f.* Zitiert nach SETHE, Pyramidentexte 5, 460.

che Verwandtschaft. Ein Beispiel aus den Pyramidentexten des Unas vom Ende der 5. Dynastie. Dort heißt es:

Entfacht ist das Feuer, es erglänzt das Feuer,
gelegt ist der Weihrauch auf das Feuer, es erglänzt das Feuer.
Dein Geruch kommt an UNAS, *o Weihrauch,*
der Geruch des UNAS *kommt an dich, o Weihrauch.*
Euer Geruch kommt an UNAS, *ihr Götter,*
der Geruch des UNAS *kommt an euch, ihr Götter.*
Möge UNAS *mit euch zusammen sein, ihr Götter,*
möget ihr mit UNAS *zusammen sein, ihr Götter.*
Möge UNAS *mit euch zusammen leben, ihr Götter,*
möget ihr mit UNAS *zusammen leben, ihr Götter.*
Möge UNAS *euch lieben ihr Götter,*
liebt ihn, ihr Götter.[67]

In diesem Text wird eindringlich die Vereinigung des Toten mit den Göttern thematisiert. Dazu bemerkte schon SETHE: *"Der Geruch des Toten vermischt sich mit dem des Weihrauches und damit auch mit dem der Götter, für die dieser Geruch (der Weihrauch heißt ja wahrscheinlich 'der Gottesgeruch') eigentümlich sein soll. Damit wird der Tote den Göttern gleich, und das gibt die Vorbedingung für sein Zusammenleben mit ihnen"*[68]. In der Form der wiederholten Inversionen ausgedrückt, wird darüber hinaus eine *Gegenseitigkeit* der Vereinigung erkennbar: Nicht nur der König übernimmt den Duft des Weihrauchs, dieser übernimmt auch den Duft des Königs. Und wie der König im Weihrauchduft den Duft der Götter übernimmt, so übernehmen diese den Duft des Königs. Dieselbe Gegenseitigkeit drückt sich dann im Zusammenleben des Königs mit den Göttern und in der gegenseitigen Liebe aus. Hier wird die Massivität der Königstheologie des Alten Reiches greifbar, welche die Göttlichkeit des Königs so betont, daß von einer Vergöttlichung des Königs eigentlich nicht gesprochen werden kann. Auf der materiellen Ebene der Leichenbehandlung muß natürlich Verwesung bekämpft und Wohlgeruch hergestellt werden, auf der symbolischen Ebene aber gilt: Der König *ist* ein Gott und deshalb wird er im Ritual nicht eigentlich vergöttlicht. Es geht eher um eine Bekräftigung seiner göttlichen Würde.

---

67 *Spruch 269, §§ 376-378*. Zitiert nach SETHE, Pyramidentexte 2, 101 f.
68 SETHE, Pyramidentexte 2, 104 f.

Die symbolische Funktion des Weihrauchduftes besteht jedenfalls auch im Jenseitsglauben des Alten Reiches darin, eine Duftgemeinschaft zwischen dem König und allen Götter zu konstituieren.

Dein Geruch ist ihr Geruch,
dein Schweiß ist der Schweiß der beiden Götterneunheiten.[69]

In dieser Duftgemeinschaft realisiert sich die göttliche Würde des Königs: Er gehört ins Kollektiv der Götter und partizipiert an ihrem himmlischen Leben.

Ganz ähnliche Vorstellungen, nun freilich nicht mehr auf den königlichen Bereich beschränkt, finden sich auch noch 2500 Jahre später in einem Einbalsamierungsritual,[70] das aus dem 1. Jh. n.Chr., also aus der Zeit des Neuen Testaments stammt und in dem Duftstoffe immer wieder erwähnt werden. So heißt es bei der ersten Salbung des Kopfes:

O du Osiris NN:
Myrrhenöl, das aus Punt kommt, wird an dich gegeben,
um deinen Geruch durch den Gottesduft angenehm zu machen.
Ausfluß, der aus Re stammt, wird an dich gegeben,
um dich wohlriechend zu machen /.../
Der Duft des großen Gottes beräuchert dich,
der angenehme Geruch, der unvermischt ist
und durch den deine Gestalt unverändert bleibt. [71]

Dem Toten, der als Osiris angesprochen ist,[72] wird bei der Salbung der Duft aus Punt übertragen. Da dies der Duft der Götter ist, verbindet sich damit nicht nur die Übertragung eines angenehmeren Geruchs. Vielmehr bewahrt dieser göttliche Duft vor Verwesung. Der Leib als Basis für das Leben im Jenseits bleibt erhalten.
Die Zurüstung für das Jenseits, wie sie sich in der Salbung der Leiche vollzieht, soll den Toten geruchsmäßig den Göttern annähern und eine Vereinigung mit ihnen ermöglichen. So wird im folgenden Ausschnitt eine Vereinigung mit dem Sonnengott Aton und Osiris verheißen:

---

69 *Spruch 412 § 730 c.d.* Zitiert nach SETHE, Pyramidentexte 3, 336. Der ägyptische Ausdruck "Götterneunheit" drückt eine Gesamtheit von Gottheiten aus.

70 Es handelt sich um den Balsamierungstext des Papyrus Boulaq 3, der sich heute im Nationalmuseum Kairo befindet. Einleitung und Text bei H. STERNBERG, Balsamierungsritual pBoulaq 3, TUAT 2.3 (1988) 405-431.

71 Zitiert nach STERNBERG, Balsamierungsritual, 407.

72 Der Eigenname des Toten fehlt hier und an anderen Stellen, weil der vorgefertigte Text nicht vollständig ergänzt ist.

Empfange das Chenem-Öl und
geselle dich zu der großen Sonnenscheibe.
Möge sie sich mit dir vereinigen und
deinen Körper vollständig machen,
und du wirst sicher mit Osiris
in der Großen Halle vereinigt sein! [73]

In der Vereinigung mit den Göttern erhält der Tote Anteil am göttlichen Leben. So heißt es bei der zweiten Salbung des Kopfes:

Die Kraft der Götter wird an deinem Kopf sein,
und jeglicher Lebensschutz in dich eindringen.
Du wirst sicher mit deinem Mund essen,
mit deinem Auge sehen und mit deinen Ohren hören!
Dein Gesicht wird durch die Anchimi-Pflanzen,
durch den Senen-Lotus und den Schweiß der Götter leben. [74]

Die Vergöttlichung, die der Duft bewirkt, ist als Belebung zu verstehen. Sie eröffnet ein neues Leben. Dabei beruht die Wirkung der verwendeten Duftstoffe auf ihrer Herkunft von den Göttern selbst. So ist davon die Rede, daß der Weihrauch aus Horus kommt, die Myrrhe aus Re stammt usw. Indem die Duftstoffe in den Toten eindringen, dringt göttliche Lebenskraft in ihn ein, und der vergöttlichte Tote kann mit Osiris und anderen Göttern identifiziert werden. Er tritt ein in ihre Gemeinschaft und erhält dadurch die Garantie dauerhaften Lebens und ewiger Verjüngung.

Zusammenfassend läßt sich also feststellen, daß sich die Symbolik des Duftgebrauchs bei der rituellen Versorgung des Toten nicht wesentlich von der schon beschriebenen unterscheidet. Die verwendeten Balsamierungsstoffe werden als Produkte der Götter selbst gedeutet. Ihr Duft ist also der Eigengeruch der Götter, in dem deren göttliche Kraft präsent ist. Wird dieser Duft auf den Toten übertragen, so wird auch die göttliche Lebenskraft auf ihn übertragen. Er wird duftmäßig in die Gemeinschaft der Götter aufgenommen und nimmt so teil an ihrem ewigen Leben.

---

73 Zitiert nach STERNBERG, Balsamierungsritual, 408.

74 Zitiert nach STERNBERG, Balsamierungsritual, 420.

III. Duft im Alten Testament

ULRIKE BECHMANN

Über viele Jahrhunderte hinweg hatte Ägypten nicht nur politisch, sondern auch theologisch großen Einfluß in Palästina. Dies schlug sich sowohl im archäologischen Material Palästinas wie in den Texten des Alten Testaments nieder.[1] Ein Einfluß der ägyptischen Konzeption des göttlichen Duftes im Zusammenhang mit der Königsideologie bzw. der Tempeltheologie wäre von daher durchaus zu erwarten. Doch wird sich zeigen, daß gerade in bezug auf Duft und Duftmetaphorik zunächst eigenständige palästinische Traditionen, beeinflußt vom syrischen Raum her, dominant waren. Hier spiegelt sich wohl die Beobachtung, die auch für die Tempelbauten (s.u.) gilt: Es gab um 1000 v.Chr. einen Traditionsbruch von der Eisen-I-Zeit zur Eisen-II-Zeit, der zumindest im kultischen Baubereich durchgreifender ist als der Bruch von der Spätbronze-Zeit zur Eisen-I-Zeit um 1200 v.Chr.[2] Mit der politischen Stärke Ägyptens ging auch seine kulturelle Dominanz verloren, andere Konzeptionen gewannen im kulturellen Symbolsystem Palästinas an Raum. Mit erneutem politischen Einfluß Ägyptens (zumindest in Südpalästina) gewinnen dann auch ägyptische Theologumena wieder an Bedeutung[3], bevor schließlich in der Spätzeit Ägyptisches, transformiert in der Weisheitstheologie und durch die hellenisierte jüdische Gemeinde in Alexandria, großen Einfluß erhält.

---

[1] Vgl. O. KEEL/ CH. UEHLINGER, Göttinnen, Götter und Gottessymbole. Neue Erkenntnisse zur Religionsgeschichte Kanaans und Israels aufgrund bislang unerschlossener ikonographischer Quellen (QD 134), Freiburg 1992 (= GGG); M. GÖRG, Die Beziehungen zwischen dem alten Israel und Ägypten. Von den Anfängen bis zum Exil (EdF 290), Darmstadt 1997.

[2] Vgl. H. WEIPPERT, Palästina in vorhellenistischer Zeit. Vorderasien II/1 (Handbuch der Archäologie), München 1988, 447 ff. Einen Überblick über Datierungsfragen gibt V. FRITZ, Eisenzeit, NBL 1, 503 f.

[3] Vgl. die Entwicklung der Solarisierung Jahwes am Jerusalemer Tempel, GGG, 401 ff.; O. KEEL, Sturmgott - Sonnengott - Einziger. Ein neuer Versuch, die Entstehung des jüdäischen Monotheismus historisch zu verstehen, BiKi 49 (1994) 82-92.

1. Archäologische Zugänge

Der Archäologie kommt inzwischen in der alttestamentlichen Forschung eine bedeutende Rolle zu. Die Datierungen alttestamentlicher Texte können im Moment höchstens noch für die späte Zeit auf einen breiten Konsens zurückgreifen, so daß die historische Dimension mehr und mehr aufgrund archäologischer Funde als Primärquellen rekonstruiert und in Korrelation zum Text gesetzt wird.[4] Ein erster Überblick über das Vorkommen von Duft im AT zeigt die enge Verbindung zur Opfertheologie, dem Tempel und den Räucheropfern. So liegt es nahe, auch bei der Frage nach dem Umgang mit Räuchermaterie im kultisch-religiösen Bereich zuerst nach archäologischen Erkenntnissen zu fragen.

1.1. Räuchergeräte

Eine systematische Erfassung möglicher Räuchergeräte versuchte ZWICKEL.[5] Er unterschied sie nach den Geräten, die in privaten Häusern und Kontexten gefunden wurden, und solchen, die in Heiligtümern oder an Kultorten gefunden wurden. Die Verwendung bestimmter Gerätschaften zum Räuchern und damit wohl auch das Rauchopfer waren im syrischen Raum beheimatet und drangen von da aus ab dem 10. Jh. v.Chr. langsam nach Israel und Juda vor.[6] Ein Vergleich mit assyrischen Funden zeigt, daß von dort kein Einfluß anzunehmen ist. Die Untersuchung der im syrisch-palästinensischen Bereich beheimateten Fundstücke legt eine eigenständige Entwicklung des Räucherns nahe, das dann populärer Brauch wurde. Es läßt sich auch eine zunehmende

---

4 Zur Debatte um die Möglichkeiten der Historiographie Israels und um das Verhältnis von Archäologie und Text vgl. z.B. D. EDELMAN (Hg.), The Fabric of History. Texts, Artifact and Israel's Past (JSOTS 127), Sheffield 1991.

5 Vgl. zum Folgenden W. ZWICKEL, Räucherkult und Räuchergeräte. Exegetische und archäologische Studien zum Räucheropfer im Alten Testament (OBO 97), Fribourg 1990, Teil A, 3-170.

6 Anders etwa O. KEEL, Kanaanäische Sühneriten auf ägyptischen Tempelreliefs, VT 25 (1975) 413-469, der u.a. feststellt, daß ein Mann mit einem Räucherständer als festes Element eines Bildtyps auftaucht. KEEL geht aufgrund der Funde von Räucherständern von einer durchgehenden Räucherpraxis für Palästina aus (a.a.O., 432). ZWICKEL will dagegen diese Ständer nicht als Räuchergeräte identifizieren (vgl. *ders.*, Räucherkult, 145 ff.), berücksichtigt aber die ägyptischen Bilddarstellungen nicht.

Ausdifferenzierung hinsichtlich der Räuchergeräte ausmachen, von einfachen, kleinen Tassen bis hin zu Kultständern und Altären.

Räuchertassen

So bezeichnet ZWICKEL die Gefäße, die eine tassenähnliche Form haben, manchmal mit kleinen Füßen versehen sind und Durchbohrungen am oberen Rand aufweisen, weswegen sich eine Verwendung als Sieb nicht nahelegt. Zudem wurden in manchen dieser Gefäße auch Brandspuren gefunden.

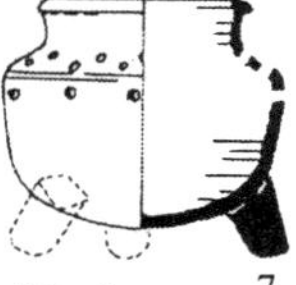

Räuchertasse [7]

Die Verbreitung dieser Räuchertassen ist hauptsächlich in Syrien belegt, mit Vorläufern in Ugarit, zahlreichen Funden in Megiddo aus der 2. Hälfte des 8. Jhs. v.Chr. und im Ostjordanland. Ab 900 v.Chr. hatten diese Räuchertassen also eine weite Verbreitung im Nordreich Israel und im Ostjordanland. Die Täßchen stammen hauptsächlich aus privaten Räumen und Gräbern, wobei die betreffenden Gräber fast ausschließlich im Ostjordanland liegen. ZWICKEL vermutet deshalb dort einen Räucherkult im Zusammenhang mit Bestattungen.[8] Es liegt nahe, das Räuchern in solchen Tassen mit der jeweiligen persönlichen Frömmigkeitspraxis in Verbindung zu bringen. Sie haben eine einfache Form, waren leicht transportabel, leicht herzustellen und somit sicher erschwinglich.

Räucherkästchen[10]

Räucherkästchen aus babylonisch-persischer Zeit [9]

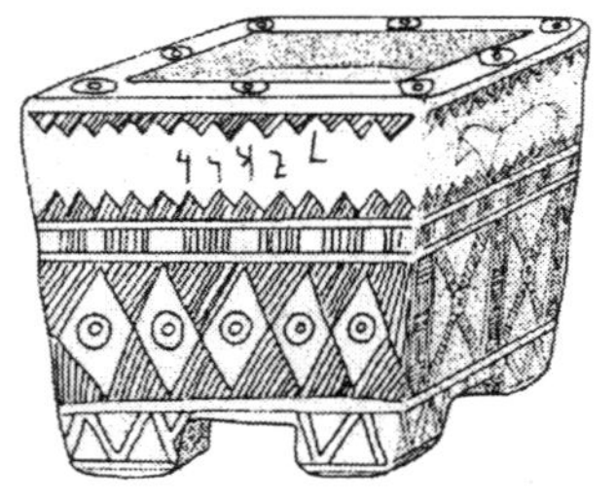

Diese Kästchen sind, wie der Name schon sagt, viereckig, meist mit kleinen Füßchen versehen, haben auf der Oberfläche eine Vertiefung. Ein erster Beleg findet sich im 3. Jt. in NW-Anatolien. Die Kästchen wanderten von da aus in den Süden und fanden weite Verbreitung von der Türkei bis nach Arabien und Mesopotamien. Ihre Blütezeit hatten sie in Mesopotamien im 1. Jt. v.Chr. In Palästina erfreuten sie sich ab dem 7. Jh. großer Beliebtheit,

---

7 Aus Thaanach, ∅ etwa 10 cm; vgl. WEIPPERT, Palästina, 448 Abb. 2.

8 Vgl. ZWICKEL, Räucherkult, 40.

9 Vom *Tell es-Saʿīdīye*, etwa 6 x 6 x 6 cm; vgl. WEIPPERT, Palästina, 716 Abb. 1.

10 Vgl. ZWICKEL, a.a.O., 62 ff.

Schwerpunkt der Fundorte ist der Süden. Sie lösen einerseits die Räuchertassen ab, die ab diesem Zeitpunkt kaum mehr benutzt wurden, und belegen einen neuen Trend im Süden des Landes, da aus den vorhergehenden Epochen wenig an Räuchergeräten gefunden wurde. Vielfach aus Kalkstein in lokaler Herstellung gefertigt, weisen einige Kästchen geometrische Muster oder Bildelemente auf. Solche Funde reichen bis in die persische und hellenistische Zeit. Sie wurden sowohl für die Verbrennung von Fett und Backwaren, in nachexilischer Zeit aber auch für das Verbrennen von Aromata benutzt. Im Ostjordanland (Ammon) ist wiederum die Verwendung in Gräbern belegt.

1.2. Altäre

Rauchopferaltäre sind textlich wie archäologisch belegt. ZWICKEL[12] unterscheidet drei Gruppen. Die Altäre der ersten Gruppe sind erheblich höher als die Räucherkästchen, besitzen aber eine relativ kleine Oberfläche. Hier ordnet ZWICKEL die meisten Funde - mit einigen Vorläufern - der späten vorexilischen und exilischen Zeit zu. Wie bei den Räucherkästchen häufen sich die Funde im Süden. Sie gehören zum Bereich der privaten Frömmigkeit.

Räucheraltar mit Hörnern [11]

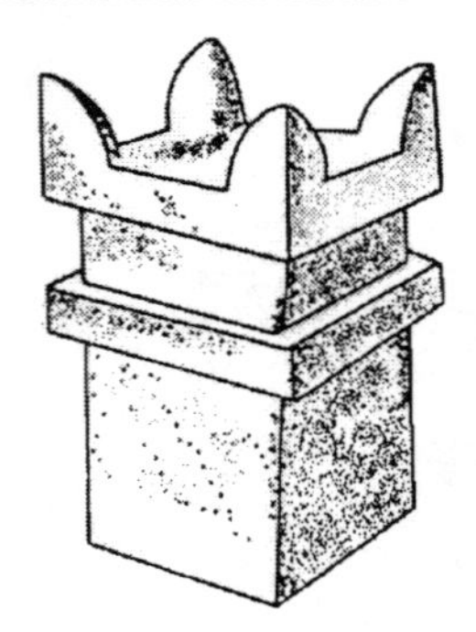

Eine zweite Gruppe weist eine größere, meist quadratische Oberfläche auf, wozu auch die bisher gefundenen Hörneraltäre gehören. Sie waren wohl schon ab dem 14. Jh. im Norden Palästinas verbreitet, fanden dann aber ebenfalls Eingang in den Süden Palästinas. *"Die betont herausgearbeiteten Altarhörner stellen eine spätere Ergänzung dar, die erst mit dem 10. Jh. auftritt und dann ebenfalls jahrhundertelang ein festes Element war."*[13] Da diese Altäre für Brandopfer kaum geeignet gewesen sein dürften, rechnet ZWICKEL damit, daß sie entweder als Opfertische oder aber als Räucheraltar Verwendung fanden. Nach WEIPPERT *"ersetzen*

---

11 Aus Megiddo, Eisenzeit, Kalkstein, ca. 60 cm hoch. Vgl. WEIPPERT, Palästina, 448 Abb. 1.

12 Vgl. ZWICKEL, Räucherkult, bes. 110-137.

13 ZWICKEL, Räucherkult, 124.

die Räucherkästchen die zuvor üblichen Hörneraltäre aus Kalkstein".[14]
Einige Altäre mit großer Grundfläche bilden eine dritte Gruppe. Sie dienten wohl als Brandopferaltar. *"Die großen Altäre stellen ein späteres Stadium in der Entwicklung des Altarbaus dar, während die früheren relativ flach waren. |...| Die geringe Anzahl der bislang freigelegten Brandopferaltäre zeigt auch, daß Brandopfer im Kult in Palästina zumindest in der frühen vorexilischen Zeit eine sehr untergeordnete Rolle gespielt haben."*[15]

1.3. Orte der Verehrung

Tempel
Anders als in der Spätbronzezeit finden sich in der Eisen-IIA-Zeit (um 1000-900 v. Chr.) keine städtischen Tempelbauten. War der Tempel in der Spätbronzezeit noch selbstverständlicher Teil der Stadt, so wandelt sich das Bild völlig. "*Man wird den Bruch in der Tradition im Zusammenhang mit der Ablösung der Stadtstaaten durch Nationalstaaten verstehen müssen.*"[16] Staatlich gefördert wurde also bestenfalls der Tempel in Jerusalem. Hierfür liegen aber nur literarische Quellen vor, vor allem der Tempelbaubericht *1Kön 6*, die nur bedingt für die historischen Anfänge des Jerusalemer Tempels ausgewertet werden können. Archäologisch gibt es zum salomonischen Tempel durch die herodianische Überbauung und fehlende Grabungsmöglichkeiten keine Zeugnisse. Es ist durchaus damit zu rechnen, daß ein bestehender jebusitischer Tempel übernommen und umgebaut oder umstrukturiert wurde.[17] Aus der literarischen Analyse läßt sich erschließen, daß es im vorexilischen Tempel Kulte verschiedener Gottheiten gab, bevor die Konzentration des Tempels auf JHWH hin erfolgte. Nach literarischen Belegen stand ein Brandopferaltar im Vorhof. Ein Räucheraltar ist erst für den Zweiten Tempel belegt. Er wird zusätzlich zum Brandopferaltar eingeführt und vor dem Allerheiligsten aufgestellt.

---

14 WEIPPERT, Palästina, 716.

15 ZWICKEL, Räucherkult, 128.

16 WEIPPERT, Palästina, 447.

17 Vgl. zur Diskusssion K. BIEBERSTEIN/ H. BLOEDHORN, Jerusalem. Grundzüge der Baugeschichte vom Chalkolitikum bis zur Frühzeit der osmanischen Herrschaft. Bd. 1-3, (TAVO Beihefte B, 100,1-3), Wiesbaden 1994, hier: Bd. 1, 61 ff.

Archäologisch sind an der Peripherie Judas einige kleine als Tempel bezeichnete Kultstätten belegt. Dazu zählen Arad, Kuntilet ^{c}Ağrūd und Tell Dēr ^{c}Allā, allerdings erschließt sich ihre Bedeutung nicht aus dem Grundriß, sondern aus den Fundstücken: Altäre, Inschriften, Masseben, Depositbänke.[18] Doch *"die Rekonstruktion des Kults an den Heiligtümern dieser Zeit fällt relativ schwer"*[19], weswegen ZWICKEL den Texten Vorrang einräumt.

Das Stadttor

Wenn auch keine Tempel, so gab es aber vermutlich dennoch Kultstätten in Ortschaften oder in deren Nähe, wo lokale Gottheiten verehrt und/ oder private Frömmigkeit gepflegt wurde. Dazu gehörten vermutlich auch Kultstätten am Stadttor, wie sie in Betsaida mit einer Stele gefunden wurde.[20] BERNETT/ KEEL vermuten eine Mehrfachfunktion von solchen Kultstätten am Tor. Sie könnten sowohl privater Frömmigkeit (Dankopfer, Bitten, Verehrung) als auch kollektiver Kulthandlungen (z.B. vor einem Kriegszug) gedient haben. Möglicherweise waren sie auch mit dem Ahnenkult, *"besonders für den Kult verstorbener Könige am Tor"*[21] verbunden. Im Kontext der kultischen Handlungen am Stadttor haben Libationen und Räucherungen eine wichtige Rolle gespielt.

Die Kulthöhe - bamah (bamā)

Zu den Standardelementen der Kritik am Kult für fremde Gottheiten gehört die Polemik gegen das Räuchern auf der *bamah*, der "Kulthöhe". Die religiöse Praxis, die dort vollzogen wurde, kann nur noch aufgrund von Rückschlüssen aus Grabungen und den gegnerischen Vorwürfen rekonstruiert werden. Archäologische Funde wie das

---

[18] Vgl. WEIPPERT, Palästina, 623. Sie schließt aus der Randlage der Stätten, daß auch in der Eisen-II-Zeit Tempel außer in Jerusalem nicht in Städten zu finden sind; W. ZWICKEL, Der Tempelkult in Kanaan und Israel. Studien zur Kultgeschichte Palästinas von der Mittelbronzezeit bis zum Untergang Judas, Tübingen 1994, 240 ff.

[19] ZWICKEL, Tempelkult, 182.

[20] Vgl. jetzt etwa M. BERNETT/ O. KEEL, Mond, Stier und Kult am Stadttor. Die Stele von Betsaida (et-Tell) (OBO 161), Fribourg 1998. Zu den Kultstätten am Tor, die als eigene Gattung eingeschätzt werden, vgl. a.a.O, bes. 71 ff.

[21] BERNETT/ KEEL, a.a.O., 93.

Höhenheiligtum in Kourion auf Zypern[22] können hier eine Parallele darstellen zu den "Höhen", deren VerehrerInnen im Zuge der Kultreformen und der zunehmenden Orientierung auf Jerusalem hin kritisiert und später textlich marginalisiert wurden. Zu den typischen Elementen solcher Höhenheiligtümer[23] gehören Räucheraltäre, Ascheren und grüne Bäume[24]. HÜBNER zählt zu der Ausstattung des Heiligtums in Kourion *"eine Reihe von Terrakotten-Figurinen und Steinskulpturen aus Zypern, die Tänzer bzw. Tänzerinnen oder auch Priester (mit einer Stiermaske auf oder über dem Kopf) darstellen, die im Kreis um einen oder mehrere Bäume oder Kultpfähle tanzen"*.[25]

Münze aus Tyros [26]

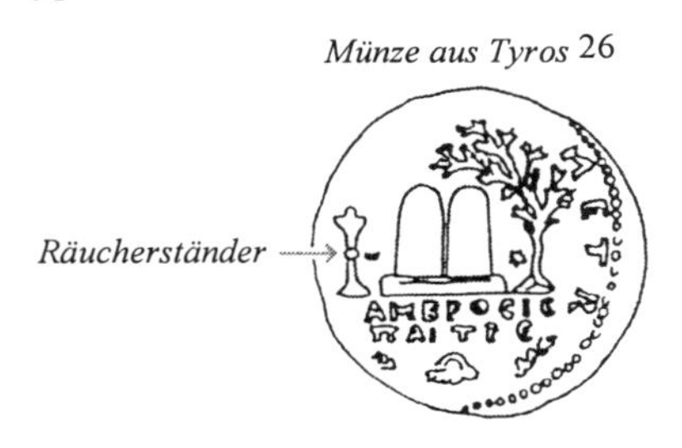

1.4. Weihrauch in Palästina

Redet man von Räucheropfer, so bringt man dies häufig mit Weihrauch in Verbindung. Doch anders als in Ägypten ist der Weihrauch in Mesopotamien und Syrien-Palästina - trotz der hohen Bedeutung, die das

---

[22] Vgl. U. HÜBNER, Der Tanz um die Ascheren, UF 24 (1992) 121-132, mit weiterer Literatur. Vgl. auch R. WENNING/ E. ZENGER, Ein bäuerliches Baal-Heiligtum im samarischen Gebirge aus der Zeit der Anfänge Israels. Erwägungen zu der von A. Mazar zwischen Dotan und Tirza entdeckten "Bull Site", ZDPV 102 (1986) 75-86; W. ZWICKEL, Kulthöhe, NBL 2, 562-564.

[23] Vgl. M. GLEIS, Die Bamah (BZAW 251), Berlin 1997, der den Ausdruck "Höhenheiligtum" allerdings irreführend findet, weil eine *bamah* nicht notwendigerweise auf einem erhöhten Platz oder Hügel steht. GLEIS betont dagegen den Zusammenhang von *bamah* und Orten bzw. Städten.

[24] Der Ausdruck *"unter (allen) grünen Bäumen"* ist eine stereotype Bezeichnung der dtr. Kritik. Vgl. *Dtn 12,2; 1Kön 14,23; 2Kön 16,4; 17,10; 2Chr 28,4; Jes 57,5; Jer 2,20; 3,6; 3,13; 17,2; Ez 6,13.*

[25] HÜBNER, Tanz 123.

[26] Es handelt sich um ein spätes römisches Stück (aus dem 3. Jh. n.Chr.), das dennoch die Grundstruktur einer *bamah* zeigt, wie sie auch für frühere Zeiten im ostmediterranen Raum anzusetzen ist. Zur Abb. vgl. G. F. HILL, Catalogue of the Greek Coins of Phoenicia, Bologna 1965 (= London 1910), cxli; 281; pl. XXXIII nr. 14; HÜBNER, Tanz, 132 Abb. 3.

Räuchern im Kult hatte - erst spät belegt.[27] Vermutlich kam der Weihrauch erst mit der Einführung des Karawanenhandels entlang der Weihrauchstraße bzw. entlang der Ostroute der arabischen Halbinsel in den mesopotamischen und syrisch-palästinischen Raum. Im Mittelmeerraum handelten die Phönizier mit Weihrauch. Ugarit war vermutlich einer der Umschlagplätze für den Handel.[28] Der lange Weg aus den Herkunftsgebieten aus Südarabien und Ostafrika machte den Weihrauch zu einem begehrten und kostbaren Gut. Die Phönizier ließen aber ihre Abnehmer immer im Glauben, der Weihrauch wüchse auf dem Libanon. So wurde, was in der Antike öfters belegt ist, die Herkunft der Ware mit dem Herkunftsland der Händler verwechselt, wodurch diese ihre Monopolstellung ausbauen konnten. Der Weihrauch konnte im syrisch-palästinischen Raum zunächst nicht die Bedeutung gewinnen, die er in Ägypten hatte, wo man den Weihrauch vermutlich über andere Länder bezog. Man verbrannte traditionell wohlriechende einheimische oder ausländische, aber billigere Ware, Würzstoffe, Blätter und Hölzer, und stellte aus Blüten duftende Salben her.
Der Seehandel wurde von dem Landweg etwa ab dem 9. Jh. v.Chr. abgelöst. Erst mit der Erfindung eines entsprechenden Kamelsattels war es möglich, auch weitere lange Strecken in der Wüste zurückzulegen.[29] Folglich ist wohl nicht vor dem 8. Jh. mit größeren Mengen von Weihrauch in Palästina zu rechnen. Aufgrund der neuen politischen Konstellation[30] erlebte der Weihrauchhandel eine Blütezeit, die bis in die Spätantike anhielt.

---

27 Vgl. D. KELLERMANN, לְבֹנָה *lᵉbonāh*, ThWAT 4, 454-460; E. PASZTHORY, Salben, Schminken und Parfüme im Altertum (Zaberns Bildbände zur Archäologie 4), Mainz 1992, zu den Salben und Räuchermitteln 28 ff.

28 Vgl. ZWICKEL, Räucherkult, 167 f.; zum Weihrauchhandel vgl. dazu W. W. MÜLLER, Weihrauch, RECA Suppl. 15 (1978) 700-777; *ders.*, Notes on the Use of Frankincense in South Arabia, Proceedings of the 9th Seminar (Seminar of arabic studies 6), London 1975, 124-136.

29 Zur Entwicklung in der Verwendung von Kamelen vgl. TH. STAUBLI, Das Image der Nomaden im Alten Israel und in der Ikonographie seiner seßhaften Nachbarn (OBO 107), Fribourg 1991, 184-202.

30 Vgl. E.A. KNAUF, Midian. Untersuchungen zur Geschichte Palästinas und Nordarabiens am Ende des 2. Jahrtausends v.Chr. (ADPV), Wiesbaden 1988, 26 ff. Zur entscheidenden politischen Konstellation zählt KNAUF die Verbindung von Südarabien mit dem assyrischen Reich, die Blütezeit Edoms und die Bildung des ersten nordarabischen Stämmebundes sowie die Ausweitung des phönizischen Seehandels.

2. *Duft als Identitätszeichen*

Jenseits der kultischen Bedeutung des Duftes, des Räucherwerks und der Opfer spielt der Duft natürlich auch im täglichen Leben mit eigener Symbolik eine Rolle. Der Wohlgeruch, der gute Duft ist Zeichen der Macht und des Wohlstands, prägt Identität und gehört zum Symbolbereich der Liebe. Duft wurde durch Verbrennen von Würzstoffen, aber vor allem durch die Verwendung von Salben erzeugt:[31]

> *Köstlich ist der Duft deiner Salben*
> *dein Name hingegossenes Salböl,*
> *darum lieben dich die Mädchen.*
>
> *(Hld 1,3)*

2.1. Der Duft der Völker

Der Duft, der von einer Person oder auch von einem Volk ausgeht, signalisiert dessen Zustand: Im Wohlergehen duftet ein Volk, Gestank dagegen ist Zeichen des Unheils. Der Duft wirkt auch auf andere und bewirkt Akzeptanz oder Ablehnung.

In *Ex 5,21* kommen die Listenführer über die Arbeit des Volkes Israel gerade von den fruchtlosen Bemühungen beim Pharao, die Verschlechterungen der Fronarbeit abzuwenden. Sie werfen Moses und Aaron vor, sie hätten das Volk Israel vor dem Pharao in Verruf gebracht. Am Kulminationspunkt der Unterdrückung, bevor die Zeichen JHWHs am Pharao geschehen, beklagen die Aufseher, daß Mose und Aaron den "schlechten Geruch" des Volkes in der Nase des Pharao zu verantworten hätten:

> *Der Herr soll euch erscheinen und euch richten,*
> *denn ihr habt unseren Geruch schlecht gemacht*
> *beim Pharao und seinen Dienern*
> *und ihnen ein Schwert in die Hand gegeben,*
> *mit dem sie uns umbringen können.*
>
> *(Ex 5,21)*

Hier mag die Vorstellung eine Rolle spielen, daß der schlechte Geruch die Nase des Pharao reizt und seinen Zorn hervorruft.[32]

---

31 Vgl. dazu PASZTHORY, Salben.

32 Zum Zusammenhang von Nase und Zorn s.u. 3.4.

Durch schlechten Geruch unbeliebt machen sich auch die Ammoniter bei David *(2Sam 10,6)*, Absalom bei David *(2Sam 16,21)* und Israel bei den Philistern *(1Sam 13,4)*.
Der gute Duft ist Kennzeichen des Wohlergehens. Einen eigenen, guten Duft strömt nach den Worten Jeremias das Nachbarland Moab aus. Da es in Frieden leben konnte, keine Überfälle und Katastrophen zu erleiden hatte, änderte es seinen Duft nicht. Es konnte seine Identität behalten:

Ungestört war Moab von Jugend an, ruhig lag es auf seiner Hefe.
Es wurde nicht umgeschüttet von Gefäß zu Gefäß:
Nie mußte es in die Verbannung ziehen.
Darum blieb ihm sein Wohlgeschmack erhalten,
sein Duft veränderte sich nicht.

(Jer 48,11)

Auch Israel wird wieder duften, so verheißt der Prophet Hosea in seiner Heilsweissagung am Ende des Hoseabuches. Wenn das Volk Israel umgekehrt ist, sich JHWH wieder zugewandt und den Götzen abgeschworen hat, dann kann es erneut erblühen und in Frieden sich entwickeln:

Seine Zweige sollen sich ausbreiten,
seine Pracht soll der Pracht des Ölbaums gleichen
und sein Duft dem Duft des Libanon.

(Hos 14,7)

Was für Völker gilt, gilt auch für Personen. Sie strömen einen je eigenen Duft aus. Jakob erkennt seine beiden Söhne am Duft ihrer Kleider. Ihre unterschiedliche Lebensweise, ihre je eigene Identität bringt auch einen charakteristischen Eigengeruch mit sich. Deshalb täuscht Rebekka nicht nur mit Fellen an den Armen und Beinen von Jakob die Behaarung von Esau vor, sondern bringt auch die offensichtlich duftenden Festtagskleider Esaus und zieht sie Jakob an. Nicht nur die Felle, sondern vor allem der Duft der Kleider überzeugt Isaak, den richtigen Sohn vor sich zu haben.

Er (= Jakob) *trat näher und küßte ihn.*
Isaak roch den Duft seiner Kleider,
er segnete ihn und sagte:
Ja, mein Sohn duftet wie das Feld, das der Herr gesegnet hat.
(Gen 27,27)

2.2. Der Duft der Liebe und des Luxus

Darüber hinaus fanden Duftstoffe auch im Alltag und bei Festen Verwendung.[33] Im Bereich von Luxus, Wohlstand, Reichtum und Liebe ist die Rede vom Duft zuhause. Der Apfelduft signalisiert Erotik und Sexualität. Der Apfel selbst ist Symbol für die Liebe, der Apfelbaum der Ort der Liebe.[34]

Ich sage:
Ersteigen will ich die Palme; ich greife nach den Rispen.
Trauben am Weinstock seien mir deine Brüste,
Apfelduft sei der Duft deines Atems.
(Hld 7,9)

Die Narde, ein Bestandteil des in der Antike kostbarsten Duftöls[35], ist Zeichen der Präsenz der Geliebten, ebenso die Myrrhe.

Solange der König an der Tafel liegt,
gibt meine Narde ihren Duft.
Ein Myrrhenbeutelchen ist mir mein Geliebter,
das zwischen meinen Brüsten ruht.
Eine Hennablütentraube ist mir mein Geliebter,
aus den Weinbergen von En-Gedi.
(Hld 1,12-14)

Die verschiedenen Pflanzen, Blüten und Hölzer dienen als Duftstoffe und Aromata: Myrrhe, Aloë, Narde, Henna oder Balsam.[36]

---

33 Zu Duft und Fest in Ägypten s.o. Kap. II.

34 Vgl. U. BECHMANN, Apfel, Apfelbaum, NBL 1, 121.

35 Vgl. B. RAUSCHENBACH, Narde, NBL 2, 899-900.

36 Vgl. M. ZOHARY, Pflanzen der Bibel, Stuttgart 1983, 205; K. NIELSEN, Incense in Ancient Israel, VT.S 38 (1986) bes. 59-67; zur Duftsymbolik im Hohenlied vgl. auch O. KEEL, Das Hohelied (ZBK.AT 18), Zürich 1986, 118 ff. Der Band ist mit reichlichem Bildmaterial ausgestattet.

2.3. Der Duft des Todes

Anders als in Ägypten finden sich in Israel im allgemeinen keine Traditionen, den Verwesungsgeruch der Toten durch Duftstoffe und Einbalsamierung zu bekämpfen. Von einer entfalteten Dufttheologie im Kontext von Tod und Begräbnis fehlt jede Spur.

Zwar wird in *2Chr 16,14* von der üppigen Verwendung von Salben und Duftstoffen für die Grablege des Königs Asa berichtet, aber das trifft nur für die Bestattungen von Königen oder hochgestellten Persönlichkeiten zu. Die organischen Zersetzungsrückstände dieser Duftstoffe *"sind teilweise als Hinweis auf Verbrennungen oder Opfer im Grab mißverstanden worden."*[38] Diese Verwendung von Duftstoffen im Bestattungskontext, die etwa durch Parfümfläschchen aus dem Hinnomtal in Jerusalem belegt ist, stellt vorhellenistisch die Ausnahme von der sonst üblichen, eher spärlichen Bestattung dar.

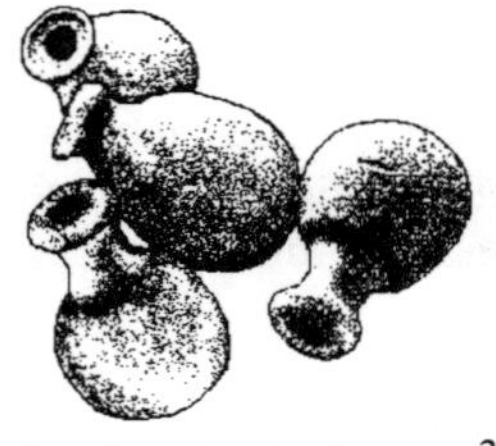

Bauchige Parfümflaschen [37]

Aber der "Todesduft" findet metaphorisch in Unheilsansagen oder Unheilsbeschreibungen Verwendung. So zählt zu den Plagen Ägyptens das stinkende, zu Blut gewordene Nilwasser in *Ex 7,18.21*, oder das stinkende Land durch die verfaulenden Frösche *(Ex 8,10)*. *Jes 19,6* nimmt die "stinkenden Kanäle" in der Unheilsweissagung gegen Ägypten auf, *Jes 34,3* beschreibt Edoms Untergang auch durch Gestank, *Joël 2,20* sagt den Verwesungsgeruch für den Feind aus dem Norden an. *Am 4,10* redet vom Leichengestank des Heerlagers Israels, der dennoch nicht zur Umkehr führt. *2Makk 9,9 ff.* schildert drastisch die Krankheiten des Königs Antiochus, der schließlich seinen eigenen Todesgestank nicht aushalten kann. Tod und Gestank werden zusammengedacht, Unheil äußert sich durch üblen Geruch.

---

[37] Aus Grabhöhlen im Hinnomtal, Jerusalem, 6.-5. Jh. v.Chr. Vgl. M. DAYAGI-MENDELS, Perfumes and Cosmetics in the Ancient World, Jerusalem, 1993, 128. Computergraphik J. K.

[38] R. WENNING, Bestattungen im königszeitlichen Juda, ThQ 177 (1997) 82-93.

3. Der beruhigende Duft der Brandopfer

3.1. *Der Begriff* רֵיחַ־נִיחוֹחַ

Die formelhafte Wendung *"ein Brandopfer ist es, ein Feueropfer zum beruhigenden Duft für den Herrn" (Lev 1,9)* ist die häufigste Art, wie im AT Duft thematisiert wird, und sie zeigt, daß ein Duftkonzept auch und vor allem im kultischen Bereich beheimatet ist.
In den deutschen Bibelübersetzungen finden sich zwei Übertragungen des Opferduftes, des *reach nichoach (rē^aḥ niḥō^aḥ)*: als lieblicher Duft einerseits oder als beruhigender Duft andererseits. Die hebräische Wortwurzel *NWḤ* liegt dieser oft als Infinitiv Pôlel[39] verstandene Wendung zugrunde. Beide Übersetzungen leiten sich hieraus ab. Einigkeit besteht weithin darin, daß die Wurzel *NWḤ* das semantische Feld der Ruhe umfaßt. Nur wird dieses Ruhen für die Übersetzung unterschiedlich ausgewertet. Im Hebräischen wie in anderen semitischen Sprachen kann es *"sowohl für einen körperlichen als auch einen seelischen Ruhezustand verwendet werden."*[40] Dieses fast durchgängige semantische Feld des Verbs kann "ausruhen" (von Menschen und von Gott), "sich niederlassen" oder "Ruhe haben vor Feinden" bezeichnen.[41] Beschwichtigung, Beruhigung, Befriedigung und Lexeme ähnlicher Semantik werden genannt.

Lieblicher Duft/ Wohlgeruch
In der Variante "lieblicher Duft" oder "Wohlgeruch" übersetzt schon Luther den Ausdruck. Diese Interpretation basiert auf der Septuaginta und der Vulgata, auf die auch GESENIUS-BUHL verweist; allerdings gibt GESENIUS-BUHL auch einen Hinweis auf die Übersetzung "beruhigender Duft".[42] LEVINE argumentiert etwa, daß "ruhig sein" mit "angenehm sein" gleichzusetzen und deshalb der "Wohlgeruch" die

---

39 Vgl. die Zusammenstellung bei R. RENDTORFF, Levitikus (BK.AT III/1), Neukirchen-Vluyn 1985, 66: trotz Infinitiv-Konstruktion wird der Begriff in substantivischer Bedeutung aufgefaßt.

40 F. STOLZ, נוח *nûaḥ* ruhen, THAT 2, 43-46; H. D. PREUẞ, נוּחַ *nûaḥ* מְנוּחָה *menûḥāh*, ThWAT 6, 298-307.

41 Vgl. STOLZ, ruhen.

42 W. GESENIUS, Hebräisches und Aramäisches Handwörterbuch über das Alte Testament, bearb. v. F. BUHL, 1915 (Nachdruck BERLIN [17]1962), 502 f.

entsprechende Übersetzung sei.[43] NICOLE hat jüngst erneut weitere Argumente zusammengetragen, um diese Semantik zu stützen.[44] Da nur an sehr wenigen Stellen der Opferduft als Sühne diene (z.B. *Lev 4,31*), ließe sich daraus keinesfalls eine notwendige Beruhigung Gottes aufgrund eines Vergehens als generelle Bedeutung für den formelhaft verwendeten Terminus ableiten. NICOLE plädiert dafür, nur "guten Duft" zu übersetzen, weil *reach nichoach* im Zusammenhang mit *ischä ('iššæ)* nur die Art der Gabe durch Verbrennen anzeige. Als *Terminus technicus* würde dann auch einem falsch verstandenen Anthropomorphismus im Verständnis Gottes vorgebeugt. Der aufsteigende Rauch zeige diese spirituelle Dimension des Opfers an.[45]

Beruhigender Duft
Die Übersetzungen "beruhigender Duft" legen den Schwerpunkt auf den Aspekt der Ruhe.[46] RENDTORFF beschäftigt sich bei seiner Untersuchung außerdem mit dem begleitenden Wort *ischä*, das in enger Verbindung mit der Wortkombination *reach nichoach* vorkommt. Er folgt - ganz anders als NICOLE - der Ableitung HOFTIJZERS[47], der die Verbindung von *ischä* zum ugaritischen *'ṯt* herstellt und somit die Bedeutung "Gabe" befürwortet. Die enge Verbindung der beiden geprägten Ausdrücke und die wenigen Abweichungen legen eine ähnliche Bedeutung der Varianten nahe. *"Diese Belege zeigen, daß bei dem Ausdruck* ריח ניחח *der Gedanke eine Rolle spielt, wie das Opfer bei der Gottheit 'ankommt', während der Begriff* אשׁה *vom gebenden Menschen her gedacht ist. Der Doppelausdruck sagt demnach, daß die Gabe des Opfernden dargebracht wird in der Erwartung und Hoffnung, daß sie von Gott angenommen werde. Der Geruch des Opfers, der zu Gott aufsteigt, soll 'Beruhigung' bewirken."*[48] Der Duft, der aufsteigt, muß mit dem aufsteigenden Rauch Gott ("für JHWH" ist meist angefügt) erreichen. Der Rauch steigt in die Nase JHWHs, er riecht (Wurzel *RWḤ II*) den Duft des Opfers, und entscheidet über die

---

43 Vgl. B. LEVINE, Levites (JPS Torah-Commentary), Philadelphia 1991, 8.

44 Vgl. É. NICOLE, Un sacrifice de bonne odeur, in: Esprit et vie. FS S. Bénétreau, Vaux-sur-Seine 1997, 55-70.

45 Vgl. NICOLE, sacrifice, bes. 64 ff.

46 Vgl. auch STOLZ, ruhen, 43-46; HALAT 1116.

47 J. HOFTIJZER, Das sogenannte Feueropfer, in: Hebräische Wortforschung. FS W. Baumgartner, VT.S 16 (1967) 114-134.

48 RENDTORFF, Levitikus, 68.

Annahme oder eine zornige Reaktion - mit der entsprechenden Ankündigung des Gerichts über Israel:

> *Ich mache eure Städte zu Ruinen,*
> *verwüste eure Heiligtümer*
> *und will den beruhigenden Duft eurer Opfer nicht mehr riechen.*
> *(Lev 26,31)*

Je nachdem, ob der Duft des Opfers als lieblich oder als beruhigend verstanden wird, werden unterschiedliche theologische Akzente gesetzt. Ein *lieblicher* Duft ist zwar wohltuend, aber nicht unbedingt notwendig für Gott, es sei denn, man verstünde ihn als Nahrung Gottes. Ein Opfer als Wohlgeruch wäre demnach eine Art Zugabe des Menschen.

Eine solche Interpretation kann die Bedeutung, die dem Brandopfer zugemessen wurde, nicht hinreichend erklären. Eine Übersetzung als *beruhigender* Duft dagegen bringt um vieles deutlicher zum Ausdruck, daß das Opfer *notwendig* ist, um - in letzter Konsequenz - den Zorn Gottes zu beruhigen und Unglück von Israel bzw. den Opfernden abzuwenden. Dem folgt auch etwa STAUBLI: *"Die Opfermaterie soll offenbar nicht den Mund, sondern die Nase Gottes ansprechen, den Sitz des Zornes, der ja im Schnauben zum Ausdruck kommen kann. Ihr Zweck ist es, die Gottheit in eine ruhige, zufriedene Stimmung zu versetzen."*[49]

So fließend, wie manche Interpretationen von der Beruhigung zum Wohlgeruch kommen, sind die Grenzen nicht. Zwar kann ein beruhigender Duft auch Wohlgeruch sein, aber der Umkehrschluß wird von denjenigen, die für "Wohlgeruch" plädieren, ja gerade nicht gezogen. Mit der Frage der Übersetzung ist letztlich eine theologische Aussage über JHWH und damit die Frage des Gottesverständnisses verbunden. Eine solche theologische Einsicht will auch die geprägte Formel des beruhigenden Duftes selbst vermitteln.[50] Dies macht schon der deutende und abschließende Charakter der formelhaften Wendung jeweils am Ende der exakten Opfervorschriften deutlich.

---

[49] TH. STAUBLI, Die Bücher Levitikus, Numeri (NSK.AT 3), Stuttgart 1996, 51.

[50] Auf den interpretierenden Charakter als Abschlußformel verweist auch RENDTORFF, Levitikus, 64 ff; gegen K. LÖNING, Geruch, NBL 1, 808, der in der Formel noch eine alte Auffassung sieht, daß der Geruch nährender Beschwichtigungsgeruch sei, was erst durch die Septuaginta metaphorisch überwunden werde.

3.2. Die Wurzel QṬR: etwas "in Rauch aufgehen lassen"

Die Vorstellung, daß durch das Opfer eine Verbindung zur Gottheit hergestellt wird, gehört zu den Grundkonzeptionen jeglicher Opferhandlung. Darin unterscheidet sich Israel in keiner Weise von den Völkern mit anderen religiösen Traditionen. Die Formen der Opfer sind jedoch in Art, Zweck und Form vielfältig, auch in Israel. Geht ein Opfer in Rauch auf, steigt also der Rauch bzw. der Duft des Opfers auf, so wird die erwünschte Beziehung zeichenhaft sichtbar. Der Rauch verbindet oben und unten, läßt eine Verbindung zwischen der Gottheit und den Menschen sichtbar werden. Der Rauch nimmt sozusagen die Gabe mit empor.

Ein Opfer "in Rauch aufgehen lassen" ist die Grundbedeutung der Wurzel *QṬR*[51]; *"im pi bedeutet es 'ein Opfer in Rauch aufgehen lassen', während das hiph eine speziellere Bedeutung aufweist 'Räucherwerk abbrennen'."*[52] HEGER postuliert für die Termini eine längere Entwicklung, in der auch die Bedeutung wechselt. Das *pi.* wird, so schlägt er vor, für das Verbrennen von Weihrauch (oder Räuchermitteln) in einem Räuchergerät *(censer)*, *hi.* wird dagegen für das Verbrennen von Weihrauch auf dem Altar verwendet, was die Aaroniden im Zweiten Tempel für sich reservieren.[53] In welcher Differenzierung der Unterschied zwischen den beiden grammatikalischen Formen gesehen wird, die Tendenz geht dahin, den Unterschied in der Materie dessen, was verbrannt wird, festzumachen. Insofern wäre dafür zu plädieren, bei der Verwendung des Terminus "Räuchern" genau zu definieren, ob ein Brandopfer oder Räucherwerk gemeint ist. Der jeweils emporsteigende Rauch wird nicht nur grammatikalisch unterschieden,

---

51 R. E. CLEMENTS, קטר *qṭr*, ThWAT 7, 10-18.

52 CLEMENTS, *qṭr*, 12; zur Diskussion auch ZWICKEL, Räucherkult, bes. 336 ff., der auch die manchmal geäußerte, inzwischen aber weitgehend abgelehnte Unterscheidung in Betracht zieht (JENNI u.a.), daß *QṬR pi.* für den illegitimen Kult, *QṬR hi.* für den legitimen Kult gebraucht wird. ZWICKEL läßt aber aufgrund der schwierigen Textlage letztlich die Entscheidung offen; D. EDELMAN, The Meaning of *QIṬṬER*, VT 35 (1985) 398-404, betont ebenfalls, daß *QṬR pi.* nicht für Räucherwerk verwendet wird.

53 Vgl. P. HEGER, The Development of Incense Cult in Israel (BZAW 245), Berlin 1997, bes. 24-47.266 f.; dort auch die Auseinandersetzung mit NIELSEN, Incense, und M. HARAN, The Use of Incense in the Ancient Israel. An Inquiry into the Character of Cult Phenomena and the Historical Settings of the Priestly School, Oxford 1978.

sondern, wie zu zeigen sein wird, auch theologisch verschieden bewertet (s.u.).[54]

3.3. *Ein Feueropfer zum beruhigenden Duft für JHWH*

ZWICKEL versucht, anhand der verschiedenen Opfertermini und der zeitlichen Zuordnung der Texte, in denen sie vorkommen, die Geschichte des Opfers zu rekonstruieren.[55] Allerdings mangelt es, trotz wiedererwachtem Interesse am Kult[56], noch an einer einheitlichen Systematik und Geschichte des Opfers in Israel. Besonders aufgrund der ins Rutschen gekommenen Datierungen biblischer Schichten und Texte stellen sich neue Probleme. JANOWSKI vermißt weiterführende sozialgeschichtliche bzw. sozialanthropologische Studien.[57] Hier sei nur auf die Problematik verwiesen, da in unserem Zusammenhang nur diejenigen Opfer von Interesse sind , die mit "Duft" verbunden sind, sei es als "beruhigender Duft", sei es als "duftendes Räucherwerk".
Die Formel vom "beruhigenden Duft" wird nahezu ausschließlich für die Opfer verwendet, die im Zusammenhang mit dem Tempelkult, sei es im Tempel selbst, sei es in Rückprojektion auf die Stiftshütte, beschrieben werden. Bis auf zwei Stellen finden sich alle Belege dieser Formel in der Priesterschrift und in weiteren Texten der exilisch-nachexilischen Zeit. Zu den Belegen, die früher datiert werden, gehören *Gen 8,21 f.* (das Opfer des Noach) und *1Sam 26,17-19.*

---

[54] So wäre unter dem Stichwort "Rauchopfer" besser zwischen Brand- und Räucheropfer zu trennen. Gegen ZWICKEL, Räucheropfer, NBL 3, 272.

[55] Vgl. zum Folgenden ZWICKEL, Räucherkult, bes. Teil II der Untersuchung; sowie *ders.*, Tempelkult, 285 ff. ZWICKEL betont selbst, daß aufgrund der großen Streuung eine umfassende Untersuchung kaum gelingt und seine zeitliche Anordnung nach dem derzeitigen Forschungsstand zu den Stellen aufgelistet wurde. Der Forschungsstand, den ZWICKEL voraussetzt, ist speziell für die frühesten Datierungen (ab 10. Jh.) aber höchst strittig. Vgl. auch I. WILLI-PLEIN, Opfer und Kult im alttestamentlichen Israel. Textbefragungen und Zwischenergebnisse (SBS 153), Stuttgart 1993.

[56] Vgl. A. SCHENKER (Hg.), Studien zu Opfer und Kult im Alten Testament. Mit einer Bibliographie 1969-1991 zum Opfer in der Bibel v. V. ROSSET (FAT 3), Tübingen 1992; zur Bedeutung von *Levitikus* in der Tora vgl. STAUBLI, Levitikus.

[57] Vgl. B. JANOWSKI, Opfer (1), NBL 3, 36-40. Für eine gewisse Verwirrung sorgt nicht nur die Vielzahl unterschiedlicher Termini für Opfer (nach Art, Anlaß, Zweck, Opferzeit etc. und den jeweiligen Über- und Unterbegriffen), sondern auch die unterschiedliche Übersetzung gleicher Begriffe.

Das Opfer des Noach (Gen 8,21)
Der Name Noach, "Ruhe", leitet sich wie der "beruhigende Duft" von der Wurzel *NWḤ* ab, wenn auch die Erklärung seines Namens in *Gen 5,29* eine Ableitung aus der Wurzel *NḤM* herleitet.[58] Als Noach die Arche verläßt, bringt er ein Brandopfer *(ᶜola)* anläßlich des Endes der Flut. Der Zusage Gottes, nach der Sintflut die Erde nicht wieder zu vernichten, geht das "beruhigende Opfer" Noachs voraus.

> *Der Herr roch den beruhigenden Duft, und der Herr sprach bei sich: Ich will die Erde wegen des Menschen nicht noch einmal verfluchen; denn das Trachten des Menschen ist böse von Jugend an. Ich will künftig nicht mehr alles Lebendige vernichten, wie ich es getan habe.*
>
> *(Gen 8,21)*

Traditionell wird in der Forschung dieser Vers, einschließlich der Terminologie des "beruhigenden Duftes" dem Jahwisten bzw. seiner Vorlage zugesprochen.[59] Anders als die Tradition und Kunst, die schon die Gaben *(mincha)* von Kain und Abel als Brandopfer (durch aufsteigenden Rauch) darstellen, vollzieht erst Noach ein Brandopfer *(ᶜola)*. *"Die Brandopferdarbringung ist also nach dem jahwistischen Geschichtsbild jünger als die JHWH-Verehrung"*.[60] Nach den jüngeren Ergebnissen der Untersuchung zur Opferentwicklung entspricht diese Sicht der tatsächlichen Entwicklung der Opferpraxis. ZWICKEL geht davon aus, daß im 10. Jh. zunächst das gemeinschaftliche Schlachtopfer *säbach (zæbaḥ)*[61] gängige Praxis, und der Opfernde selbst für die Opferung zuständig war. In Ausnahmesituationen aber wurden Fetteile der Tiere als Brandopfer verbrannt. Mit Hinweis auf *1Sam 10,8; 13,7b-15a* (Verwerfung Sauls, weil er statt Samuel das Opfer darbrachte) und *Gen 8,21 f.* weist er auf den Besänftigungscharak-

---

58 Vgl. C. WESTERMANN, Genesis (BK I/1), Neukirchen-Vluyn 1974, 487 f.

59 Vgl. ZWICKEL, Tempelkult, 369 (Jahwist wird für das 10. Jh. angesetzt); WESTERMANN, Genesis, 609, dort auch mit Zitat aus dem Gilgamesch-Epos: *"Die Götter rochen den Duft, die Götter rochen den wohlgefälligen Duft, die Götter scharten wie Fliegen sich um den Opferer."* Auf diesen Text wird meist in der Genesis-Auslegung verwiesen.

60 WILLI-PLEIN, Opfer, 85, weist darauf hin, daß in *Ri 6* ebenfalls die Ablösung der *minchah* durch ein Brandopfer angezeigt sei.

61 Vgl. ZWICKEL, Tempelkult, bes. 292-301. WILLI-PLEIN, Opfer, hält die *minchah* für die älteste Opferart, läßt aber die Einordnung des *säbach* offen. Zur letztlich einzugestehenden Unsicherheit vgl. JANOWSKI, Opfer, 37.

ter des Opfers hin. *"Sowohl in Gen 8 als auch in 1Sam 13 diente das Brandopfer als außergewöhnliches Opfer dazu, in einer vom 'Chaos' bestimmten Situation Jahwe zu seiner Hilfe und seinem Beistand zu bewegen."*[62] Allerdings bleibt zu fragen, ob *Gen 8,21 f.* wirklich zum Jahwist gehört - immer vorausgesetzt, man folgt noch der bisherigen zeitlichen Ansetzung des Jahwisten im 10./ 9.Jh. wie ZWICKEL. Es wäre wirklich überraschend, eine festgeprägte Formel, die sich dann erst wieder in den priesterlich geprägten Texten findet, so singulär und so früh im jahwistischen Geschichtswerk zu finden.[63]

1Sam 26,17-19

Der Opferduft wird, wie NICOLE richtig feststellt, nur an ganz wenigen Stellen mit der Entsühnung von Vergehen in Zusammenhang gebracht.[64] Auch JANOWSKI betont diese Tatsache mit dem wichtigen Hinweis, daß die Notizen über den Ziegenbock, der zur Entsühnung Israels dargebracht werden soll, *"erst nachträglich in einen literarischen Zusammenhang eingesetzt worden sind, der seinerseits zu den jüngsten Stücken im Pentateuch zählt"*[65]. Man kann also davon ausgehen, daß kein ursprünglicher Zusammenhang von kultischer Entsühnung, wie P sie fordert, und der Vorstellung eines beruhigenden Duftes des Opfers anzunehmen ist. Das schließt natürlich nicht aus, daß es nicht auch um die Schaffung eines Heilszusammenhanges ginge, der immer wieder zwischen Gott und Mensch oder Gott und dem Volk Israel herzustellen wäre.

Angesichts der Verfolgung, die David von Saul zu erleiden hat, erwägt er, zumindest rhetorisch, eine Verfehlung seinerseits. Sollte Saul auf

---

62 ZWICKEL, Tempelkult, 297.

63 ZWICKEL datiert J in die späte Zeit Salomos bzw. die frühe Zeit nach der Reichsteilung, vgl. ZWICKEL, Tempelkult, 297 Anm. 48. Auf die Diskussion zur Datierung von J und die zahlreichen Spätdatierungen kann hier nur verwiesen werden. Eine spätere Datierung gewinnt an Plausibilität, wenn man der These HOLLOWAYS folgt, die Arche bilde den idealisierten Tempel ab, vgl. ST. HOLLOWAY, What Ship Goes There? The Flood Narrative in the Gilgamesh Epic and Genesis Considered in the Light of Ancient Near East Temple Ideology, ZAW 103 (1991) 328-355.

64 Vgl. *Lev 4,31;* möglicherweise noch *Lev 26,31* und *Gen 8,21,* vgl. NICOLE, sacrifice, 57 mit Literatur.

65 B. JANOWSKI, Sühne als Heilsgeschehen. Studien zur Sühnetheologie der Priesterschrift und zur Wurzel KPR im Alten Orient und im Alten Testament (WMANT 55), Neukirchen-Vluyn 1982, 217 Anm. 176.

den Befehl Gottes handeln, dann könnte die (zu erschließende) Schuld Davids als Grund für die Verfolgung durch ein "beruhigendes Opfer" aus der Welt geschafft und Sauls Nachstellung hinfällig gemacht werden.

> *Saul erkannte die Stimme Davids und sagte: Ist das deine Stimme, mein Sohn David? David antwortete: Es ist meine Stimme, mein Herr und König. Dann fragte er: Warum verfolgt eigentlich mein Herr seinen Knecht? Was habe ich denn getan? Welches Unrecht habe ich begangen? Möge doch mein Herr, der König, jetzt auf die Worte seines Knechtes hören: Wenn der Herr dich gegen mich aufgereizt hat, möge er ein beruhigendes Opfer erhalten. Wenn es aber Menschen waren, dann sollen sie verflucht sein vor dem Herrn; denn sie haben mich vertrieben, so daß ich jetzt nicht mehr am Erbbesitz des Herrn teilhaben kann.*
>
> *(1Sam 26,17-19)*

Alle anderen Belege gehören in die nachexilische Zeit. Die hier genannten Opfer greifen wohl vorexilische Opferpraxis auf. Vermutlich gewinnt das Brandopfer als Teil des vorexilischen Tempelkults relativ spät an Bedeutung. Die Nachrichten über einen Brandopferaltar im salomonischen Tempel dürften stark dtr. überformt sein. Nach *2Kön 16,10-16* erneuerte König Ahas (734-715 v.Chr.) einen Altar ganz nach Damaszener Vorbild und ließ ihn im Vorhof vor dem Tempel aufstellen. Hier werden die Opferarten Brand-, Speise-, Trank- und Heilsopfer aufgezählt mit der Bemerkung, Ahas habe alle Opfer "in Rauch aufgehen" lassen. Neu ist also an den Opfern nach dem Exil nicht die Art der Opfer, sondern die *Qualifizierung* der vorher schon dargebrachten Opfer als *"beruhigender Duft"*.

Das weitere Vorkommen der Opfer, die als "beruhigender Duft" qualifiziert werden, verteilt sich auf die Texte von P und spätere Ergänzungen in *Exodus* (dort im Gesetz für die Stiftshütte), *Levitikus* (in den Opferbeschreibungen) und in *Num 15.18.28* und *29* (jeweils Opfervorschriften) sowie auf das Prophetenbuch *Ezechiel*.[66] Sie beziehen sich auf die Brand-, Speise-, Heils- und Trankopfer.[67] Im Buch *Levitikus*

---

[66] Als "beruhigender Duft" in *Ex 29,18.25.41; Lev 1,9.13.17; 2,2.9.12; 3,5.16; 4,31; 6,8.14; 8,21.28; 17,6; 23,13.18; 26,31; Num 15,3.7.10.13.14.24; 18,17; 28,2.6.8.13.24.27; 29,2.6.8.13.36; Ez 6,13; 16,19; 20,28.41.*

[67] Zur Untersuchung der verschiedenen Opferarten vgl. R. RENDTORFF, Studien zur Geschichte des Opfers im Alten Israel (WMANT 24), Neukirchen-Vluyn 1967; WILLI-PLEIN, Opfer, 71 ff.; STAUBLI, Levitikus.

werden die Opferarten, die als "beruhigender Duft für JHWH" gelten, besonders in den ersten drei Kapiteln des Buches beschrieben. Diese Kapitel dienen vor allem der didaktischen Unterweisung für die Opfer.[68]

Brandopfer - ᶜola (ᶜōlā)
Das Brandopfer[69] eröffnet die Opferbeschreibung, weil es durch das Verbrennen der Tierteile das intensivste Opfer war. Es wird in der Opferart mit den Speise- und Heilsopfern verbunden. *Lev 1-3* schildert die Einzelheiten des Opfervollzugs für die unterschiedlichen Tierarten, die zum Brandopfer gebracht werden: für Rind oder Stier *(Lev 1,9)*, Schafe oder Ziegen *(Lev 1,13)* oder für das Taubenopfer *(Lev 1,17)*. Der Ritus des Opferns ist bei allen Tieren gleich, die geopfert werden, vom Rind bis hin zu Tauben. Nur die zu verbrennenden Anteile werden entsprechend den Tierarten differenziert. Das Opfer bringt der Priester dar. Angesichts der Bedeutung, die das Brandopfer im Tempel nachexilischer Zeit bei P gewann[70], ist nicht auszuschließen, daß P die Begründung dieses Opfers in Noach verankerte - zusammen mit dem Vorsatz Gottes, nicht mehr die Menschheit (und damit auch nicht den Tempel als Garant des Heiles) zu vernichten.

Speiseopfer - mincha (minḥā)
Ein Speiseopfer bringt nach *Lev 2* eine Person *(nefesch)* dar, der Priester hebt erst dann davon den für JHWH zu opfernden Teil ab, der übrigbleibende Rest gehört den Aaronssöhnen. Hier werden Dinge des täglichen Nahrungsbedarfs geopfert und ebenfalls verbrannt. Zu den Speisen gehören Mehl (wohl eher Kleie und Gries) mit Öl, Brot, Fladen oder Grütze.[71]

---

68 Vgl. A. F. RAINEY, The Order of Sacrifices in Old Testament Ritual Texts, Bib. 51 (1970) 485-498; er unterscheidet in *Lev* zwischen didaktischer, administrativer und verfahrensorientierter ("*procedural*") Aufzählung.

69 Diese gängige Übersetzung für *colah* suggeriert, daß der Gegensatz zwischen Brandopfern und den anderen Opfern in der Art der Darbringung (Verbrennen) liege, der Unterschied liegt aber darin, daß hier bis auf die Haut *alles* verbrannt wird, bei anderen Opfern aber nur *Teile* der Tiere oder Speisen.

70 Die Unterbrechung des ständigen Morgen- und Abendopfers unter Antiochus IV. führte zur makkabäischen Revolte. Vgl. STAUBLI, Levitikus, 52.

71 Vgl. STAUBLI, Levitikus, 52 ff.

Der Anteil, der von dem Speiseopfer abgetrennt und mit Weihrauch (als freiwilligem Anteil) gemischt wird, wird als "Gedächtnisanteil" verbrannt.

Gedächtnisanteil - 'azkārā

Das Wort *'azkārā* meint einen Teil des *mincha*-Opfers, der *"nach Lev 2,2 aus einer Handvoll mit Öl vermischten Mehls bestand, dem Weihrauch zugefügt wurde. Diese Bestandteile wurden auf dem Altar verbrannt."*[72] Als Feueropfer gehört es zu den Opfern, die als "beruhigender Duft" dargebracht werden. Manche Übersetzungen verwenden daher "Duftteil". Wer eher "Gedächtnisteil" übersetzt, betont die Verbindung mit der Wurzel *ZKR* "sich erinnern". Auf die Herleitung als Namensanruf JHWHs verweist EISING mit Berufung auf SCHOTTROFF.[73] *"Somit ist zu überlegen, ob die 'azkārāh nicht ihre Bezeichnung daher haben könnte, daß bei der Darbringung des Opferanteils, der auf dem Altar verbrannt wurde, jeweils der Name JHWH feierlich ausgesprochen wurde, so daß von dieser Widmung im Sinne eines lobpreisenden Gedenkens JHWHs her der Terminus entstanden wäre."*[74]

STAUBLI weist darauf hin, daß die besondere Betonung, diese Opfer seien im Tempel JHWHs "vor dem Herrn" zu opfern, auf eine Praxis deutet, die im Widerspruch zu dieser Bestimmung steht. Diese Opfer wurden möglicherweise auch von Frauen dargebracht, sei es in Privaträumen "auf den Dächern" oder an Kultstätten "auf den Höhen".[75]

Heilsopfer - säbach schelamim (zæbaḥ š·lāmīm)

STAUBLI nennt "Heilsopfer" einen *"priesterlichen Kunstbegriff. Er umfaßt alle Arten von Schlachtungsopfern, die zur Nahrungsaufnahme durchgeführt werden"*.[76] In einigen Texten, die sich auf die vorstaatli-

---

[72] H. EISING, זכר *zākār*, ThWAT 2, 593-599, hier: 589; vgl. auch *Lev 2,9.16; 6,8; 24,7;* ohne Weihrauch bei Sündopfern *Lev 5,12*; und Eifersuchtsopfern *Num 5,26*.

[73] Zur Diskussion vgl. EISING, a.a.O., 589 f.

[74] EISING, a.a.O., 589.

[75] Vgl. STAUBLI, Levitikus, 54, vielleicht in Verbindung mit der Diskussion in *Jer* um den Kult der Himmelskönigin (s.u.).

[76] STAUBLI, Levitikus, 59. Dazu gehören nach STAUBLI a.a.O. *"Danksagungsopfer (12,29; Pss 107,22; 116,17), Jahresopfer (1Sam 1,21), Sippenopfer (1Sam 20,29), Weiheopfer (2Sam 15,7f), freiwillige Op-*

che Zeit beziehen, wird von Schlachtungen *(säbach)* gesprochen. *1Sam 9,12-24* beschreibt bei der Suche Sauls nach den Eselinnen und seiner Begegnung mit Samuel ebenfalls eine Kultmahlzeit "auf der Höhe". Hier ist von Schlachtung, Segnung und Gemeinschaftsessen die Rede, nicht vom Verbrennen einer Opfergabe. WILLI-PLEIN geht davon aus, daß das *säbach* zunächst ein Schlachtfest anläßlich von Familien- oder Gemeinschaftsfesten gewesen und von daher noch nicht als Opfer aufzufassen sei. Erst später wird durch die Verbindung der Begriffe *säbach* und *schelamim "die kultische Spezialisierung des Säbach allen Texten unterlegt."*[77]

Trankopfer - næsæk

Die Bezeichnung des Feueropfers als "beruhigender Duft" ist im Kontext des Kultes so fest verwurzelt, daß auch Trankopfer so genannt werden können, obwohl Flüssigkeiten kaum in Rauch aufgehen konnten, sondern als Libation vergossen wurden.

Als Trankopfer sollst du in diesem Fall
ein halbes Hin[78] *Wein darbringen.*
Das ist ein Feueropfer und
ein beruhigender Duft für den Herrn.
(Num 15,10)

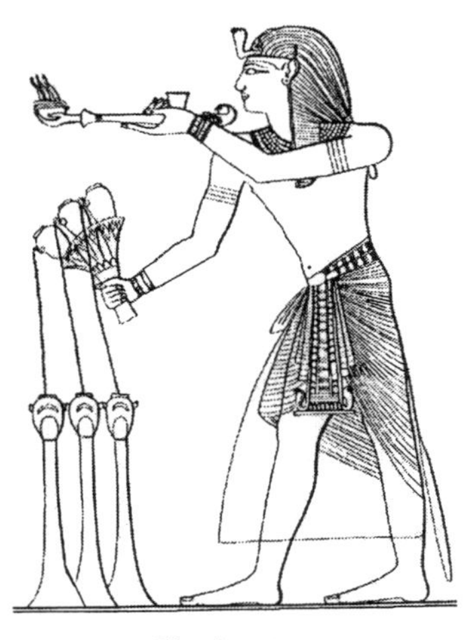

Gleichzeitiges Rauch- und Trankopfer[79]

Vermutlich wurden die Libationen kombiniert mit anderen Opfern, die verbrannt wurden, wie es auch in Ägypten und Mesopotamien belegt ist. Diese Art des Opfers ist nicht nur im ganzen Mittelmeerraum, sondern auch darüber hinaus verbreitet.

---

fer (Num 15,3) und Pessachopfer (Ex 12,23; 23,18; 34,25; Dtn 16,2-4)"; andere Übersetzungen: *"'Dankopfer' (Luther), 'Mahlopfer' (Gute Nachricht), 'Friedensmahlschlachtung' (Buber), 'Abschlußopfer' (G. Lisowsky, Konkordanz)"*, WILLI-PLEIN, Opfer, 91 f.

77 WILLI-PLEIN, Opfer, 78; vgl. STAUBLI, Levitikus, 58 f.

78 1 Hin entspricht etwa 3 Litern.

79 Thutmosis III. beim Opfer. Computergraphik J. K. nach einer Malerei aus dem Grab des Rechmire (TT 100). Vgl. O. KEEL, Die Welt der altorientalischen Bildsymbolik und das Alte Testament. Am Beispiel der Psalmen, Göttingen [5]1996, 309.

Der Ritus, Wein oder eine andere Flüssigkeit als Opfer für Götter oder Göttinnen oder auch zum Gedenken an Verstorbene zu vergießen, findet sich bis heute in vielen Kulturen.[80]

Auch das Heiligkeitsgesetz *(Lev 17-26)*, das in manchen Publikationen zu den Texten von P gerechnet wird,[81] bringt das Verbrennen von Brandopfern mit der Formel vom "beruhigenden Duft" in Verbindung. Die Opfer bei der Altarweihe in *Ex 29* oder die täglichen Opfer morgens und abends dienen

> *"...zum beruhigenden Duft als Feueropfer für den Herrn."*
> *(Ex 29,41)*

Allen als Feueropfer[82] bezeichneten Gaben ist gemeinsam, daß die unterschiedlichen Teile von Opfergaben, die jeweils dargebracht werden, verbrannt und dann als "beruhigender Duft" interpretiert werden. Sie zeichnet also eine theologische Definition ergänzend zum Anlaß oder zur Form des Opfers aus.

3.4. Die aktive Nase: Zeichen des lebendigen Gottes

Die Nase/ der Zorn

Der beruhigende Charakter des Brandopfers wird deutlich, wenn man vom Empfangenden her denkt. Die Gabe, die für JHWH verbrannt wird, steigt als Rauch empor. Der Rauch zielt auf die Nase Gottes, Gott riecht das Opfer. Die Nase ist Sitz des Zornes, auch des Zornes Gottes, ja sie steht in gewisser Weise für den Zorn Gottes selbst. Die lebendige Nase, Sitz des Zorns, wird überraschend oft in besonderen Zusammenhang mit JHWH gebracht, jedenfalls signifikant häufiger als mit Men-

---

80 Libationen werden z.B. noch heute in der *ancestor religion* in Afrika vergossen.

81 Vgl. F. CRÜSEMANN, Heiligkeitsgesetz, NBL 2, 93-96; E. ZENGER u.a., Einleitung in das Alte Testament, 3. neu bearb. u. erw. Auflage, Stuttgart 1999, bes. 121; zur Diskussion, ob das Heiligkeitsgesetz als eigenständiger Rechtskorpus zu betrachten sei. Vgl. dagegen E. OTTO, Innerbiblische Exegese im Heiligkeitsgesetz Levitikus 17-26, in: H.-J. FABRY/ H.-W. JÜNGLING (Hg.), Levitikus als Buch (BBB 119), Bonn 1999, 125-196, vgl. dort auch die weiteren Beiträge. Zur Gesamtinterpretation vgl. G. FELD, Levitikus. Das ABC der Schöpfung, in: L. SCHOTTROFF/ M.-TH. WACKER (Hg.), Kompendium Feministische Bibelauslegung, Gütersloh (2. korr. Aufl.) 1999, 40-53.

82 Vgl. HOFTIJZER, Feueropfer; RENDTORFF, Levitikus, 68.

schen. Der Zorn Gottes wird konsequenterweise durch Verben expliziert, die ebenfalls mit der Nase in Zusammenhang stehen.
Das Wort für "Nase" (*'ap* und der Dual *'appayim*[83]) ist im Hebräischen interessanterweise gleichbedeutend mit Zorn. Dieses Zusammenfallen beider Bedeutungen kommt innerhalb der semitischen Sprachen nur im Hebräischen vor.[84] Diese Homonymie drückt allerdings eine *inhaltliche* Metonymie aus, insofern Nase und Zorn zueinander in Beziehung stehen *und* durch die Homonymie des einen Wortes in der Bedeutung gegenseitig austauschbar sind: wenn das eine Wort einmal nur Nase oder Zorn bedeutet, aber gleichzeitig die jeweils andere Bedeutung ersetzt.[85]

Der Rauch/ der Zorn

Der Rauch trifft auf die Nase, den Sitz des Zorns. Je nachdem, wie der Rauch empfunden wird, reagiert die Nase JHWHs - sei es positiv als "Beruhigung" des Zorns, sei es negativ als Erregung des Zorns. Insofern muß der aufsteigende Rauch "geeignet" sein, um auf JHWH beruhigend zu wirken. Werden die Opfer am Tempel nach den Vorschriften dargebracht, wie sie die Priesterschrift schon in der Sinai-Offenbarung verankert, dann beruhigt der Rauch der Opfer JHWH. Sein Zorn wird besänftigt.
Gottes Zorn wird dagegen erregt, wenn Rauch in die Nase steigt und sie reizt. Das gibt einen Hinweis darauf, daß hier etwas vor sich geht, was dem Willen JHWHs widerspricht. Dazu gehören Opfer, die nicht in der vorgeschriebenen Weise dargebracht werden: mit fehlerhaften Tieren *(Mal 1,7 ff.)*, am falschen Ort (außerhalb Jerusalems) oder für andere Gottheiten. Letzteres gilt vor allem für das Räucheropfer (s.u.). *Tritojesaja* verwendet die Metapher "Rauch in der Nase" für das zornerregende Handeln von Menschen, die Götzen dienen.[86]

---

83 Vgl. J. BERGMANN/ E. JOHNSON, אנף אף, ThWAT 1, 376-389, hier: 376-389.

84 So BERGMANN/ JOHNSON, אנף, 379, anders KEEL, Sühneriten, 436, der eine Metonymie wie im Ugaritischen und im Ägyptischen sieht.

85 Zum Begriff der Metonymie auf der Basis von Kontiguität und Substitution vgl. H. P. PLETT, Textwissenschaft und Textanalyse, Heidelberg 1975, 267-271.

86 Zur apokalyptischen Weiterführung dieses Motivs in *Offb* s. u. Kap. VI.

Gott sagt über sie:

Diese Menschen sind wie Rauch in meiner Nase,
wie ein immer brennendes Feuer.

(Jes 65,5)

Der Atem/ der Zorn

Die Nase ist eng mit dem Atem verbunden - und folglich wird auch der Atem in Verbindung mit dem Zorn gebracht.

Da wurden sichtbar die Tiefen des Meeres,
die Grundfesten der Erde wurden entblößt
durch das Drohen JHWHs,
vor dem Schnauben seines zornigen Atems.

(2Sam 22,16 // Ps 18,16)

Die Wortkombination in *2Sam 22,16 // Ps 18,16* benutzt Worte, die an die Schöpfungserzählung *Gen 2,7* erinnern. Die *neschamah (nšāmā)*, der Atem, der den Menschen in die Nase eingeblasen wird, macht sie zu lebendigen Wesen. Diese *neschamah* steht in enger Verbindung mit der *ruach (rūaḥ)* JHWHs,[87] seinem schöpfungswirksamen Geist. Die enge Verbindung zeigt sich in *2Sam 22,16: "Demnach bildet* נְשָׁמָה *einen Ausschnitt, eine 'Teilmenge' aus dem, was sonst umfassender als* רוּחַ *erscheint."*[88] *Ruach* wiederum kann an sechs Stellen als Zorn übersetzt werden.[89] Der Atem Gottes, der die Menschen lebendig macht, kann ebenso lebenspendende wie verheerende Wirkung haben. Im Zorn ist Gottes Atem tödlich.

Sein Atem entflammt glühende Kohlen,
eine Flamme schlägt aus seinem Maul hervor.

(Ijob 41,13)

oder:

Ja, schon längst ist eine Feuerstelle bereitet,
auch für den König ist sie bestimmt; tief ist sie und weit;

---

[87] Vgl. K. KOCH, Der Güter Gefährlichstes, die Sprache, dem Menschen gegeben ... Überlegungen zu Gen 2,7, in: *ders.*, Spuren hebräischen Denkens, Neukirchen-Vluyn 1992, 238-247.

[88] KOCH, a.a.O., 242.

[89] Vgl. S. TENGSTRÖM/ H.-J. FABRY, רוּחַ *rûaḥ*, ThWAT 7, 385-425. Die Verbindung mit der Nase ist außerdem dadurch gegeben, daß die gleichen Wortwurzel *RYḤ* im H-Stamm das Riechen bezeichnet, vgl. a.a.O., 398 f.

ein Holzstoß ist da, Feuer und Brennholz in Menge,
der Atem des Herrn brennt darin wie ein Schwefelstrom.
(Jes 30,33)

Der Zorn Gottes kündigt sich durch Schnauben an: Die Bildsprache verbindet Atem, Zorn und Nase miteinander.
Vom Zornesschnauben[90] bei JHWHs Erscheinen werden Naturgewalten bewegt, und JHWH erweist sich als der Gott, der über die Natur verfügt *(Ex 15,8.10)*. Dies kann sich, wie im Exodusgeschehen, als rettend für das Volk Israel erweisen. Das zornige Schnauben JHWHs kann sich aber auch gegen Israel richten *(Dtn 29,19)*, wenn das Verhalten des Volkes den Zorn Gottes erregt.[91]

Der Rauch und die Theophanie
Rauch gehört zu den Begleiterscheinungen der Epiphanie Gottes. Rauch füllt in der Berufungsvision Jesajas den Tempel beim Erscheinen Jahwes *(Jes 6,4)*. Der Sinai ist bedeckt mit Rauch, als JHWH erscheint *(Ex 19,18)*. Bei seinem Erscheinen im Zorn steigt Rauch aus der Nase Gottes auf und signalisiert die Macht seiner Nase, die Macht seines Zorns, die entsprechende Umwälzungen auf der Erde bewirkt:

..., denn sein Zorn war entbrannt, Rauch stieg aus seiner Nase auf...
(2Sam 22,9 // Ps 18,8f)

Möglicherweise finden sich in solcher Semantik Elemente der alten JHWH-Verehrung. Die Beherrschung der Elemente im zornigen Schnauben speist sich aus der Konzeption JHWHs als Wettergott. Das Schnauben JHWHs - Ijob sieht ebenfalls Rauch aus der Nase aufsteigen - läßt sich vielleicht in Verbindung bringen mit der Verehrung JHWHs und dem Symbol des Stierbilds.[92] Das Schnauben von Stieren und deren Wüten wäre dann das bildgebende Element für die Gottesrede.

---

90 *"Nach GesB ist die Bedeutung über 'Schnauben' (Hi 4,9) aus 'Atem' herzuleiten; vielleicht handelt es sich doch eher um das heftige Atemholen bei starker Erregung"*, so BERGMANN/ JOHNSON, אַנַף, 381; vgl. dort auch das Folgende.

91 Vgl. außerdem *Hiob 4,9; 41,12 f.; Jes 30,28 ff; 33,11; 40,7*; in Umkehrung der Symbolik in Jes 42,14, wo das Schnauben JHWHs die Finsternis zum Licht für Israel werden läßt.

92 Zu Stierdarstellungen vgl. BERNETT/ KEEL, Stadttor (mit Literatur); GGG, 215-220; S. SCHROER, In Israel gab es Bilder. Nachrichten von darstellender Kunst im Alten Testament (OBO 74), Fribourg 1987, 81-104.

Jer 8,16 verwendet die Metapher für die Bedrohung durch Feinde aus dem Norden, wenngleich hier für Rosse:

> *Man hört von Dan her das Schnauben der Rosse,*
> *vom Wiehern seiner Hengste bebt das ganze Land.*
> *Sie kommen und fressen das Land und seinen Ertrag,*
> *die Stadt und ihre Bewohner.*
>
> *(Jer 8,16)*

Das Riechen und Gottes Lebendigkeit

So wie der Atem JHWH-Elohims, der in die Nase geblasen wird *(Gen 2,7)*, den Menschen zu einem lebendigen Wesen macht, so demonstriert auch die aktiv riechende Nase Gottes seine Wirkmächtigkeit und Lebendigkeit.[93] Gerade in den exilisch-nachexilischen Texten, die andere Götter und Göttinnen als wirkungslose Machwerke verspotten, dienen die anthropomorphen Qualitäten Gottes wie sehen, riechen, hören, essen und schmecken als Unterscheidungskriterium zwischen dem lebendigen Gott Israels und den anderen Göttern. JHWH kann dies alles, die Götter und Göttinnen nicht. Als nicht-riechende Gottheiten aber sind sie tot, können sich denen nicht zuwenden, die ihnen räuchern und Opfer bringen. So sind sie Nichtse ohne Wirkung.[94]

> *Die Götzen der Völker sind nur Silber und Gold,*
> *ein Machwerk von Menschenhand.*
> *Sie haben einen Mund und reden nicht,*
> *Augen und sehen nicht;*
> *sie haben Ohren und hören nicht,*
> *eine Nase und riechen nicht;*
> *mit ihren Händen können sie nicht greifen,*
> *mit den Füßen nicht gehen,*
> *sie bringen keinen Laut hervor aus ihrer Kehle.*
>
> *(Ps 115,4-7)*

Der Überblick ergibt ein semantisches Feld für den Zorn JHWHs, das mit Nase, Riechen, Rauch, Atem und Schnauben erfaßt werden kann. Insofern paßt eine theologische Qualifizierung der Opfer am Tempel als “beruhigender Duft” nach dem Exil zu der sich ausfaltenden Theo-

---

[93] Vgl. R. FELDMEIER, Gott kann den Menschen "riechen". Der unsichtbare Gott und die menschlichen Sinne, NELKB 44 (1997) 231 f.

[94] Vgl. auch *Sir 30,18 f.; Dtn 4,28;* GRADWOHL verweist - wenn auch im Zusammenhang von *Gen 8,21 f.* - auf einen Midrasch (M'chilta d'Rabbi Jischma''el, 15,11), wonach Gott existiert, weil er riecht und das Handeln der Menschen wahrnimmt, vgl. R. GRADWOHL, Bibelauslegung aus jüdischen Quellen, Bd.1, Stuttgart 1986, 61.

logie eines lebendigen, riechenden, zornigen, aber auch gnädigen Gottes. Gnade und Zorn gehören im Handeln Gottes zusammen wie zwei Seiten einer Medaille. Die Metaphorik der Nase vereint beides. Je nach Situation der AdressatInnen rekurriert die alttestamentliche Verkündigung auf die eine oder die andere Qualität souveränen Handelns JHWHs. Auch bei Ezechiel findet sich dieser Zusammenhang des beruhigenden Duftes des Opfers mit der gnädigen Zuwendung, ja Sammlung der Versprengten.

Beim beruhigenden Duft eurer Opfer
will ich euch gnädig annehmen.
Wenn ich euch aus den Völkern herausführe und
aus den Ländern sammle, in die ihr zerstreut seid,
werde ich mich vor den Augen der Völker
an euch als heilig erweisen.

(Ez 20,41)

Zusammenfassung

Um die Theologisierung der Opfer als "beruhigender Duft für JHWH" zu erfassen, muß man den Kontext in Erinnerung rufen.

Die Erlaubnis des Perserkönigs Kyros, den Tempel wieder aufzubauen, gab der aus dem babylonischen Exil zurückgekehrten Priesterschaft am Ende des 6. Jh.s neue Handlungsmöglichkeiten. Die Exilszeit, das Zornesgericht JHWHs über Israel, war beendet, wenngleich es als Möglichkeit stets präsent blieb. Die Priesterschaft am neu zu errichtenden Tempel strukturierte und hierarchisierte sich intern neu, eine Regel für die Zuweisung der Opfergaben an das Personal wurde nötig. Dabei gerieten die Leviten ins Hintertreffen. Ihnen wurden die einfachen Dienste im Tempel zugewiesen. Die höchste Position innerhalb der aaronidischen Priesterschaft kam dem Hohenpriester zu.

Zu der Zeit der Tempelerrichtung[95] gehören die theologischen Ansätze, die nach dem Monojahwismus den exilisch entwickelten Monotheismus durchsetzen wollen. Jerusalem sollte das einzige kultische Zentrum für den einzigen Gott JHWH werden.

Am wiedererrichteten Tempel wurde die bisherige Opferpraxis, sicher teilweise verändert, neu aufgenommen. Die Opfer, die von Einzelpersonen zu bestimmten Zwecken dargebracht wurden (Sühne, Dank, Weiheopfer etc.), bedurften keiner zusätzlichen Erklärung. Aber die

---

95 Zur Diskussion, ob schon 515 v.Chr. oder erst 100 Jahre später unter Darius II. mit der Tempelerrichtung zu rechnen ist, vgl. BIEBERSTEIN, Jerusalem, Bd. 1, 86-94.

Opfer, die von den Priestern als Teil des Kultes für JHWH dargebracht wurden (Brandopfer, Speise- und Heils- und Trankopfer), bedurften einer Begründung. Sie erhielten die Bedeutung, "beruhigender Duft für JHWH" zu sein. Ob JHWH erneut in Zorn entbrannte oder nicht, hing davon ab, ob seine Nase/ sein Zorn gereizt wurde oder nicht. Da war es nur folgerichtig, daß der aufsteigende Rauch der Opfer zur Beruhigung des Zornes dienen sollte. Die Opfer am Tempel, die die Priester darbrachten, waren notwendig, um weiteres Zorneshandeln JHWHs vom Volk fernzuhalten und eine erneute Katastrophe wie das Exil zu verhindern. Die Aufgabe, die vorexilisch den Königen in ihrer religiösen und politischen Funktion zugefallen war, nämlich durch die Umsetzung des göttlichen Willens für Harmonie zwischen Gott und seinem Volk zu sorgen, hatten diese - bis auf wenige Ausnahmen - nicht gemeistert. So stellt es zumindest die deuteronomistische Bewegung in ihrem Geschichtswerk dar. Jetzt, nach dem offensichtlichen Scheitern des Königtums, fiel den Priestern am Tempel diese Mittlerfunktion zu.
Die theologische Qualifizierung der Opfer als "beruhigender Duft" greift gleichzeitig die nachexilische Gotteskonzeption auf, JHWH als den einzigen lebendigen Gott zu verehren. Das Riechen der Opfer, die gnädige Zuwendung oder der heftige Zorn sind Ausweis der Lebendigkeit und Wirkmächtigkeit JHWHs. Im Riechen der Opfer liegt ein entscheidender Unterschied zwischen Gott, der JHWH ist, und den Göttern und Göttinnen, die jetzt als Götzen verpönt und als nicht-göttliche Machwerke von Menschenhand konzipiert werden.
So bekommt die Darbringung des Opferdufts in der priesterlichen Theologie die Funktion eines rettenden und schützenden Handelns für das Volk. Jegliche weltliche Macht tritt demgegenüber in den Hintergrund. Die Versorgung des Tempels wird zur zentralen, ja überlebensnotwendigen Aufgabe aller, die JHWH anhängen und sich zur Gemeinde des Tempels und der Tora zählen.[96]

---

[96] Zur Veränderung nach dem Exil hin zu einer Textgemeinschaft vgl. J. ASSMANN, Fünf Stufen auf dem Wege zum Kanon. Tradition und Schriftkultur im frühen Judentum und seiner Umwelt (Münsteraner theologische Vorträge 1), Münster 1999. Die entschiedene Ablehnung der als fremd deklarierten Gottheiten gehört ebenfalls zu dem Prozeß, der sich in Juda gegen die noch lebendige Verehrung unterschiedlicher Gottheiten richtet.

4. Der Duft des Räucheropfers

Zur religiösen Praxis in Israel gehörten schon vor dem Exil nicht nur die Opfer am Tempel oder an anderen Kultstätten, sondern auch das Darbringen von Räucheropfern. Das Räuchern hatte etwa seit dem 8./ 7. Jh. Einzug in die private Frömmigkeit und die Ortskulte gehalten. Diese dominante Tradition gab es auch noch während der Zeit des Zweiten Tempels. So soll in Kürze die Entwicklung des Räucheropfers nachgezeichnet werden, bevor der Frage nachgegangen wird, wie der Duft der Rauchopfer in die Theologie des Zweiten Tempels Einzug hielt.

4.1. Räuchern als religiöse Praxis

Die Entwicklung des Räucheropfers

Räuchern gehörte zunächst in den Bereich der privaten Frömmigkeit bzw. in die religiösen Handlungen für Gottheiten, die an Kultstätten von Ortschaften angesiedelt sind. Als Räucherwerk wurden wohl zunächst einheimische Hölzer, Blätter und anderen Duftstoffe, später erst Weihrauch benutzt. Drei Entwicklungen hält HEGER[97] für die Verbreitung der Räucherpraxis für entscheidend: den assyrisch-babylonischen Einfluß, die Entwicklung des Weihrauchhandels und die Kultzentralisation der Opfer in Jerusalem. Das Zusammenfallen dieser Entwicklungen förderte in hohem Masse Räuchern als eigenständige Form religiöser Verehrung, sei es für JHWH, sei es für andere Gottheiten.

Im Zuge der neuassyrischen Expansion nach Syrien/Palästina geriet das Nordreich Israel politisch unter Druck, gleichzeitig aber auch unter assyrischen Einfluß. Mit der Eroberung Samarias 721 v.Chr. und dem Status des Nordreichs als assyrischer Provinz verstärkte sich dieser Einfluß und konnte auch im Süden Raum gewinnen. Eine Komponente dieser Entwicklung könnte die Tendenz zur Astralisierung der Gottheiten sein, wobei Räuchern mit dem aufsteigenden Rauch als besonders wirksame Opferform empfunden werden konnte.[98] Damit korrespondiert aus dem archäologischen Befund die zunehmende Verbreitung der Räuchertassen und der Räucherkästchen von Norden nach Süden. Schon ab der Zeit Hiskijas (715-697 v.Chr.) sind diese Gefäße in hoher Zahl bei den Ausgrabungen zutage getreten. Etwa zur gleichen Zeit gelangte zunehmend Weihrauch in den Raum Palästinas. Der verstärkte

---

[97] Vgl. HEGER, Development, 191 ff.

[98] Vgl. GGG, 322 ff; vgl. auch BERNETT/ KEEL, Stadttor, 94.

Handel bot einer breiteren Schicht die Möglichkeit, den Duftstoff für religiöse Zwecke zu erwerben. Damit war eine weitere Voraussetzung für eine verbreitete Praxis des Räucherns gegeben.
Räuchern als eigenständige Opferpraxis ist aus der vorexilischen Zeit am Tempel in Jerusalem nicht belegt.[99] Wo Weihrauch bzw. anderes Räucherwerk erwähnt wird, ist es eine Beigabe zum "Gedächtnisanteil" der Speiseopfer. Ein Räucheraltar wird erst im Zweiten Tempel eingeführt.

Kritik am Räuchern
Eine zweite Komponente ist nach HEGER die Kultzentralisation unter Joschija (622 v.Chr.). Die propagierte Abschaffung der Kultorte in den Orten außerhalb Jerusalems und auf den Höhenplätzen hätte als Reaktion die privaten Räucheropfer "auf den Dächern" oder "im Garten" hervorgerufen, wie aus der Kritik am Räuchern an diesen Orten ersichtlich sei. Allerdings ist zu beachten, wie wenig tatsächlich über die Durchsetzung dieser Kultzentralisation und Kultreinigung bekannt ist. Man kann kaum von einer durchgreifenden, das ganze Land betreffenden Reform sprechen.[100] Vielmehr zeigen die archäologischen Funde und die prophetische Kritik, daß die private Praxis des Verbrennens von Räucherwerk wohl weiterhin verbreitet war.
Die Texte, in denen sonst vom Räuchern die Rede ist, stehen vornehmlich in kritischer Distanz zu dieser Praxis. Sie stammen aus spätvorexilischer und nachexilischer Zeit, in der das Räuchern zum Terminus für

---

99 HEGER, Development, 266-269, hält die Erwähnung in *1Sam 2,28* für einen späteren Einschub, der das Rauchopfer in früher Zeit verankern soll. Zusätzlich zu seiner literarkritischen Analyse argumentiert HEGER, daß Eli hier genealogisch mit Aaron in Verbindung gebracht wird. Die genealogische Ableitung priesterlicher Familien aus den Aaroniden gewinnt erst im Exil seit Esra und Nehemia an Gewicht; anders ZWICKEL, Räucherkult, 179, der diesen Vers vorstaatlich datiert.

100 *"The reform was instead limited in scope, temporary in effect, and clearly failed in its goal of impressing a monolithic description of Yahwism on all of Yahweh's devotees"*, so S. ACKERMAN, Under Every Green Tree. Popular Religion in Sixth-Century Judah (HSM 46) Atlanta, Georgia 1992, 213; vgl. bes. CH. UEHLINGER, Gab es eine joschianische Kultreform? Plädoyer für eine begründetes Minimum, in: W. GROß/ D. BÖHLER (Hg.), Jeremia und die "deuteronomistische" Bewegung, (BBB 98), Bonn 1995, 57-89; UEHLINGER fordert auch eine stärkere Unterscheidung von Kultreform (am Tempel) und Kultzentralisation; GLEIS, Bamah, 245, postuliert, daß es Joschija um Zentralisierung, nicht um Kultreform ging.

Fremdgötterverehrung wurde. Dies würde mit dem archäologischen Befund übereinstimmen, daß Räuchergeräte erst nach und nach in Palästina Verbreitung fanden. Meist wird die Kritik bei Hosea am Räuchern für "fremde" Gottheiten als Beginn der Bekämpfung der Räucherpraxis im 8. Jh. angesehen, doch muß *Hos 4,13 f.* wohl als dtr. Prägung eingeordnet werden.[101]
Die Verurteilung solcher privaten Räucherpraxis "auf den Höhen" ist stark formelhaft geprägt.[102] Zunächst wird nur das Räuchern für andere Gottheiten als JHWH kritisiert. Später aber steht es selbst dann unter der Androhung des Zornes JHWHs, wenn es ihm selbst gilt.[103] Die Kritik fällt zusammen mit der typisch dtr. Polemik gegen die Götter und Göttinnen, denen sich Israel statt JHWH zuwendet. Die Praxis des Räucherns war vom Norden her populär geworden. Der Untergang des Nordreichs schien die Konsequenzen solcher den Zorn JHWHs erregenden Praxis drastisch vor Augen zu führen. Das Räuchern für die anderen Götter und Göttinnen wurde zum Terminus der Götzenverehrung schlechthin.

Die Gegenstimmen: Räuchern für die Himmelskönigin
Die Gegenseite dieser monotheistischen Theologie muß hauptsächlich aus der Kritik an ihr erschlossen werden. Die Auseinandersetzungen Jeremias um den Kult der Himmelskönigin lassen den Widerstand aufscheinen, der sich regte. Die Diskussionen in *Jer 7* wie *44* bezeugen z. B., daß Frauen der "Himmelskönigin" räucherten und Kuchen buken, und zwar nicht nur in Juda *(Jer 7)*, sondern auch noch in der Exilsgemeinde in Ägypten *(Jer 44)*. Die Diskussion zwischen den Exilierten in Ägypten - vermutlich aus der Oberschicht - und Jeremia geht um die Frage, welche Opfer denn nun eigentlich das Unheil gebracht hätten: die Opfer für die Himmelskönigin, wie Jeremia behauptet, oder das Unterlassen der Opfer für die Himmelskönigin, wie die Frauen Jeremia vorwerfen. Die Anklagerede der Frauen ist vermutlich dtr. überformt.[104] Auf seine Vorhaltungen wegen der auch in Ägypten fortgesetzten kultischen Praxis bekommt Jeremia von den Männern zu hören:

---

101 Vgl. M.-TH. WACKER, Figurationen des Weiblichen im Hosea-Buch (HBS 8), Freiburg 1996, 283; mit Literatur.

102 Vgl. z.B. E. WÜRTHWEIN, Kultkritik, NBL 2, 564-565; auch GLEIS, Bamah, bes. 187-244.

103 Vgl. a.a.O., 241 ff.; vgl. z.B. *2Kön 12,4; 15,4.35; 16,4; 17,11; 23,5.*

104 JOST erwägt, ob durch die Betonung, daß *Frauen* die Verehrerinnen der Himmelskönigin sind, der Kult als "Frauenkult" diffamiert werden soll.

Was das Wort betrifft, das du im Namen des Herrn zu uns gesprochen hast, so hören wir nicht auf dich.
Vielmehr werden wir alles, was wir gelobt haben,
gewissenhaft ausführen:
Wir werden der Himmelskönigin Rauchopfer und Trankopfer
darbringen, wie wir, unsere Väter, unsere Könige
und unsere Großen in den Städten Judas und in den Straßen
Jerusalems es getan haben.
Damals hatten wir Brot genug; es ging uns gut,
und wir litten keine Not.
Seit wir aber aufgehört haben,
der Himmelskönigin Rauchopfer und Trankopfer darzubringen,
fehlt es uns an allem,
und wir kommen durch Schwert und Hunger um.

(Jer 44,16-18)

Dem pflichten die Frauen bei und berufen sich auf die Zustimmung ihrer Männer zum Kult der Himmelskönigin:

Geschieht es etwa ohne Wissen und Willen unserer Männer,
daß wir der Himmelskönigin
Rauchopfer und Trankopfer darbringen,
daß wir für sie Opferkuchen bereiten, die ihr Bild wiedergeben,
und Trankopfer spenden?

(Jer 44,19)

Jeremia hält dagegen:

Die Opfer, die ihr in den Städten Judas und auf den Straßen
Jerusalems verbrannt habt, ihr und eure Väter, eure Könige
und eure Großen und die Bürger des Landes
- waren nicht gerade sie es,
an die der Herr gedacht und sich erinnert hat?
Schließlich konnte es der Herr nicht mehr aushalten
wegen eurer Untaten und wegen der Greuel, die ihr verübt habt.
Deshalb wurde euer Land zur Öde,
zu einem Bild des Entsetzens und zum Fluch,
unbewohnt, wie es heute noch ist.
Weil ihr Rauchopfer dargebracht
und gegen den Herrn gesündigt habt,
weil ihr auf die Stimme des Herrn nicht gehört

Vgl. R. JOST, Frauen, Männer und die Himmelskönigin. Exegetische Studien, Gütersloh 1995, 228 f.; zur Funktion der Frauenstimmen bei Jeremia als interaktivem Element vgl. A. BAUER, Das Buch Jeremia: Wenn kluge Klagefrauen und prophetische Pornographie den Weg ins Exil weisen, in: SCHOTTROFF/ WACKER, Kompendium, 258-269.

und euch nicht nach seiner Weisung,
seinen Gesetzen und Mahnungen gerichtet habt,
darum hat euch dieses Unheil getroffen,
wie es heute noch besteht.

(Jer 44,21-23)

Die Verehrung der Himmelskönigin ist nicht mit dem Kult einer einzigen Göttin zu identifizieren. Nach JOST[106] ist die Verehrung von Aschera-Astarte-Ischtar gemeint, in deren Kult Frauen aus der Oberschicht auch eine führende Funktion einnehmen konnten. *"Hinweise aus der Archäologie und die Aussagen der dtr. Redaktion lassen aber eine Verschmelzung von Aschera und Astarte wahrscheinlich erscheinen, während die gemeinsamen Züge von Astarte und Ischtar eine Synkretisierung dieser beiden Göttinnen möglich machen. Ikonographie, biblische und außerbiblische Texte zeigen, daß jeweils die einzelnen Züge der Göttinnen deutlicher hervorgehoben werden. In den biblischen Texten und den ikonographischen Funden ist dies bei Astarte primär der kriegerische, bei Aschera der nährende und bei Ischtar der astrale Aspekt."*[107]
Das Kuchenbacken von Frauen für die Himmelskönigin ist in der Forschung mit Frauenfigürchen, die etwas Rundes in der Hand halten, in Verbindung gebracht worden. Allerdings gehen die Meinungen darüber auseinander, ob das Runde als ein Tambourin oder als Opferbrot bzw. -kuchen zu deuten ist.[108]

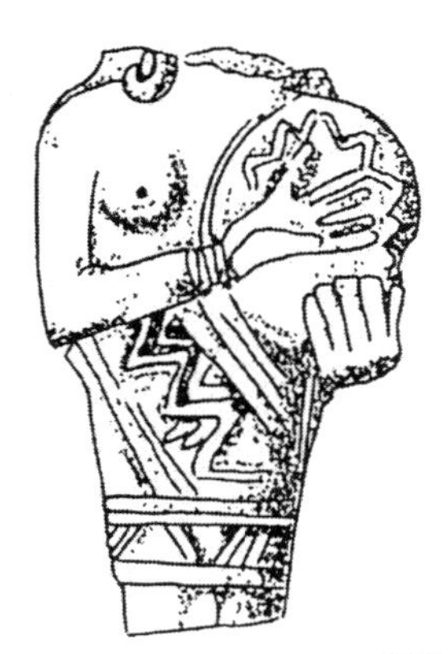

Frau mit Opferkuchen (?) [105]

---

105 Tonfigur aus *Tell el-Fār^ca*, etwa 10 cm hoch; vgl. WEIPPERT, Palästina, 448 Abb. 3.

106 Vgl. JOST, Himmelskönigin, bes. 39 ff.; ACKERMAN, Green Tree, 5-35.

107 JOST, Himmelskönigin, 61 f.; U. WINTER, Frau und Göttin. Exegetische und ikonographische Studien zum weiblichen Gottesbild im Alten Israel und dessen Umwelt (OBO 53) Fribourg 1983, bes. 455 ff.; vgl. zur Diskussion GGG, 386 ff.

108 Zur Diskussion vgl. S. SCHROER, In Israel gab es Bilder. Nachrichten von darstellender Kunst im Alten Testament (OBO 74) Fribourg 1987, 278 ff., die für Ringbrote plädiert; KEEL/ UEHLINGER halten eine Handtrommel für wahrscheinlicher, vgl. GGG, 187 ff.

Daß in diesem Text Frauen das Darbringen eines Räucheropfers zugeschrieben wird, weist nach JOST darauf hin, daß hier Damen aus dem Umfeld des judäischen Königshofes sprechen, da das Räuchern von Frauen sonst nur noch in *1Kön 11,8* erwähnt wird, und zwar bezüglich der Frauen Salomos.[109]
Gerade weil dieser Text dtr. überarbeitet ist, um die Gegensätze der Positionen herauszuarbeiten, schärft er den Blick für die Haltungen derjenigen, die an traditionellen Formen göttlicher Verehrung festhalten und der Kultzentralisation mit Skepsis oder Widerstand begegneten. Die Interessenskonflikte traten nicht nur bei der Exilgemeinde in Ägypten, sondern auch in Juda selbst auf, wie die prophetischen Bücher *Haggai* und *Sacharja* bezeugen.[110]

4.2. Das duftende Räucherwerk im Zweiten Tempel

Das Räuchern und Opfern von Frauen und Männern außerhalb des Tempels verurteilen besonders die Texte der Priesterschrift und der dtr. Bewegung, um den Tempel in Jerusalem als zentralen und einzig legitimen Kultort durchzusetzen. Sie greifen dabei auch die prophetische Kritik mit auf, die schon in ihrer monojahwistischen Tradition das Räuchern für andere Gottheiten verurteilte.
Einschneidende Veränderungen brachte die Zerstörung des Tempels, das Exil und die anschließende Restaurierung bzw. der Bau des Zweiten Tempels im 6. Jh. Das private Räucheropfer erlebte in der Exilszeit eine neue Blüte. Ohne Tempel und damit ohne religiöses Zentrum gewannen in der Peripherie Jerusalems - wohl aber auch in Jerusalem selbst - die alten religiösen Stätten und Traditionen wieder neu an Bedeutung.
Den Deuteronomisten und nachexilischen Propheten steht das Räuchern *Pars pro toto* für die Verfehlungen Israels. *"Das Verbrennen von Räucherwerk selbst galt als eine offensive Handlung, mehr wird aber nicht deutlich"*[111], schreibt CLEMENTS.

---

[109] Vgl. JOST, Himmelskönigin, 230 f.

[110] Vgl. auch die Untersuchungen zum Bildmaterial der Eisenzeit III in GGG, bes. 444 ff.; CH. UEHLINGER, Die Frau im Efa (Sach 5,5-11). Eine Programmvision von der Abschiebung der Göttin, BiKi 49 (1994) 93-103, und die Frage, ob es ein offizielles Verbot der Produktion von Götter- bzw. Göttinnenfigürchen zur Zeit des Tempelneubauprojekts gab.

[111] CLEMENTS, *qṭr*, 15.

Doch auf dem Hintergrund dessen, was Duft und Rauch in der späten Entwicklung für die Kommunikation mit Gott bedeuten, läßt sich die Massivität der Kritik und ihre Konzentration auf das Räuchern gut verstehen. Räuchern, etwas "in Rauch aufgehen lassen", gehört zu den intensivsten Kommunikationsformen mit Gott, von denen das Wohl des Volkes abhing. Der Rauch für andere Gottheiten konnte den Zorn JHWHs reizen. Die Erfahrung des Exils als Zorn Gottes durfte sich aber nicht wiederholen, weshalb diese Praxis entschieden bekämpft werden mußte.
Aufgrund der großen Verbreitung der Räucherpraxis im Volk war an ein Eliminieren des Räucherns nicht zu denken. Statt dessen wuchs das Interesse der Priesterschaft, das Räuchern in den offiziellen Kult zu integrieren und damit diese religiöse Praxis zu domestizieren. Das Räucheropfer im privaten Bereich erschien offensichtlich als große Konkurrenz und gefährliches Einfallstor für die Verehrung von anderen Gottheiten außer JHWH. Das erklärt einerseits die formelhafte Kritik dtr. Texte, die ihre Vorwürfe auch auf die Könige in Israel und Juda zurückprojiziert. Andererseits wird dann das Pathos verständlich, mit der in nachexilischen prophetischen Texten die Vergeblichkeit des Räucherns für "Götzen" angeprangert wird, da diese ja doch nicht riechen könnten.
Bis zur Mitte des 5. Jhs. setzte sich das Räucheropfer am Tempel sukzessiv durch. Zunächst wird erst im Tempelbereich geräuchert, dann im Allerheiligsten, wenn auch noch auf Räucherpfannen ohne eigenen Altar *(Lev 10,1)*, bis schließlich (vermutlich nicht vor 398 v.Chr.) ein eigener Räucheraltar (vgl. *Ex 30)* im Tempel errichtet wurde,[113] den der Seleukidenkönig Antiochus IV. nach der Eroberung Jerusalems im Herbst des Jahres 169 v.Chr. zusammen mit anderen Schätzen des Tempels raubte *(1Makk 1,21)*.

Goldener Räucheraltar [112]

Die Auseinandersetzungen, die es vermutlich innerhalb der verschiedenen Priesterschaften um diese Entwicklung gab, spiegeln sich in den

---

112 Persisch, Silber vergoldet, etwa 540-330 v.Chr., Bible Lands Museum Jerusalem (BLMJ 1339), Computergraphik J. K.

113 Vgl. HEGER, Development, 164-171; ZWICKEL, Räucherkult, 341.

Erzählungen wider, die die entsprechenden Gruppen in die Schranken weisen wollen. In der dramatischen Erzählung *Lev 10,1-7* vom Tod der Aaronssöhne Nadab und Abihu aufgrund des Räucherns mit fremdem Feuer geht es vornehmlich um die Vorrechte der Aaroniden gegenüber den Leviten.[114] Je näher das Rauchopfer an das Allerheiligste heranrückt, desto exklusiver auch der Kreis der Personen, die es darbringen können. In einer ersten Stufe wird Rauch mit der Theophanie in Verbindung gebracht, und die Leviten werden vom Darbringen des Räucherwerks ausgeschlossen. Als Folge eines weiteren internen Streits wird differenziert zwischen dem Räucheropfer im Tempel (von Priestern dargebracht), dem Rauchopfer im Allerheiligsten (dem Hohenpriester vorbehalten) und der Theophanie.[115] Ähnlich versucht die Erzählung in *Num 16,1-35* vom Tod der 250 Männer unter der Anführung Korachs, die unerlaubt räuchern, die Position der Sippe Korach einzugrenzen, was offensichtlich aber nur teilweise gelang.[116]
Der Weihrauch wird nicht mehr nur als "Beigabe" für den Gedächtnisanteil am Speiseopfer eingesetzt, sondern erhält jetzt als eigene Gabe und Teil des Räucherwerks besondere Dignität und Exklusivität. Nach *Neh 13,8.9* und *1Chr 9,29 f.* verwahrte man den Weihrauch zusammen mit den anderen Elementen des Speiseopfers im Tempel auf. Der Vorrat wurde von den Leviten verwaltet. *Ex 30* beschreibt den Räucheraltar und die Herstellung von Räucherwerk für den Tempel. Erstmals ist im kultischen Kontext von Räucherwerk aus Duftstoffen (סַמִּים *sammīm*, "wohlriechendes Räucherwerk"[117]) die Rede, was in der nachexilischen Kultsprache zum *Terminus technicus* wird.
Dieses "duftende Räucherwerk" besteht aus einer bestimmten Mischung von Duftstoffen, die in gleichen Teilen gemischt werden sollen. Dieser Duft ist JHWH vorbehalten (V.38). Eine Verwendung des tem-

---

114 Vgl. STAUBLI, Levitikus, 262 ff.

115 HEGER, Development, denkt an eine Auseinandersetzung um die Möglichkeit des Räucherns innerhalb der Priesterfamilien am Tempel. Die Errichtung des Räucheraltars sei der Kompromiß, der dem Hohenpriester allein die Möglichkeit zur Gottesbegegnung und dem jährlichen Sühneritual gab, den anderen Priestern aber die Möglichkeit einräumte, im Tempel weiterhin Räucheropfer darzubringen. Die Laien blieben ausgeschlossen, a.a.O., bes. 235-241.

116 *Num 26* rekapituliert die Erzählung, muß aber gegenüber *Num 16,8-11* zugeben: *"Die Söhne Korachs waren aber dabei nicht ums Leben gekommen"* (V.11).

117 Vgl. CLEMENTS, *qṭr*, 12.

pelspezifischen Räucherwerks außerhalb des kultischen Bereichs wird mit höchstem Verdikt belegt:

> *Der Herr sprach zu Mose:*
> *Nimm dir Duftstoffe, Staktetropfen, Räucherklaue, Galbanum, Gewürzkräuter und reinen Weihrauch, von jedem gleich viel,*[118]
> *und mach Räucherwerk daraus,*
> *ein Würzgemisch, wie es der Salbenmischer herstellt,*
> *gesalzen, rein und heilig.*
> *Zerstoß einen Teil davon ganz fein,*
> *und bring davon wieder einen Teil*
> *vor die Bundesurkunde im Offenbarungszelt,*
> *wo ich dir begegnen werde;*
> *hochheilig soll es euch sein.*
> *Das Räucherwerk, das du bereiten sollst*
> *- in derselben Mischung dürft ihr euch kein anderes herstellen -,*
> *soll dir als dem Herrn heilig gelten.*
> *Wer solches um des Duftes willen herstellt,*
> *soll aus seinen Stammesgenossen ausgemerzt werden.*
> *(Ex 30,34-38)*

Dieser Exklusivanspruch gilt genauso für das heilige Salböl, das neben dem Räucherwerk ein klassisches Mittel war, um Duft herzustellen. Mit gleicher Diktion wie für das Räucherwerk ist das Verbot für die Herstellung einer bestimmten Mischung von Salböl formuliert, das nur für den Räucheraltar und Aaron und seine Söhne reserviert ist *(Ex 30,32)*.

HEGER betont das wirtschaftliche Interesse,[119] das die Priesterschaft in Jerusalem an der Exklusivität des Räucheropfers am Tempel haben mußte. Mit dem Weihrauch und dem spezifischen Räucherwerk ließ

---

118 So die *Einheitsübersetzung*. PASZTHORY, Salben, 38, identifiziert in den Angaben Balsam, Stakte, Galbanum, und Weihrauch. Die Termini sind nicht mit Sicherheit zu bestimmen, vgl. zur Diskussion HEGER, Development, 127-144.

119 Vgl. HEGER, Development, bes. 206-210, wo er auf die verschiedenen Angaben der Priestereinkommen Bezug nimmt, die mit dem Tempeldienst verbunden waren. Als Zeichen für die zunehmende Bedeutung der Abgaben verweist HEGER darauf, daß in den Berichten über die Königsherrschaft Hiskijas in *2Kön 18-20* die Abgaben am Tempel nicht erwähnt werden, in dem Bericht über Hiskijas Herrschaft in *2Chr 29-32* dagegen der Tempeldienst im Vordergrund steht, a.a.O., 214 f.

sich ein lukratives Einkommen für die Priesterfamilien wie für den Tempel erzielen.[120]

4.3. Duft und Theophanie im Zweiten Tempel

Die zunehmende Bedeutung des Weihrauchs im Kult ist vermutlich nicht nur innerjüdisch mit dem Einfluß und den religiösen wie wirtschaftlichen Interessen der Priesterschaft zu erklären. Für die weitere Entwicklung muß auch die zunehmende Hellenisierung mit dem dort beheimateten Konzept von Duft, Weihrauch und Gottesanwesenheit ins Blickfeld geraten.[121] Dies schlug sich auch in der Übersetzung der Septuaginta nieder, wo der "beruhigende Duft" regelmäßig mit "Wohlgeruch" (ὀσμὴ εὐωδίας) übersetzt wurde. Dafür sprechen auch die Legitimationsstrategien, mit denen Weihrauch und duftendes Räucherwerk nach und nach in das Zentrum des Tempelkultes, das Allerheiligste, den Ort der Gottesanwesenheit und Offenbarung gerückt wurden. Das Räucherwerk wird im Offenbarungszelt vor die Bundeslade gebracht, wo JHWH *erscheint.* Es wird also im Innersten, dem Allerheiligsten, dem Offenbarungsort Gottes, angesiedelt und mit seiner Gegenwart verbunden. Nach *Lev 16,12 f.* schützt der Rauch den Hohenpriester (Aaron) vor der Gegenwart Gottes im Allerheiligsten *"damit er nicht sterbe"*. Zweimal täglich muß der Weihrauch verbrannt werden, damit der Duft JHWHs das Heiligtum füllt und ohne Unterbrechung die Gegenwart Gottes gewährleistet ist. Die Dauerhaftigkeit ist entscheidend, eine Unterbrechung würde eine Katastrophe bedeuten *(2Chr 23,11)*.

In dieser Entwicklung fließen unterschiedliche ältere Elemente als Neukonzeption zusammen. Dies ist einerseits die Verbindung, die zwischen Theophanie und Rauch besteht: Rauch zeigt die Anwesenheit Gottes an. Wolken von duftendem Räucherwerk im Allerheiligsten des Tempels können jetzt in auf traditionelle Theologumena als Zeichen

---

[120] Der Weihrauchverkauf für das Tempelopfer lag z.B. nach Berichten der Mischna in der Hand der priesterlichen Familie Abtina, die dafür das Monopol besaß, vgl. HEGER, Development, 242-252 mit vielen Quellenbelegen.

[121] HEGER, Development, 250, deutet den Einfluß durch den Weihrauchhandel aus Südarabien an, doch dominanter war sicher die Hellenisierung, die alle Lebensbereiche umfaßte und gerade auf die politische wie religiöse Zentralinstanz, den Tempel und die Familie des Hohenpriesters, Einfluß nahm. HEGER nimmt diesen Aspekt kaum in den Blick.

der Erscheinung JHWHs zurückgreifen. Schon die Erzählung von der Berufungstheophanie Jesajas spricht ja von Rauch im Tempel. Die Türschwellen des Tempels beben beim lauten Ruf der Serafim *"und der Tempel füllte sich mit Rauch" (Jes 6,4).*
Verbunden mit der traditionellen Vorstellung vom Rauch als Element der Theophanie kann die Praxis des Räucherns in den JHWH-Kult aufgenommen und theologisch für den Tempel qualifiziert werden. Dazu kommt aber als neues Element die Vorstellung vom Duft als Medium der Gottespräsenz. Dieses Theologumenon entspricht der ägyptischen, durch den Hellenismus vermittelten Duftkonzeption vom göttlichen Wohlgeruch.[122] In dieser Kombination von alter Tradition und neuer Theologie entwickelt sich die Konzeption des Tempelkults unter dem Einfluß der Hellenisierung weiter.
Auch die weisheitlichen Strömungen der Theologie, die immer mehr Relevanz erhalten, gehen nicht spurlos am Tempelkult vorüber. Durch das exklusive Räucherwerk wird ein bestimmter Duft für die Anwesenheit JHWHs im Tempel reserviert. In der Bedeutungsfülle, die mit dem Duft verbunden ist, repräsentiert dieser Duft JHWH und seine "Persönlichkeit" - und kann damit keinem anderen zukommen. Dies begründet auch seine Exklusivität: Kein anderer Duft darf das Heiligtum füllen, es wäre eine Enteignung und Entweihung des Heiligtums und würde JHWH den exklusiv für ihn reservierten Ort bestreiten. Der einzigartige Duft entspricht jetzt dem einzigartigen, alleinigen Gott *(Ex 15,11; Ps 86,8; 89,7).*[123]
Gleichzeitig gilt, daß ein Räuchern an anderem Ort Blasphemie wäre: Der Eigenduft JHWHs kann nicht an einen anderen Kultort transferiert und damit für andere Gottheiten gebraucht werden! Vermutlich wird in *Ex 30,38* allen, die *"solches um des Duftes willen herstellen"*, nicht nur deshalb mit dem Tod gedroht, weil dieses Räucherwerk als Luxus oder als Duft im persönlichen Bereich verwendet wird. Zwar ist auch ein Interesse der Aaroniden an ihrer wirtschaftlichen und politischen

---

[122] S. o. Kap. II. und IV. - Keinen Anklang fand die These DE BOERS, obwohl er m. E. einen richtigen Zusammenhang gesehen hat. Doch seine Anwendung des Konzepts vom göttlichen Duft auf fast alle Belege ist zu undifferenziert, um zu überzeugen. Vgl. P. H. A. DE BOER, An Aspect of Sacrifice, in: Studies in the religion of ancient Israel, VT.S 23 (1972) 27-47.

[123] Vgl. C. HOUTMAN, On the Function of the Holy Incense (Exodus XXX 34-8) and the Sacred Anointing Oil (Exodus XXX 22-33), VT 42 (1992) 458-465: 462 ff. HOUTMAN betont, anders als HEGER, auch das theologische Interesse am Weihrauch.

Monopolstellung mitzubedenken.[124] Aber es ist auch vorstellbar, daß diese Räuchermischung weniger im privaten Bereich als an anderen Kultorten für JHWH - vielleicht sogar für andere Gottheiten - verwendet wurde. Dann würde diese Praxis durch eine herabsetzende Formulierung wie "wegen des Duftes" nicht nur verurteilt, sondern auch gleichzeitig profanisiert, indem ihr jegliche religiöse Relevanz abgesprochen wird. Die Präsenz JHWHs und sein gnädiges Handeln läßt sich auch nicht erzwingen, wenn außerhalb des Tempels mit dem für JHWH reservierten Duftwerk Rauchopfer dargebracht werden. Sie gefährden vielmehr als Rauch, der in die Nase JHWHs steigt, das Volk. Deshalb ist größtmögliche Abwehr nötig, so die Haltung in *Ex 30,38*.

Zusammenfassung
Die Verbindung, die das Rauchopfer mit dem Gedanken der Theophanie JHWHs eingeht, die verbreitete Räucherpraxis und das neue Verständnis des Duftes als Zeichen der Präsenz Gottes legitimieren die Einführung eines Räucheropfers und auch eines eigenen Räucheraltars vor dem Allerheiligsten im Zweiten Tempel. Im Zuge der Hellenisierungsprozesse, die dieses ursprünglich ägyptisch-altorientalische Duftkonzept nach Palästina hin vermitteln, wird das Räucheropfer mit der Zeit bedeutsamer als die Brandopfer. Die weisheitliche Theologie, die sich ab dem 3. Jh. in verschiedene Richtungen ausfaltet, unterstützt diesen Prozeß und entwickelt auch in ihren Schriften das Konzept des göttlichen Duftes.

---

124 HEGER, Development, 143 f.

5. *Weisheitliche Konzeptionen des Duftes*

Über die Weisheitstheologie und den Einfluß der alexandrinischen jüdischen Gemeinde fließt auch ägyptische Theologie in die Weisheitstexte ein. Traditionelle und neue Elemente theologischen Denkens verbinden sich und antworten damit auf die Fragen der Zeit, die im 3./ 2. Jh. v.Chr. drängend werden. Ein Beispiel ist die Entwicklung der traditionellen israelitischen Weisheit hin zur Frau Weisheit, die in der *Sophia* selbst göttliche Gestalt annehmen kann (vgl. *Spr 8,22 ff; Ijob 28*).

Die Theologie der Weisheit entfaltet sich in unterschiedliche Richtungen. Die Tora als Zentrum der Weisheit, die individuelle Frömmigkeit, die Apokalyptik oder die Entfaltung der Weisheitstheologie im Kult können hier nicht im einzelnen behandelt werden.[125] Hier soll nur auf einige Elemente eingegangen werden, die auf die Konzeption des Duftes Einfluß genommen haben.

5.1. Spiritualisierung der Opfer: Gebete statt Opfer

In der sich nun entwickelnden persönlichen Frömmigkeit wurde die Frage gestellt, ob Opfer eigentlich noch notwendig seien. Waren nicht Gebete und reine Herzen, rechtes Verhalten und Gerechtigkeit wichtiger? Die Entwicklung eines persönlichen Verhältnisses zu Gott[126] findet darin ihren Niederschlag. Jetzt spielt das individuelle Verhalten, das Hören auf die Gebote und die Ethik eine dominante Rolle. Individuelle Zustimmung zu den Geboten spielt eine immer größere Rolle. Die Weisheitstheologie setzt auf Einsicht, das "Hören" wird (wie in der

---

[125] vgl. H. GESE, Die Weisheit, der Menschensohn und die Ursprünge der Christologie als konsequente Entfaltung der biblischen Theologie, SEÅ 44 (1979) 77-114; M. KÜCHLER, Frühjüdische Weisheitstraditionen. Zum Fortgang weisheitlichen Denkens im Bereich des frühjüdischen Jahweglaubens (OBO 26), Fribourg 1979; E. SCHÜSSLER-FIORENZA, Auf den Spuren der Weisheit - weisheitstheologisches Urgestein, V. WODTKE, Auf den Spuren der Weisheit. Sophia - Wegweiserin für ein weibliches Gottesbild, Freiburg 1991, 24-40.

[126] Zur "persönlichen Frömmigkeit" vgl. z. B. A. MÜLLER, Ps 23 als Text persönlicher Frömmigkeit, in: R. BUCHER/ O. FUCHS/ J. KÜGLER (Hg.), In Würde leben. Interdisziplinäre Studien zu Ehren von E. L. Grasmück, Luzern 1998, 24-34.

ägyptischen Weisheit) zur entscheidenden Kategorie[127]. Das Opfer findet ohne entsprechendes Verhalten keine Annahme bei Gott. Die VV.6-11, ein eigenständiger Teil aus *Ps 40*, gehören in diese Tradition, ein Ansatz, der auch schon in *Am 5,20 f.* vertreten wurde:

An Schlacht- und Speiseopfern hast du kein Gefallen,
Brand- und Sündopfer forderst du nicht.
Doch das Gehör hast du mir eingepflanzt;
darum sage ich: Ja, ich komme.
In dieser Schriftrolle steht, was an mir geschehen ist.
Deinen Willen zu tun, mein Gott, macht mir Freude,
deine Weisung trag' ich im Herzen.
Gerechtigkeit verkünde ich in großer Gemeinde
meine Lippen verschließe ich nicht;
Herr, du weißt es.

(Ps 40,7-10)

Das persönliche, unmittelbare Gottesverhältnis steht hier im Mittelpunkt. *"In dieser Gestalt ist der Psalm gut als Gebet von lokalen Kultgemeinden im Lande, die ihre Gottesdienste ohne Opferkult abhielten, vorstellbar. Man könnte ihn sich auch als Gebet von Gruppierungen denken, die zunehmend (aus theologischen und aus politischen Gründen) in Opposition zum Machtanspruch der Priesterhierarchie am Tempel traten."*[128] Dem Tempel mit seiner Opfertheologie wird ein neues theologisches Konzept entgegengesetzt.

Wie ein Rauchopfer steige mein Gebet vor dir auf,
als Abendopfer gelte vor dir, wenn ich meine Hände erhebe.

(Ps 142,2)

Was mit den Opfern erreicht werden soll, nämlich die gnädige Zuwendung JHWHs, kann und muß durch andere Handlungen wie Gerechtigkeit, Einhalten der Tora und Tun des Willens Gottes ersetzt werden. In diesem Kontext verändert sich auch die Frömmigkeit hin zur persönlichen Gottesbeziehung, in der die Gebete selbst die Verbindung zwischen Mensch und Gott ermöglichen, die in der Tempeltheologie die Opfer gewährleisten. Dies geht so weit, daß die Gebete die Opfer substituieren. In *Ps 142* flehen die Betenden, die Gebete mögen wie

---

127 Zur Bedeutung des Hörens als weisheitlicher Terminus vgl. J. ASSMANN, Ma'at. Gerechtigkeit und Unsterblichkeit im Alten Ägypten, München ²1995; vgl. auch ASSMANN, Stufen.

128 F.-L. HOSSFELD/ E. ZENGER, Die Psalmen I. Psalm 1-50 (NEB Lfg. 29), Würzburg 1993, 252.

Weihrauch - der inzwischen als Opferduft offensichtlich installiert ist - emporsteigen.

5.2. Der göttliche Duft des Königs und der Weisheit

Psalm 45 gehört zur Gruppe der sogenannten Korachpsalmen, benannt nach ihrer Überschrift "von den/für die Söhne Korachs".[129] ZENGER widerspricht der oft vertretenen Ansicht, der Psalm sei als Hochzeitslied für den König zu verstehen. Er schlägt vielmehr vor, den Psalm ursprünglich als Königspsalm mit den VV.2-10.17.18 zu verstehen, der vorexilisch bei Krönungsfeierlichkeiten verwendet wurde. Das Amt des Königs stand dort im Vordergrund, nicht die individuelle Person des Königs. Nach dem Exil wird das Lied neu gelesen. Dem messianischen König wird die "Tochter Zion" als Braut zugeführt in der Hoffnung auf Erlösung; *"die vordem von den Völkern Verspottete und Vergewaltigte wird nun sogar zur Königin über die Völkerwelt"*.[130]
Der für hier wichtige Teil des *Psalms 45*, die VV.2-10, rechnen auch andere Ausleger der vorexilischen Königskonzeption zu, die ganz in der Linie der altorientalischen Königsterminologie gehalten ist. Der König als Idealgestalt wird im Stil des Hohenliedes mit allem Luxus beschrieben, der Teil der Königsterminologie ist, ja er wird selbst "Göttlicher" (V.7) genannt. Die Überschriften, die HOSSFELD/ZENGER im Kommentar für die einzelnen Abschnitte (V.3-10) wählen, heißen entsprechend: Göttlicher Glanz, Göttliches Amt, Göttliche Würde und Göttliches Glück. Die Prachtentfaltung dient dabei der Herrscherkonzeption. Zu diesem Amt gehört auch, daß die Kleider des Königs duften. Die ägyptische Auffassung vom Pharao als göttlicher König ist hier präsent[131].
Die duftenden Gewänder weisen auf mehr hin als auf Luxus. Mit dem "Öl der Freude" salbt Gott den König, damit er seinem Amt, Recht und Gerechtigkeit zu errichten, nachkommen kann. Nach der Salbung duften die Gewänder des Königs (V.8-9):

---

[129] Zur Interpretation des Psalms vgl. HOSSFELD/ ZENGER, Psalmen, bes. 278-284.

[130] HOSSFELD/ ZENGER. Psalmen, 279.

[131] Vgl. J. KÜGLER, Pharao und Christus? Religionsgeschichtliche Untersuchung zur Frage einer Verbindung zwischen altägyptischer Königstheologie und neutestamentlicher Christologie im Lukasevangelium (BBB 113), Bodenheim 1997, dort bes. Kap. I; vgl. in diesem Band Kap. II.

Du liebst das Recht und haßt das Unrecht
darum hat Gott, dein Gott, dich gesalbt mit dem Öl der Freude wie keinen deiner Gefährten.
Von Myrrhe, Aloë und Kassia duften all deine Gewänder,
aus Elfenbeinhallen erfreut dich Saitenspiel.

Die Salbung selbst erhebt den König in den göttlichen Stand, wenn er seine Hauptaufgabe erfüllt, das Chaos zu bekämpfen und Recht und Gerechtigkeit aufzurichten. Die Nähe aller Attribute zu den ägyptischen Königsaussagen legen es nahe, daß *"der besondere Duft des Königs (V.9) nicht nur eine Sache der Kosmetik, sondern Ausdruck seiner göttlichen Würde"*[132] ist.

Ein weiterer Beleg von Königsduft findet sich in dem weisheitlichen Text *Sir 49,1*. Zusammen mit David und Hiskija erfreut sich König Joschija aufgrund seiner Religionspolitik solcher Hochschätzung, daß von ihm gesagt wird:

Der Name Joschija gleicht duftendem Weihrauch,
würzig und vom Salbenmischer zubereitet.
Sein Andenken ist süß wie Honig im Mund und
wie ein Lied beim Weingelage.

(Sir 49,1)

Allerdings verwendet *Sirach* hier schon in transformierter Weise die alte Königskonzeption des duftenden göttlichen Königs: Es ist nur noch der Name des Königs, der diesen Duft ausstrahlt und Joschija damit in die Nähe eines göttlichen Königs wie in *Ps 45* rückt.
Von Duft umgeben ist auch die Sänfte der Königin, die in *Hld 3,6-8* heraufzieht.

Wer ist sie, die da heraufzieht aus der Steppe,
wie (Palmen-)Säulen aus Rauch,
umduftet von Myrrhe und Weihrauch,
von jeglichem Duftstaub der Händler.
Siehe, (es ist) die Sänfte Salomos![133]

Das Lied suggeriert die würdevolle Ankunft einer königlichen Frau. Die Attribute stellen die Atmosphäre höfischer Pracht her - die kostbaren Aromata erinnern an die Königin von Saba und ihre Geschenke *(1Kön 10,10)*, der Zug mit der Sänfte in ihrer Pracht erinnert an die Geleitzüge, mit der königliche Bräute dem jeweiligen Herrscher zuge-

---

132 KÜGLER, a.a.O., 200 f.

133 Zitiert nach KEEL, Hohelied, 118 ff.

führt werden. Solche Geleitzüge sind aus altorientalischen Texten bekannt. Die Düfte des Weihrauchlandes und das Exotische der Händler weisen auf die ferne Königin, die zur Hochzeit mit Salomo geführt wird. Der Duft der Sänfte vereint königlichen Duft in Verbindung mit dem Luxus von Weihrauch und Myrrhe.

Die Konzeption des königlich-göttlichen Dufts führt die Weisheitstheologie weiter. Nach *Sir 24,15* kann sich die Weisheit rühmen, wie Zedern des Libanon eingewurzelt zu sein in Zion, Duft auszustrahlen und diejenigen, die ihr folgen, mit ihren Früchten zu nähren.

Wie eine Zeder auf dem Libanon wuchs ich empor,
wie ein wilder Ölbaum auf dem Hermongebirge ...
Wie Zimt und duftendes Gewürzrohr,
wie beste Myrrhe strömte ich Wohlgeruch aus,
wie Galbanum, Onyx und Stakte,
wie Weihrauchwolken im heiligen Zelt.

(Sir 24,13.15)

Die Verbindung zwischen Räucherwerk des Tempels und göttlichem Duft gibt der Weisheit hier eine besondere Dignität: Die Weisheit rühmt sich hier als göttliche Person, da sie den göttlichen Duft ausströmt, der nur JHWH zukommt. *Sir 24* steht in der Tradition, die zwischen der *Sophia* und dem schöpferischen Handeln Gottes eine enge Verbindung knüpft, wie es in *Spr 8,22 ff.* und *Ijob 28* schon geschieht.

Infolge dieser Verbindung liegt nahe, daß dann auch die Weisen Duft verströmen wie Weihrauch. Im Anschluß an das Lob der Weisen und Schriftgelehrten, deren Tun höher eingeschätzt wird als die Arbeit der Handwerker *(Sir 38,24-39,11)*, erhält der weise Mensch selbst eine ähnliche Funktion zugesprochen wie noch in *Sir 24* die Weisheit selbst.

Hört mich, ihr frommen Söhne,
und ihr werdet gedeihen
wie die Zeder, die am Wasserlauf wächst.
Ihr werdet Duft verströmen wie der Weihrauch,
ihr werdet Blüten treiben wie die Lilie.
Erhebt die Stimme, und singt im Chor,
preist den Herrn für all seine Werke.

(Sir 39,13-14)

Diese Duftkonzeption führt zurück zur ägyptischen Auffassung, daß der Duft mit Göttlichkeit in Verbindung zu bringen ist.

Die Übersetzung der Septuaginta, die den beruhigenden Duft des Opfers ganz in hellenistischer Tradition als "Wohlgeruch" übersetzte, bahnte der Konzeption vom göttlichen Wohlgeruch vollends den Weg.

6. *Fazit:*
"Beruhigender Duft" und "duftendes Räucherwerk"

Zwei Konzeptionen göttlichen Dufts finden sich am Zweiten Tempel in Jerusalem, die sich aus zunächst unterschiedlichen Traditionen religiöser Praxis entwickeln und dann beide Eingang in die Tempeltheologie finden.

Die Brandopfer dienen mit ihrem *"beruhigenden Duft"* der Besänftigung des Zorns/ der Nase Gottes. Der Brandopferaltar steht im Innenhof *vor* dem Hekal, dem Hauptraum des Tempels. Der Rauch dieses Opfers konnte deshalb kaum als Zeichen der unmittelbaren Gottesgegenwart dienen, die ja nur *im* Allerheiligsten denkbar war. Insofern konnte dieser Duft nicht die herausragende Bedeutung bekommen, die das duftende Räucherwerk, das im Inneren des Tempelgebäudes vor dem Allerheiligsten verbrannt wurde, erhielt. Vielmehr sollte der aufsteigende Rauch des Opfers die Verbindung zu Gott erst herstellen und als "beruhigender Duft" auf die Nase Gottes und damit auf seinen Zorn besänftigend einwirken. Als lebendiger Gott konnte JHWH, anders als die Götzen, den Duft der Opfer ja riechen. Der aufsteigende Duft des Brandopfers diente als Opfergabe dazu, JHWHs Gunst und Schutz nicht zu verlieren. Das Exil und die Zerstörung des Tempels, welche als Zorn JHWHs interpretiert wurden, sollten sich nicht wiederholen.[134] Der Tempel und sein Kult garantierten so Schutz und Sicherheit

---

134 MIGGELBRINK vertritt die These, daß der Zorn Gottes nach dem Exil im Tempelopfer keine Rolle mehr spiele, weil eine Ethisierung der Religion keinen Platz mehr für das Theologumenon des Zornes Gottes gelassen habe. Das Opfer habe in der nachexilischen Gemeinde eine Neudeutung erfahren. Vgl. R. MIGGELBRINK, Der Zorn Gottes. Geschichte und Aktualität einer ungeliebten biblischen Tradition, Freiburg 2000, 196 ff. Er schränkt zwar ein, daraus folge *"nicht, daß der Tempelopferkult über ein halbes Millenium ausschließlich als überlebter Atavismus zelebriert wurde, der seine Überlebenskräfte lediglich aus dem Bereich des theologisch nicht durchdrungenen unbewußt Archaisch-Religiösen zog"* (a.a.O. 199), aber die Umwertung auf Reinheit und Ethik allein kann die Dauerhaftigkeit der Opfer nicht erklären. Ohne theologisch relevante Deutung hätte sich der Tempelkult nicht halten können. Der These von einer baldigen Ablösung des Zornes Gottes nach dem Exil widerspricht die gerade in P vorgenommene *neue* Deutung des Opfers als "beruhigender Duft". Auch wenn die Rede von Gnade und Heilung als Trost für die Leidenden Vorrang hatte: Die Gefahr des erneuten Zornes Gottes stand durch den nur langsam voranschreitenden Bau des Tempels noch höchst lebendig vor Augen. Stärker

durch die gnädige Zuwendung JHWHs. Menschen, die Räucheropfer auf den Höhen oder privat oder an anderen Kultorten darbrachten, gefährdeten dagegen in höchstem Maße das Wohlergehen des Volkes.
Die zweite religiöse Tradition speist sich aus der in Ägypten und im Hellenismus vorherrschenden Konzeption, daß Gottesanwesenheit durch *göttlichen Duft* angezeigt wird. Verbunden mit der in Israel beheimateten Vorstellung vom Rauch als Zeichen der Theophanie JHWHs konnte dem duftenden Räucherwerk, das im Angesicht des Allerheiligsten dargebracht wurde, entscheidende Bedeutung zugemessen werden. Die duftenden Rauchwolken garantierten die Präsenz JHWHs in seinem Heiligtum - und damit ebenfalls den Schutz des Volkes.
Darin fließen die Traditionen vom Räuchern als Verehrung der Gottheit, Rauch als Begleiterscheinung der Theophanie und der göttliche Duft als Offenbarungsmerkmal zusammen. Insofern ist es auch erklärlich, daß das Räucherwerk im Gegensatz zu den Brandopfern nicht als "beruhigender Duft" klassifiziert wird. Die Symbolik ist eine andere: Im göttlichen Duft offenbart JHWH seine Anwesenheit, die verborgen ist im Rauch, damit sie nicht tötet.
Hier greifen Monotheisierung und die beiden Duftkonzepte ineinander und stützen sich gegenseitig. Priesterschrift wie Deuteronomisten sind sich hier einig. Der *eine* Gott hat *einen* Ort der Präsenz. Sein Zorn vernichtet, seine Präsenz in seinem Heiligtum schützt. Die beiden Duftkonzeptionen der Opfer, die etwas "in Rauch aufgehen lassen", entwickeln sich parallel und ergänzen sich. Beides, Brandopfer als "beruhigender Duft" wie "duftendes Räucherwerk" im Allerheiligsten, erhalten so ihre je spezifische Funktion, um die gnädige Zuwendung JHWHs zu seinem Volk zu garantieren und damit für die Zukunft zu sichern, daß sich die Katastrophe des Exils nicht wiederholt.
Wie eng diese beiden Richtungen sich verbanden, zeigt *Jesus Sirach*, wo beide Konzeptionen, die Weisheit mit ihrem göttlichen Duft und die Opfertheologie des beruhigenden Dufts, vorkommen. So kann in *Sir 24* die Weisheit Duft verströmen und *Sir 50* lobpreisend den Hohenpriester in seiner Handlung beschreiben und als Höhepunkt der Zeremonie das Trankopfer besingen:

---

als MIGGELBRINK annimmt, ist mit einem Nebeneinander verschiedener theologischer Konzeptionen zur Zeit des Zweiten Tempels zu rechnen.

Dann streckte er die Hand nach dem Becher aus
und opferte von dem Blut der Trauben;
er goß es aus an den Fuß des Altars
zum beruhigenden Duft für den Höchsten.

(Sir 50,15)

Die Theologie des Tempels blieb, aber sie blieb nicht unangefochten. Insbesondere die Auseinandersetzungen in der Makkabäerzeit zeigen die Grenzen dessen, was die Tempeltheologie in Verbindung mit der persischen, ptolemäischen und schließlich seleukidischen Oberhoheit und unter dem Einfluß der hellenistischen Weltkultur wagen konnte. Ohne die anderen theologischen Strömungen, die hier nur im Ansatz vorgestellt werden konnten[135], hätte das Judentum nach der Zerstörung des Zweiten Tempels nicht überdauern können. Daß aber trotz aller verschiedener Theologien die Bedeutung des Tempels bis zu seiner Zerstörung (und darüber hinaus!) erhalten blieb, war sicher auch der Integrationsleistung der priesterlichen Theologie zu verdanken, die Tradition und "Moderne" zu integrieren wußte und auf die Anfragen der Zeit nicht nur politisch reagierte, sondern auch neue theologische Antworten zu geben versuchte.

[135] Zur Weiterentwicklung frühjüdischer Theologie in hellenistischer Zeit s. u. Kap. V.

IV. *Zur religiösen Bedeutung des Dufts im griechisch-römischen Kulturbereich*

JOACHIM KÜGLER

Nach der recht ausführlichen Darstellung der ägyptischen Duftsymbolik kann der Abschnitt zum griechisch-römischen Kulturkreis etwas knapper ausfallen, weil doch viele Vorstellungen ähnlich sind und unnötige Wiederholungen vermieden werden sollen.

1. *Der Duft der Götterwelt*

Die Vorstellung vom Wohlgeruch des Göttlichen ist in der Antike breit belegt, in der griechischen Literatur von Homer an, später auch in römischen Texten.[1] Die antiken Gottheiten wurden als duftend vorgestellt, und alles, was zum göttlichen Bereich gehörte, war durch einen besonderen Wohlgeruch gekennzeichnet. Deshalb sind alle Orte, an denen sich Götter aufhalten, von Duft erfüllt. Daß die Wohnstatt der Götter, der Olymp, herrlich duftet, ist selbstverständlich.[2] In der *Ilias* beschreibt Homer den allwissenden Zeus als *"hoch auf des Gargaros Gipfel sitzend, und um ihn die Hülle der duftenden Wolke gebreitet"*.[3]

---

1 Vgl. zum folgenden S. LILJA, The Treatment of Odours in the Poetry of Antiquity, Helsinki 1972, 19-57; E. LOHMEYER, Vom göttlichen Wohlgeruch, SHAW.PH 10 (1919) 9. Abh., 4-14; B. KÖTTING, Wohlgeruch der Heiligkeit, in: Jenseitsvorstellungen in Antike und Christentum. Gedenkschrift A. Stuiber (JAC.E 9), Münster 1982, 168-175; E. PASZTHORY, Salben, Schminken und Parfüme im Altertum, Mainz 1992, 43-60; P. FAURE, Magie der Düfte. Eine Kulturgeschichte der Wohlgerüche. Von den Pharaonen zu den Römern, München 1993, 98-263; C. CLASSEN/ D. HOWES/ A. SYNNOTT, Aroma: the cultural history of smell, London 1994, 13-50.

2 Vgl. z. B. den ersten *Hymnus an Hermes*, 322. Textausgabe: A. WEIHER (Hg.), Homerische Hymnen, griechisch und deutsch, München [6]1989, 62-93; hier: 78 f.

3 *Ilias XV, 152 f.* Zitiert nach E. SCHWARTZ (Hg.), Homer, Ilias, griechisch-deutsch, Augsburg 1994.

Und wenn die Göttin Demeter sich offenbart, dann überwältigen Schönheit, Duft und Licht die Menschen:

... und Schönheit wehte und wallte um sie herum,
gar lieblich entströmt es den duftenden Kleidern,
weithin strahlt es von Licht aus ihrem unsterblichen Leibe.[4]

Als Leto Apollo gebiert, ist die ganze Insel Delos von Ambrosiaduft erfüllt. Ebenso duftet die Höhle, in der Hermes aufwächst, ja selbst seine Windel![5] Und der Geburtsort des Dionysos ist noch lange Zeit später am Duft des Weines zu erkennen, der dort am Geburtstag des Gottes aus der Erde quillt.[6] Bei Euripides wird der göttliche Duft der Artemis als ihr göttlicher Geisthauch verstanden. In der Tragödie *Hippolytos (1391)* nähert sich Artemis dem im Sterben liegenden Helden, bleibt aber unsichtbar. Trotzdem bemerkt der Sterbende ihre tröstende Gegenwart durch den *"göttlichen Hauch des Duftes"* (θεῖον ὀδμῆς πνεῦμα). Der Wohlgeruch der Göttin ist an dieser Stelle nicht nur eine äußere Eigenschaft, sondern der Modus der unsichtbaren Gegenwart der Göttin.[7] Auch Plutarch (1. Jh. n.Chr.) kennt eine ähnliche Vorstellung und bringt sie vor allem mit Isis in Verbindung, die in seiner Nacherzählung des Isis-Osiris-Mythos *"einen wunderbaren Duft"* verströmt.[8]

Entsprechend dem Duft der Götter werden auch heilige Bezirke und Kulteinrichtungen in der griechischen Literatur immer wieder als duftend beschrieben.[9] Das hatte seine erfahrungsweltliche Entsprechung z.B. im Parfümieren von Kultstatuen, in der kultischen Verwendung von Duftstoffen, besonders Weihrauch, aber auch im Geruch des

---

4 *Hymnus an Demeter*, zitiert nach WEIHER, Hymnen, 23.

5 Vgl. den *Hymnus an Hermes 231.237*, WEIHER, Hymnen, 74 f. Zur griechischen Windelsymbolik vgl. J. KÜGLER, Die Windeln des Pharao. Ein Topos ägyptischer Königstheologie in hellenistisch-jüdischer und christlicher Rezeption, GöMisz 172 (1999) 51-62: 53 f.

6 Vgl. Diodorus Siculus, *Bibliotheca historica III, 66,2* (1. Jh. v.Chr.). Vgl. zu diesem Text I. BROER, Das Weinwunder zu Kana (Joh 2,1-11) und die Weinwunder der Antike, in: U. MELL/ U. B. MÜLLER (Hg.), Das Urchristentum in seiner literarischen Geschichte. FS J. Becker (BZNW 100), Berlin 1999, 291-308, hier: 302.

7 Vgl. LILJA, Odours, 27 f.

8 Plutarch, *Isis und Osiris 15*. Text bei Th. HOPFNER, Plutarch über Isis und Osiris. 1. Teil: Die Sage, Prag 1940, 2-13.

9 Vgl. z.B. den *Homerischen Hymnus an Aphrodite*, WEIHER, Hymnen, 92-109, hier: 96 f.

Brandopfers. Der Geruch der im Opfer verbrannten Tiere wurde als nährender Wohlgeruch für die Götter verstanden.[10]
Die römische Literatur ist zwar generell etwas zurückhaltender, wenn es um den Duft der Götter geht, aber der Topos findet sich auch dort immer wieder. So spielt etwa in der berühmten *4. Ekloge* Vergils der heilige Duft des Weihrauchs eine wichtige Rolle bei der Charakterisierung der Heilszeit, die mit der Geburt des Augustus beginnt. Und die Göttin Venus offenbart sich in göttlichem Duft; ihr Wohnsitz ist umgeben vom Duft des Weihrauchs und frischer Blumen.[11] Auch bei Ovid verrät der zurückbleibende Duft die vorhergehende Gegenwart der Gottheit.[12]
Auch in Rom wurde besonders der Duft des Weihrauchs mit der Götterwelt in Verbindung gebracht. Weihrauch galt als besonders beliebt bei den Göttern, und es gab sogar die Vorstellung, daß sie auf Weihrauchopfer angewiesen seien. Obwohl schon ein wenig Weihrauch als ausreichend angesehen wurde, um Gottheiten zu versöhnen und gnädig zu stimmen, zeichnete sich das großzügige Opfer durch Unmengen von Weihrauch aus.[13]
Wie der Duft das Kennzeichen der positiven göttlichen Mächte ist, so ist umgekehrt der Gestank das Erkennungszeichen der menschenfeindlichen göttlichen Mächte. Schon LOHMEYER verwies in diesem Zusammenhang auf den Gifthauch der Erinyen,[14] welcher einen Gestank darstellt, der die Menschen mit Todesgrauen erfüllt.[15] Die Duftkonzeption im griechisch-römischen Kulturkreis weist also dem Geruch eine durchaus ambivalente Qualität zu. Als Wohlgeruch weist er auf die Gegenwart menschenfreundlicher Gottheiten hin, als Gestank zeigt er bedrohliche Mächte an.

---

10 Vgl. CLASSEN/ HOWES/ SYNNOTT, Aroma, 46.

11 Vergil, *Aeneis I, 403.416 f.*

12 Ovid, *Fasti V, 376*. Vgl. auch *Metamorphosen IV, 393*, wo Myrrhen- und Krokusduft auf die unsichtbare Gegenwart des Bacchus hinweist.

13 MÜLLER, Weihrauch, 757-759.

14 Zur religiösen Funktion dieser archaischen Rachegeister als Hüterinnen der sittlichen Ordnung vgl. M. P. NILSSON, Geschichte der griechischen Religion I. Die Religion Griechenlands bis auf die griechische Weltherrschaft, München [3]1967, 100 f.

15 Vgl. LOHMEYER, Wohlgeruch, 7.

2. *Duft als Mittel der Vergöttlichung*

Der besondere Duft der Götter wird häufig mit Nektar und Ambrosia in Verbindung gebracht. Diese heiligen Stoffe werden als Duftstoffe aufgefaßt, die die Gottheiten essen oder mit denen sie sich salben. Die *Ilias* erzählt, daß sich Hera, als sie vorhat, Zeus zu verführen, mit Ambrosia wäscht und dann ihre Haut *"mit dem starken süßen ambrosischen Öl, dem duftenden"* salbt, dessen *"lieblicher Hauch gleich Himmel und Erde"* erfüllt.[16]

Wo dieser göttliche Duft auf Menschen übertragen wird, werden sie mit göttlichen Kräften beschenkt oder ganz vergöttlicht. Schon in Homers *Ilias* beschützt die Göttin Thetis die Leiche des Patroklos mit den göttlichen Duftstoffen vor Verwesung: Sie gießt dem toten Helden Ambrosiasaft und Nektar in die Nase, dem geeigneten Organ zur Aufnahme von Duftstoffen, um so seinen Leib unverweslich zu machen.[17]

Wie einer der *Homerischen Hymnen* erzählt, wird auch Apollo zunächst als Mensch geboren. Wie jedes menschliche Kind wird er gewickelt, allerdings von göttlichen Ammen und in feinste Windeln, welche mit goldenen Schnüren gebunden sind. Seine menschliche Mutter gibt ihm aber nicht die Brust, sondern eine göttliche Amme reicht ihm Nektar und Ambrosia. Sobald er die göttliche Duftspeise erhalten hat, befreit er sich aus den Windeln, und schreitet davon: Einen Gott können Windeln nicht halten.[18] Der göttliche Duft bewirkt also eine wirkliche Verwandlung: Aus dem Sohn einer menschlichen Mutter wird ein Gott.

Eine ganz ähnliche Konzeption findet sich später in der römischen Dichtung. So schreibt auch Ovid dem göttlichen Duftstoff die Macht zu, Sterbliche unsterblich zu machen. In seinen *Metamorphosen* werden Nektar und Ambrosia von Venus benutzt, um Aeneas unsterblich zu machen. Die göttliche Mutter salbt den Leichnam ihres menschli-

---

[16] Vgl. *Ilias XIV, 170-177*. Auch von Aphrodite wird solches Salben mit Ambrosia berichtet: Hymnus an Aphrodite, WEIHER, Hymnen, 92-109; hier: 96 f.

[17] Vgl. *Ilias XIX, 38 f.* - Angesichts des enormen Aufkommens an heldischen Leichen ist es nicht überraschend, wenn das Motiv öfter vorkommt: *Ilias XVI, 666-683* (Apoll konserviert Sarpedon); *Ilias XXIII, 185-187* (Aphrodite konserviert Hektor).

[18] So der *Homerische Hymnus an Apoll*. Vgl. WEIHER, Hymnen, 32-63; bes. 40 f.

chen Sohnes mit göttlichem Duft *(divino corpus odore unxit)* und macht ihn so zu einem Gott *(fecitque deum)*.[19] In abgeschwächter Form findet sich das Motiv auch bei Vergil. Venus gibt heimlich die heilende Kraft des göttlichen Duftstoffs Ambrosia in das Wasser, mit dem der verwundete Aeneas gepflegt wird, was zur sofortigen Genesung führt.[20]

Auch ohne Bezug zu Nektar und Ambrosia kann durch besonderen Duft die Vergöttlichung eines Menschen angezeigt werden, eine Vorstellung, die auch in der Herrscherideologie eingesetzt wird.[21]

So soll Alexander, der sich in der Oase Siwa in Anlehnung an ägyptische Königstradition zum Sohn Gottes erklären ließ und als Sohn des Ammon bzw. Zeus verstanden werden wollte, einen besonderen Wohlgeruch ausgestrahlt haben.

Zu diesem besonderen Duft bemerkt Plutarch:

> *Daß die Ausdünstung seiner Haut höchst angenehm war und sein Mund und sein ganzer Körper einen Duft ausströmte, der sich auch seinen Kleidern mitteilte, haben wir in den Aufzeichnungen des Aristoxenos gelesen.*[22]

Diese Information erinnert an die Rolle des Wohlgeruchs als Signum des Göttlichen im ägyptischen Denken, wie sie etwa in der Vergöttlichung der Hatschepsut oder des Amenophis III. zum Tragen kommt, muß aber direkt mit Ägypten nichts zu tun haben, weil die Konzeption vom göttlichen Wohlgeruch auch in der griechisch-hellenistischen Kultur zum allgemeinen Wissensbestand gehörte. Jedenfalls konnte die Aussage, daß Alexander einen besonderen Wohlgeruch ausströmte, im Rahmen dieses kulturellen Wissens als Anspielung auf sein Wesen als Gottessohn verstanden werden.[23] Hierzu gehört auch, daß Alexander

---

[19] Vgl. Ovid, *Metamorphosen XIV, 605-607.*

[20] Vgl. Vergil, *Aeneis XII, 416-424.*

[21] Im Unterschied zu den ägyptischen Tempeltexten haben wir es hier mit echter politischer Propaganda zu tun, was subjektive religiöse Ernsthaftigkeit bei den Beteiligten freilich nicht völlig ausschließen muß.

[22] Plutarch, *Alexander 4.*

[23] Daß freilich Plutarch selbst solchen Vorstellungen mehr als skeptisch gegenübersteht, macht sein Umgang mit dem Phänomen deutlich. Er zitiert einerseits die Überlieferung, deutet sie dann aber gerade nicht mythologisch, sondern unternimmt den Versuch einer naturwissenschaftlichen Erklärung des Dufts. Wir haben es hier mit der kritischen Rationalität eines hellenistischen Historikers zu tun, die sich auch bei den eigentlichen Berichten über die Gottessohnschaft Alexanders zeigt. Plutarch referiert je-

der erste hellenistische Herrscher war, dem Weihrauch dargebracht wurde. Im hellenistischen Herrscherkult wird die Ehrung des vergöttlichten Herrschers durch Weihrauchopfer mehrfach belegt und scheint üblich geworden zu sein.[24]
Bei den Nachfolgern Alexanders in Ägypten, den Ptolemäern, wird die Göttlichkeit des Herrschers unter anderem durch die Einbeziehung des lebenden Herrscherpaares in den Tempelkult ausgedrückt. Im hellenistischen und im ägyptischen Königskult erfährt der durch die Kultstatue repräsentierte König göttliche Ehren, wenn auch vor jeweils unterschiedlichem theologischen Hintergrund.[25] Daß zu den Opfergaben auch der Duft des Weihrauchopfers gehört, ist selbstverständlich.
Ein wichtiges Thema der Königsideologie ist außerdem die Angleichung an Dionysos. Seit dem Indienfeldzug Alexanders war die Vorstellung populär, daß Dionysos nach seiner Eroberung Indiens im Triumph nach Europa zurückgekehrt sei, wobei sein Triumphwagen von Elefanten oder anderen exotischen Tieren gezogen worden sei. Dieser Mythos hatte enormen Einfluß auf die Gestaltung der großen hellenistischen Prachtprozessionen, in denen der König seine Herrlichkeit offenbarte. Man betonte die dionysischen Züge der Prachtprozession (πομπή), um die Identifikation des Herrschers mit Dionysos deutlich werden zu lassen. Dazu gehörte eine Fülle von dionysischen Symbolen, etwa der Elefant als Reittier des Gottes.[26] Wo Götter unterwegs sind, dürfen Weihrauch und andere Duftstoffe natürlich nicht fehlen. Deshalb spielte auch der Duft in den hellenistischen Prunkzügen eine bedeutende Rolle, weil er die göttliche Würde des Königs sinnfällig machte. So sollen die Ptolemäerkönige bei ihren Prunkprozessionen ungeheure Mengen von Duftstoffen eingesetzt haben. Der antike Bericht über eine Prozession von Ptolemaios II. (285/ 282-246 v.Chr.)

---

weils zunächst die mythologische Tradition, um dann eine alternative, entmythologisierende Erklärung nachzuschieben. Vgl. KÜGLER, Pharao und Christus? Religionsgeschichtliche Untersuchung zur Frage einer Verbindung zwischen altägyptischer Königstheologie und neutestamentlicher Christologie im Lukasevangelium (BBB 113), Bodenheim 1997, 143 f.

24 Vgl. W. M. MÜLLER, Weihrauch, RECA Suppl. 15 (1978) 700-777, hier 756.

25 Vgl. G. HÖLBL, Geschichte des Ptolemäerreiches. Politik, Ideologie und religiöse Kultur von Alexander dem Großen bis zur römischen Eroberung, Darmstadt 1994, 77-105.

26 Vgl. G. GRIMM, Alexandria. Die erste Königsstadt der hellenistischen Welt, Mainz 1998, 53.

spricht von 300 Minen (etwa 200 kg) Weihrauch, 300 Minen Myrrhe, je 200 Minen (etwa 140 kg) Safran, Zimt, Iris und anderen Duftstoffen. Außerdem sollen 120 Knaben Weihrauch, Myrrhe und Safran in goldenen Schüssel getragen haben, und immer wieder ist die Rede von goldenen Weihrauchgefäßen, goldenen Schüsseln mit Zimt, Safran und ähnlichem.[27]

Ptolemäischer Weihrauchständer mit Sphingenfüßen[28]

Bekanntlich übte die hellenistische Königsideologie in der ausgehenden Republik auf diejenigen römischen Aristokraten, die der griechischen Kultur besonders zugeneigt waren und nach Alleinherrschaft strebten, eine große Anziehungskraft aus. Als ein (spätes) Beispiel dafür sei auf die Dionysosangleichung des Octaviankonkurrenten Marcus Antonius im 1. Jh. v.Chr. verwiesen.[29] Wie Plutarch berichtet, inszenierte sich der Sieger der Schlacht von Philippi bei seinem Einzug in Ephesus als Manifestation des Dionysos. Und eine dionysische Entourage (Bacchantinnen, Satyre und Pane) geleitete Antonius als *"wohltätigen und freudenspendenden Dionysos"* in die Stadt.[30] Ganz entsprechend inszenierte sich Kleopatra beim Einzug in Tarsos, wo sie Antonius (= Dionysos) traf, als Isis-Aphrodite. Der Duft des Weihrauchs stellte ein zentrales Element dieser Inszenierung dar. Der Duft zahlloser Weihrauchopfer soll die Flußufer geradezu überschwemmt haben, als Kleopatra mit ihrer Prachtgaleere den Kydnos hinauffuhr. Dies war das sinnfällige Zeichen dafür, daß hier eine Göttin unterwegs war. Die Botschaft kam an, und es verbreitete sich das Gerücht, daß hier Aphrodite unterwegs sei, um sich zum Wohle Kleinasiens mit Dionysos zu vermählen.[31]

---

27 Vgl. GRIMM, Alexandria, 51.

28 Ende 4. Jh. v. Chr., Silber, Höhe ca. 31 cm, Nationalmuseum Kairo. Vgl. GRIMM, Alexandria, 47, Abb. 46 a-b. Computergraphik: J. K.

29 Vgl. dazu P. ZANKER, Augustus und die Macht der Bilder, München ²1990, 52-55.65-73.

30 Plutarch, *Antonius 24,3.*

31 Plutarch, *Antonius 26,3 f.*

Es ist daher nicht überraschend, wenn in der späten Republik und in der Kaiserzeit mehr und mehr Züge der hellenistischen Prachtprozessionen auf den römischen Triumph übertragen wurden.[32]
Der römische Triumphzug *(Pompa triumphalis)* bezieht seine Bedeutung aus der Einbettung in einen religiös aufgeladenen Kontext.[33] Beim Triumph handelt es sich nicht nur um eine prunkvolle weltliche Jubelfeier, sondern um einen öffentlichen kultischen Akt. Der Triumphator tritt in ein mythisches Rollenspiel zwischen Apollo und Jupiter ein und übernimmt dabei Aspekte beider Gottheiten. In der Rolle des Apollo, angezeigt etwa durch den apollinischen Lorbeer, führt der Feldherr die gereinigten Truppen ihrem höchsten Herrn zu. Zugleich agierte der Triumphator auch als Jupiter. Die Jupiterrolle muß sogar als der dominierende Aspekt eingeschätzt werden. Der Triumphator als Heilsbringer und Träger göttlicher Kraft wurde in seiner Erscheinung dem *Iuppiter Optimus Maximus Capitolinus* angeglichen: Er trug einen Ornat, der auf Jupiter hinwies und wohl zugleich alter Königstradition entsprach. Auch wurde sein Gesicht mit Mennige rot gefärbt und damit der alten, tönernen Kultstatue des Jupiter angeglichen. *"Purpurtunica und Purpurtoga, Adlerszepter und Goldkranz kennzeichnen den Triumphator mit dem leuchtend roten Antlitz als rex und Iuppiter zugleich. Der Ruf io triumpe! ist ein Epiphanieruf, ein Ruf beim Erscheinen eines Gottes"*[34]. Der siegreiche Feldherr agiert als Stellvertreter Apollos und Jupiters, welche den eigentlichen Triumph feiern. In dieser Rolle kommen ihm göttliche Ehren zu.
Zum religiösen Charakter des Zuges gehörte denn auch das Verbrennen von Weihrauch, der auch in Rom ein besonderes Zeichen göttli-

---

32 Vgl. H. GUGEL, Pompa (πομπή), KP 4, 1017-1019.

33 Zu Struktur und Bedeutung des römischen Triumphzugs vgl. G. GOTTLIEB, Triumph, LAW, 3127 f; H. S. VERSNEL, Triumphus. An Inquiry into the Origin, Development and Meaning of the Roman Triumph, Leiden 1970; H. VRETSKA, Triumphus, KP 5, 973-975; E. KÜNZL, Der römische Triumph. Siegesfeiern im antiken Rom, München 1988, bes. 85-108; E. SIMON, Apollo in Rom, JdI 93, 1978, 202-227: 210 f.214; E. SIMON, Die Götter der Römer, München 1990, 28 f; E. KÜNZL, Der römische Triumph. Siegesfeiern im antiken Rom, München 1988, bes. 85-108; J. KÜGLER, Paulus und der Duft des triumphierenden Christus. Zum kulturellen Basisbild von 2Kor 2,14-16, in: R. HOPPE/ U. BUSSE (Hg.), Von Jesus zum Christus. Christologische Studien. FS Paul Hoffmann (BZNW 93), Berlin 1998, 155-173; hier: 159-162.

34 KÜNZL, Triumph, 97. Vgl. VERSNEL, Triumphus, 84-93.

cher Gegenwart war. Nach antikem Zeugnis liefen mehrere Träger mit Weihrauchpfannen unmittelbar vor dem in göttlicher Würde einherziehenden Triumphator.[35] Der Duft des Triumphzuges hat deswegen nicht nur ästhetische Qualität, sondern ist Signum für die Gegenwart des Göttlichen in diesem öffentlichen Kultspiel. Allerdings legte der Feldherr nach dem Ritual den Triumphornat ab und kehrte in die Welt der Menschen zurück. Dieses Element der Rückkehr in die Gemeinschaft der Menschen verlor in der Kaiserzeit drastisch an Bedeutung. Augustus leitete eine Entwicklung ein, die den Kaiser zum permanenten Triumphator machte. Der immerwährende Triumph wurde ein festes Element der Herrschaftsideologie. Die Konzeption des Triumphators als Heilsbringer und sieghafter Träger göttlicher Kraft bildete einen integralen Bestandteil der kaiserlichen Rollenbeschreibung.[36]
Was die Entwicklung des römischen Kaiserkultes angeht, so wurden bekanntlich immer wieder Elemente der hellenistischen Königskonzeptionen integriert.[37] Daß diese Entwicklung dann auch sehr früh zur Darbringung von Weihrauch vor dem Kaiser bzw. seinem Kultbild führte, ist nicht überraschend. Wie zahlreiche Inschriften zeigen, sind Weihrauch und Wein seit der Zeit des Augustus die gängigen Bestandteile des Opfers.[38] Als literarisches Zeugnis ist z. B. auf Sueton zu verweisen, der in seiner Augustusbiographie Reisende aus Alexandria erwähnt, welche *"in weißen Kleidern, mit Kränzen geschmückt und Weihrauch verbrennend"* den Kaiser verehren.[39] Da die Huldigung mit Weihrauch ansonsten allein den Göttern vorbehalten ist,[40] muß das Weihrauchopfer als direkter Hinweis auf die göttliche Würde des Kaisers verstanden werden.
In diesem Zusammenhang ist auch auf den verschwenderischen Duftgebrauch von Kaisern zu verweisen, die der hellenistischen Königsideologie besonders zugetan waren. So soll Gaius (Caligula), der in

---

35 Vgl. Appian, *Punica IX,66.*

36 Zum permanenten Triumph der Kaiser vgl. KÜNZL, Triumph, 119-133.

37 Auf diese Entwicklung kann hier nicht näher eingegangen werden. Vgl. dazu KÜGLER, Pharao, 155-172.

38 Vgl. M. P. NILSSON, Geschichte der griechischen Religion II. Die hellenistische und römische Zeit, München [4]1988, 377. Einige signifikante Quellen finden sich bei H. FREIS (Hg.), Historische Inschriften zur römischen Kaiserzeit von Augustus bis Konstantin (TzF 49), Darmstadt [2]1994, 18.24.29.

39 Sueton, *Augustus 98,2.*

40 Vgl. MÜLLER, Weihrauch, 760.

Rom einen Tempel für seine eigene Kultstatue einrichtete und sogar im Tempel von Jerusalem als Gott verehrt werden wollte, in kostbaren Duftstoffen gebadet haben.[41] Ähnliche Nachrichten gibt es auch über Nero. Er ließ in seinem Goldenen Haus eine Anlage installieren, die es ermöglichte, die Teilnehmer am kaiserlichen Gastmahl von oben mit wohlriechendem Wasser zu besprengen.[42] Was von den republikanisch gesonnenen römischen Historikern als sittenlose Verschwendung kritisiert wurde, ist aus der Perspektive der Herrscher als Orientierung am hellenistischen Königsbild zu verstehen, zu dem auch das Ideal des luxuriösen Lebens (τρυφή) gehörte. Das Schwelgen in Duft ist Teil einer königlichen Lebensweise, welche auf die Göttlichkeit des Herrschers hindeutet.

Selbstverständlich spielt der Weihrauch auch bei der Vergöttlichung des toten Kaisers, der *consecratio*, ein wichtige Rolle, die freilich weit hinter der Bedeutung der Duftsymbolik in der königlichen Jenseitstheologie Ägyptens zurückbleibt. Aber immerhin ist der Weihrauchduft auch hier ein Mittel, um deutlich zu machen, daß der Geist des Kaisers in den Himmel aufgestiegen ist, er also Eintritt gefunden hat in die duftende Gesellschaft der Götter.[43]

---

[41] Vgl. Sueton, *Gaius 37*. Zu Caligulas Orientierung am hellenistischen Königsideal vgl. KÜGLER, Pharao, 165-167.

[42] Vgl. Sueton, *Nero 31*.

[43] Vgl. B. CASEAU, ΕΥΩΔΙΑ. The Use and Meaning of Fragrances in the Ancient World and Their Christianization (100-900 AD), masch. Diss. Princeton 1994, 168-172.

3. Im Angesicht des Todes: Duft als Unterpfand der Unsterblichkeit

Weit weniger entfaltet als in Ägypten, in der Sache aber ähnlich, ist die Verbindung von Duft und Bestattung im griechisch-römischen Kulturkreis. Der Hauptunterschied dürfte sein, daß man auf die Erhaltung des Leichnams wenig Wert legte. Die Verbrennung war über weite Strekken die üblichere Bestattungsform. Die ägyptische Tradition der Mumifizierung war zwar bekannt, wurde aber als fremde Sitte angesehen und selten praktiziert, wenn man von griechischen bzw. römischen Bevölkerungsgruppen in Ägypten oder Ägyptophilen in Rom absieht.[44] Wo man es sich leisten konnte, wurde die Leiche gewaschen und mit Duftöl gesalbt. Weihrauch wurde im Haus und beim Leichenzug verbrannt.[45] Beim Verbrennen der Leiche wurde dem Scheiterhaufen duftendes Holz zugegeben, und außerdem warf man Weihrauch, Blumen und andere Duftstoffe in die Flammen. Je bedeutsamer der Todesfall war, desto höher war auch der Duftaufwand, der getrieben wurde. Kaiser Nero soll bei der Bestattung seiner Frau Sabina Poppaea mehr Weihrauch verbrannt haben, als Arabien in einem Jahr produzierte.[46] In geringerer Menge wurden Duftstoffe allerdings von allen verwendet, die es sich irgendwie leisten konnten. Daß der Einkauf von wohlriechenden Stoffen zu den üblichen Vorbereitungen der Bestattung gehörte, zeigt sehr schön ein Epigramm von Martial aus dem 1. Jh. n.Chr. über die unverhoffte (und unerwünschte) Genesung eines Todkranken:

> *Während ein leichter Holzstoß mit Papyrus zum Brennen errichtet war,*
> *während die weinende Gattin Myrrhe und Zimt eingekauft hatte,*
> *schon die Grube, schon die Bahre, schon der Bestatter bereit waren,*
> *setzte Numa mich zum Erben ein - und wurde gesund.*[47]

---

[44] Nach Tacitus hat Nero die Leiche seiner Frau nicht verbrannt, sondern *"in der Art ausländischer Könige"* einbalsamiert. *(Annalen XVI, 6,2)*.

[45] Zur Rolle von Duftstoffen bei den griechisch-römischen Bestattungsriten vgl. CASEAU, ΕΥΩΔΙΑ, 168-200; auch CLASSEN/ HOWES/ SYNNOTT, Aroma, 42-44.

[46] Vgl. CLASSEN/ HOWES/ SYNNOTT, Aroma, 43. Ähnliche Informationen gibt es über die Bestattung des Sulla im Jahre 19 v.Chr. Vgl. CASEAU, ΕΥΩΔΙΑ, 174.

[47] *Epigramme X, 97.* Zitiert nach P. BARIÉ/ W. SCHINDLER (Hg.), M. Valerius Martialis, Epigramme. Lateinisch-deutsch, Darmstadt 1999, 758 f.

Schließlich wurden wohlriechende Salben verwendet für die Knochen des Toten, die man aus der Asche des Leichenbrands sammelte. Ein weiteres Epigramm Martials *(XI, 54)* rügt einen entlaufenen Sklaven, der Bestattungsüberreste, z. B. Myrrhe, Weihrauch und Zimt, stiehlt.
Auch in Grabstätten selbst hat man Spuren von Duftbeigaben gefunden. Es handelt sich um eine Vielzahl von Parfümfläschchen. Diese Duftbehälter, die man früher für Tränenfläschchen hielt, wurden den Toten teilweise bei der Bestattung mitgegeben, teilweise aber auch bei Tortenfeiern mitgebracht. Auf griechischen Grabdarstellungen sind sie oft auf den Stufen des Grabmals zu sehen.[48]
Im Unterschied zu Ägypten gibt es im griechisch-römischen Bereich keinen entfalteten theologischen Diskurs über die postmortale Existenz des Menschen. Was die religiöse Bedeutung der verwendeten Düfte angeht, sind wir deshalb auf indirekte Rückschlüsse angewiesen. Es ging einerseits wohl um die Bekämpfung des Leichengeruchs, der als unrein und schädlich galt. Auch wollte man dem Toten etwas von dem mitgeben, was er im Diesseits besonders geschätzt hatte. Und schließlich sollte der Tote den Göttern wohlgefällig gemacht werden. Der Todeshauch muß beseitigt werden, denn er befleckt das Antlitz der Götter, so sagt es Artemis bei Euripides.[49] Da die Götter als duftend vorgestellt wurden und auch das Elysion bzw. die Insel der Seligen als ein Reich des göttlichen Wohlgeruchs konzipiert war,[50] mußten auch die Toten duften, wenn sie zu den duftenden Göttern und ihrer Welt passen sollten. Die mythischen Stoffe Nektar und Ambrosia standen den Menschen nicht zur Verfügung, aber die verwendeten Duftstoffe konnten immerhin Zeichen sein für die belebende Kraft des göttlichen Duftes. Was die duftenden Götter von den Menschen unterscheidet, ist im griechisch-römischen Kulturkreis vor allem ihre Unsterblichkeit. So ist zu schließen, daß im Duft vor allem diese göttliche Qualität übertragen werden sollte. Die spezielle Bedeutung des Duftes im Kontext von Tod und Bestattung wäre also die eines Unterpfands der Unsterblichkeit.[51]

---

48 Vgl. die Abbildungen bei M. DAYAGI-MENDELS, Perfumes and Cosmetics in the Ancient World, Jerusalem 1993, 124.125.132.

49 Euripides, *Hippolytos 1437*.

50 Zum Duft des Elysions bzw. der Insel der Seligen vgl. z.B. Lukian, *Vera Historia II, 6-14*. Weitere Belege bei LOHMEYER, Wohlgeruch, 9 f.

51 Vgl. CASEAU (ΕΥΩΔΙΑ, 221-223), die treffend von einem *"token of immortality"* (221) spricht.

V. Duftmetaphorik im Frühen Judentum

JOACHIM KÜGLER

Wie im Beitrag von Ulrike BECHMANN (s. o. Kap. III) zu sehen war, kommt in den biblischen Texten die Vorstellung vom göttlichen Wohlgeruch erst spät zum Zuge und dürfte mit dem Einfluß der hellenistischen Weltkultur zusammenhängen. Im Frühjudentum wird diese Vorstellung weiterentwickelt, was als Hinweis auf die fortdauernden, komplexen Hellenisierungsprozesse gelten kann, die das Judentum in der Diaspora, aber auch im Mutterland durchlaufen hat.[1] Wie in der frühjüdischen Duftsymbolik Elemente biblischer und hellenistischer Konzeptionen rezipiert, transformiert und kombiniert werden, soll im folgenden an einigen Beispielen gezeigt werden.

1. Der Duft Gottes und seiner Welt

Das *äthiopische Henochbuch*, welches jüdische Apokalyptiktraditionen aus dem 3.-1. Jh. v.Chr. aufgenommen hat,[2] spricht zwar nicht direkt vom Duft Gottes, aber der paradiesische Berg, der Gott in der Endzeit als Thronsitz dienen wird, ist von duftenden Bäumen umgeben *(äthHen 24,3)*. Unter diesen erblickt der Seher Henoch einen besonderen Baum, dessen Duft noch stärker ist, als der der anderen Bäume *(24,4)*. Der Erzengel Michael klärt ihn darüber auf, daß es sich hier um einen Baum handelt, den niemand bis zum Endgericht berühren kann *(25,4)*. Dann wird er den Gerechten übergeben, für die dieser Baum eine Verheißung birgt, denn *"von seiner Frucht erwächst den Auser-*

1 Vgl. dazu M. HENGEL, Judentum und Hellenismus. Studien zu ihrer Begegnung unter besonderer Berücksichtigung Palästinas bis zur Mitte des 2. Jh.s v.Chr. (WUNT 10), Tübingen ²1973; M. HENGEL, Juden, Griechen und Barbaren. Aspekte der Hellenisierung des Judentums in vorchristlicher Zeit (SBS 76), Stuttgart 1976.

2 Zu Einleitungsfragen vgl. S. UHLIG, Das Äthiopische Henochbuch, JSHRZ 5.6 (1984) 463-780: 466-505.

wählten das Leben" (25,5).[3] Wenn der duftende Baum dann in die Nähe von Gottes Haus verpflanzt worden sein wird, werden die Auserwählten, die offensichtlich dann von dem Baum essen dürfen, zu diesem heiligen Ort herbeikommen,

> *seinen Wohlgeruch in ihren Gebeinen, und sie werden ein langes Leben auf Erden leben, wie es deine Väter lebten, und in ihren Tagen wird sie weder Trauer noch Leid, noch Bedrängnis, noch Plage erreichen.*[4]

Den Gerechten wird also verheißen, daß sie den Duft des Lebensbaums leiblich aufnehmen und ein langes Leben in ungetrübtem Glück genießen dürfen. Es geht hier also nicht um die Aufnahme in ein ewiges göttliches Leben, aber immerhin weist der göttliche Duft auf die Gabe eines Lebens hin, das in seiner Länge dem der Urväter entspricht.[5] Hier ist der Einfluß hellenistisch-römischer Vorstellungen ebenso feststellbar, wie die Weiterführung biblischer Tradition.
Auch in *äthHen 29-32* werden paradiesische Gegenden mit wunderbaren Düften erwähnt: Weihrauch und Myrrhe *(29,2)*, Mastix und Zimt *(30,2 f.)*, Nektar und Galbanum *(31,1)*, Narde, Zimt und Pfeffer *(32,1)*. Der Seher Henoch findet auch dort einen Baum, dessen Duft den der anderen Bäume übertrifft und sich weit verbreitet *(32,3 f.)*. Diesmal ist es der Engel Rafael, der Henoch über diesen Baum aufklärt:

> *Dies ist der Baum der Weisheit, von dem dein alter Vorfahre*
> *und deine alte Vorfahrin, die vor dir waren,*
> *gegessen haben und Weisheit kennenlernten,*
> *und ihre Augen wurden geöffnet, und sie erkannten,*
> *daß sie nackt waren,*
> *und sie wurden aus dem Paradies vertrieben.*[6]

Auch hier ist nicht vom Duft Gottes die Rede, aber es ist doch immerhin bezeichnend, daß die Weisheit, die Gott vorbehalten und dem

---

3 Hier und an den anderen Stellen zitiert nach UHLIG, Das Äthiopische Henochbuch.

4 *ÄthHen 25,6.* Mit den Vätern sind die Vorfahren des fiktiven Autors Henoch gemeint, die nach biblischer Überlieferung *(Gen 5)* besonders langlebig (um die 900 Jahre) waren.

5 Vgl. J. J. COLLINS, The Afterlife in Apocalyptic Literature, in: A. J. AVERY-PECK/ J. NEUSNER (Hg.), Death, life after death, resurrection and the world-to-come in the Judaisms of antiquity (HO 1,49.4), Leiden 1999, 119-139: 122.

6 *ÄthHen 32,6.*

Menschen verwehrt ist, ihre göttliche Qualität im Duft offenbart, und den paradiesischen Gefilden immer wieder ein besonderer Wohlgeruch zugeschrieben wird.

Die hellenistisch-jüdische *Mose-Apokalypse*, die vor der Zerstörung des Jerusalemer Tempels (70 n.Chr.) entstanden und in etwa zeitgenössisch zu den Paulusbriefen sein dürfte,[7] kennt ebenfalls die Konzeption vom paradiesischen Duft, verbindet sie aber mit der biblischen Opfertradition. Eva erzählt, daß Adam bei der Vertreibung aus dem Paradies die Engel Gottes anfleht:

> *Ich bitte euch, laßt mich Wohlgerüche mitnehmen aus dem Paradies,*
> *damit ich nach meinem Herauswurf Gott ein Opfer darbringe,*
> *daß mich Gott erhöre.*[8]

Die Engel legen bei Gott Fürbitte für Adam ein, und so wird ihm gewährt, Safran, Narde, Kalmus, Zimt und andere wohlriechende Samen mitzunehmen *(29,6)*. Adam wird also auch nach seiner Vertreibung Gott ein wohlriechendes Opfer darbringen und so mit Gott kommunizieren können. Hier ist der Duft des Opfers, der Gott zum Erhören der Bitten bewegt, tatsächlich eine Gabe Gottes selbst. Die Duftstoffe sind ein Rest des Paradieses mit seiner selbstverständlichen Gemeinschaft von Gott und Mensch. Sie bilden als Relikte dieses urzeitlichen Heilszustands die Basis für eine erfolgreiche Kommunikation zwischen Gott und Mensch.
Wenn die irdischen Duftstoffe mit dem Paradies verbunden und als Gabe Gottes verstanden werden, dann liegt die Vermutung nahe, daß sich *ApkMos* auch Gott selbst als duftend vorstellt. Das wird zwar nicht direkt gesagt, aber in *ApkMos 38* wird zumindest eine enge Verbindung zwischen dem Duft des Weihrauchs und der Gegenwart Gottes hergestellt: Als Gott sich aufmacht, das Paradies zu besuchen, versammeln sich die Engel vor Gott und nehmen Aufstellung zum Ehrengeleit,

> *die einen, die Rauchfässer in ihren Händen halten,*
> *und andere, die Trompeten und Schalen tragen.*
>
> *(ApkMos 38,2)*

Dann besteigt der Himmelskönig seinen Wagen, den die vier Winde

---

[7] Zu Einleitungsfragen vgl. O. MERK/ M. MEISER, Das Leben Adams und Evas, JSHRZ 2.5 (1998) 740-776.

[8] *ApkMos 29,3*. Hier und an den anderen Stellen zitiert nach MERK/ MEISER, Das Leben Adams und Evas.

ziehen und Cheruben lenken. Engel schreiten voran.

> *Und sie kamen in das Paradies,*
> *und es bewegten sich alle Gewächse des Paradieses,*
> *so daß alle aus Adam Geborenen schliefen von dem Duft,*
> *ausgenommen Seth.*
>
> *(ApkMos 38,4)*

Dieser Text könnte zunächst so verstanden werden, als ob die Pflanzen des Paradieses einen betäubenden Duft verströmen, der die Menschen einschlafen läßt. Allerdings wird der Duft der Pflanzen hier nicht erwähnt, sondern nur ihre Bewegung. Es ist also eher zu schließen, daß die Bewegung der Pflanzen den Duft der Räucherfässer, welche die Engel vor Gott hertragen, verteilt. Für diese Deutung spricht auch, daß es gleich im Anschluß heißt, daß Duft deshalb Seth nicht betäubt, weil er als einziger fähig ist, Gott wahrzunehmen. Der Duft der himmlischen Weihrauchfässer und die Präsenz Gottes hängen also eng zusammen. Auch wenn nicht gesagt werden kann, daß Gott selbst als duftend vorgestellt wird, ist hier doch eine deutliche Annäherung an die griechisch-römische Konzeption vom göttlichen Wohlgeruch festzustellen.

Ähnliches gilt auch für den jüdischen Historiker Josephus Flavius, der in etwa ein Zeitgenosse der Evangelisten war. Daß ihm die Vorstellung vom Duft als Signum der Gegenwart Gottes bekannt ist, zeigt er, wenn er den Einzug der Bundeslade in den neu erbauten salomonischen Tempel schildert. Er schreibt, daß die Leviten

> *eine unermessliche Menge Räucherwerk verbrannten, sodass die Luft ringsum davon erfüllt ward und der süsse Duft sich weithin verbreitete und Kunde davon gab, Gott sei auf dem Wege.*[9]

Wenn LOHMEYER zu dieser Stelle schreibt, *"der Duft des Weihrauchs, der Gott dargebracht wird, ist der Duft Gottes, in dem Gottes Dasein auf Erden selbst kund wird"*,[10] so dürfte dies aber ein wenig überzogen sein, denn bei Josephus ist der Weihrauch nur ein Zeichen, das auf die Präsenz Gottes hinweist, nicht aber ein Medium dieser Präsenz. Er gibt hier also nicht einfach hellenistisch-römische Dufttheologie wieder, sondern schwächt diese deutlich ab. Trotzdem kann aus der Tatsache,

---

9 *Ios.ant. 8,4,1*. Zitiert nach H. CLEMENTZ (Hg.), Josephus Flavius, Jüdische Altertümer, Wiesbaden [10]1990, 485.

10 E. LOHMEYER, Vom göttlichen Wohlgeruch, SHAW.PH 10 (1919) 9. Abhandlung, 29.

daß es der Weihrauchduft ist, der auf die göttliche Gegenwart hinweist, geschlossen werden, daß Josephus Gott mit diesem Duft assoziiert.
Das *Vierte Esrabuch*, das um 100 n.Chr. entstanden sein dürfte,[11] kennt wie *äthHen* die Vorstellung vom Duft des Paradieses, ist aber noch zurückhaltender, was die Symbolik dieses Duftes angeht. In einem Gebet schildert der Seher Esra die Werke der Schöpfung. Für den dritten Schöpfungstag *(4Esr 6,42-44)* verweist er unter anderem auf *"Duftkräuter von unergründlichem Duft" (6,44: odores odoramentis investigabiles)*. Duft gehört also zum Paradies, aber dies wird nicht weiter symbolisch gedeutet.

Anders verhält es sich bei der *syrischen Baruch-Apokalypse*, die zwischen 100 und 130 n.Chr. (also kurz nach *4Esr*) in Palästina entstanden sein dürfte.[12] Wenn in *syrBar 29f* die paradiesischen Wonnen der Endzeit geschildert werden, in welcher der Messias offenbar wird *(29,3)*, die Ungeheuer Leviatan und Behemot geschlachtet und verspeist werden *(29,4)*, und *"die Erde ihre Früchte zehntausendfältig bringen"* wird *(29,5)*. Dann sollen alle, die Hunger litten, fröhlich sein und täglich neue Wunder Gottes sehen. Jeden Morgen sollen Winde *"den Geruch duftender Früchte herzutragen" (29,7)*. Zunächst mag es scheinen, als ob auch hier der Duft einfach zur angenehmen Ausstattung der endzeitlichen, dem Paradies entsprechenden Welt gehört, aber im betreffenden Vers heißt es eindeutig, daß die duftenden Winde von Gott selbst ausgehen. Der paradiesische Duft wird hier also enger mit Gott in Verbindung gesetzt als dies in *4Esr* der Fall war.
Auch sonst zeigt *syrBar* ein größeres Interesse an der religiösen Duftsymbolik. In *35,4* wird an das duftende Weihrauchopfer des Hohenpriesters erinnert, und in *syrBar 67,6* werden die Werke der Gesetzesfrommen als *"Balsamduft des Weihrauchs"* bezeichnet, der im Gegensatz zum *"Rauch der Freveltat"* steht. Diese Gegenüberstellung, die ähnlich auch in der Offenbarung des Johannes zu finden ist (s.u.), deutet auf die gestörte Kommunikation zwischen Gott und Israel hin. Weil es den Duft der gerechten Werke nicht mehr gibt, sondern nur noch den Rauch des Frevels, deshalb ist Gott seinem Volke fern und es muß leiden.

---

[11] Zu Einleitungsfragen vgl. J. SCHREINER, Das 4. Buch Esra, JSHRZ 5.4 (1981) 291-306.

[12] Zu Einleitungsfragen vgl. A. F. J. KLIJN, Die syrische Baruch-Apokalypse, JSHRZ 5.2 (1976) 103-191: 107-119.

2. *Der Duft der göttlichen Weisheit*

Vom Duft der Weisheit Gottes war oben schon im Kontext der Paradiesestexte in *äthHen* die Rede. Im folgenden sollen zwei weitere Texte besprochen werden, welche die Tradition vom Duft der göttlichen Weisheit weiterführen.
Der ägyptisch-jüdische Bekehrungsroman *Josef und Asenet*, der wohl zwischen 100 v.Chr. und 100 n.Chr. entstanden ist,[13] verwendet bei der Erzählung von der Bekehrung der ägyptischen Priestertochter Asenet eine Duftsymbolik, die von der Tradition der Weisheitstheologie geprägt ist.[14]
Asenet erhält bei ihrer Bekehrung von einem Engel eine himmlische Honigwabe zu essen *(JosAs 16,15)*. Diese Wabe wird vorher so beschrieben, daß sowohl eine Anspielung auf das Weisheitspneuma entsteht, wie auch eine symbolische Verbindung zur biblischen Mannaerzählung.

> *Und es war die Wabe groß und weiß wie Schnee und voll von Honig. Und es war jener Honig wie Tau des Himmels und sein Dufthauch* (πνοή) *wie Dufthauch des Lebens. Und Asenet verwunderte sich und sprach bei sich selbst: 'Also ging diese Wabe aus dem Munde dieses Menschen hervor, denn ihr Dufthauch ist wie der Dufthauch des Mundes dieses Menschen.'*[15]

Diese Beschreibung der Wabe erinnert Bibelkundige an die des Mannas in *Ex 16*. Was die Beziehung zur Weisheit angeht, so ist zunächst darauf hinzuweisen, daß die personifizierte Weisheit sich in ihrem Einladungsruf mit Honig vergleichen kann. Zu verweisen ist auf *Sir 24,20*, wo der Besitz der Weisheit als *"süßer als Honig"* und *"besser als Wabenhonig"* gepriesen wird. Die Honigwabe, die Asenet gereicht bekommt, kann also als Anspielung auf eine biblische Weisheitsmetapher verstanden werden. Außerdem, und das ist für unseren Zusammenhang besonders interessant, wird in *JosAs* gesagt, daß die Wabe ganz wunderbar duftet. Auch der himmlische Duft der Honigwabe erinnert an die Beschreibung der Weisheit, die ja ebenfalls einen beson-

---

[13] Zu Einleitungsfragen vgl. Ch. BURCHARD, Joseph und Aseneth, JSHRZ 2.4 (1983) 577-735: 579-628.

[14] Vgl. zum folgenden Abschnitt J. KÜGLER, Der andere König. Religionsgeschichtliche Perspektiven auf die Christologie des Johannesevangeliums (SBS 178), Stuttgart 1999, 103-106.

[15] *JosAs 16,8*. Zur Übersetzung vgl. BURCHARD, Joseph und Aseneth.

deren Wohlgeruch ausströmt *(Sir 24,15)*. Der himmlische Dufthauch der Wabe wird als *"Dufthauch des Lebens" (JosAs 16,8)* bezeichnet und mit dem Engel in Verbindung gesetzt. Der Hauch seines Atems und der Duft der Wabe sind gleich *(JosAs 16,9.11)*. Der himmlische Mundgeruch des Engels erklärt sich daraus, daß er sich, wie die anderen Himmelsbewohner auch, von dieser Wabe ernährt. Der Engel sagt in *JosAs 16,14*, daß alle, die sich wie Asenet zum wahren Gott bekehren, von dieser Wabe essen werden,

> *denn diese Wabe ist Geist* (πνεῦμα) *des Lebens, und die Bienen des Paradieses der Wonne haben sie gemacht aus dem Tau der Rosen des Lebens, die da sind im Paradiese Gottes. Und alle Engel Gottes und all die Auserwählten Gottes und all die Söhne des Höchsten essen von ihr, denn sie ist eine Wabe des Lebens. Und jeder, der von ihr ißt, wird in Ewigkeit nicht sterben.*

Die duftende Wabe ist also der Lebensgeist der göttlichen Weisheit, der aus dem Paradies stammt und von dem sich die Bewohner der himmlischen Welt ernähren. Die Aussage, daß sich die Himmelsbewohner von einer duftenden Speise ernähren, die ewiges Leben schenkt, stellt eine deutliche Analogie zur griechisch-römischen Konzeption der Wirkung von Nektar und Ambrosia (s.o.) dar. Wenn Asenet bei ihrer Bekehrung diese Speise essen darf, dann wird damit ausgedrückt, daß die Glaubenden an der königlich-göttlichen Würde der Engel partizipieren und wie diese Söhne bzw. Töchter Gottes sind,[16] indem sie sich mit *"Brot des Lebens"* nähren, den *"Kelch der Unsterblichkeit"* trinken und sich mit *"Salbe der Unverweslichkeit"* salben *(JosAs 16,16)*. Die Trias von Brot, Wein und Öl, welche die himmlische Wabe symbolisiert, ist zunächst als Hinweis auf den spezifisch jüdischen Gebrauch dieser alltäglichen Substanzen zu verstehen.[17] Allerdings wird durch die Bezeichnung des Öls als *"Salbe der Unverweslichkeit"* zweifellos auch eine Beziehung zur ägyptischen Sitte der Balsamierung hergestellt. Wie diese Beziehung freilich näher zu be-

---

[16] Zur kollektiven Gotteskindschaft der Juden in *JosAs* vgl. J. KÜGLER, Pharao und Christus? Religionsgeschichtliche Untersuchung zur Frage einer Verbindung zwischen altägyptischer Königstheologie und neutestamentlicher Christologie im Lukasevangelium (BBB 113), Bodenheim 1997, 210-214.

[17] Vgl. Ch. BURCHARD, The Importance of Joseph and Aseneth for the Study of the New Testament: A General Survey and a Fresh Look at the Lord's Supper, NTS 33 (1987) 102-134: 113-117.

schreiben ist, muß offen bleiben. Es bestehen drei Möglichkeiten: Entweder hat die jüdische Gruppierung, die hinter *JosAs* steht, wie andere nichtägyptische Bevölkerungsgruppen auch, die ägyptischen Bestattungssitten übernommen, oder für die jüdische Totensalbung wird dieselbe theologische Qualität reklamiert wie für die ägyptische Totensalbung, oder dieser Anspruch wird für die alltägliche Salbung der Juden erhoben. Feststeht nur, daß die Duftspeise der Asenet u.a. eine Salbung versinnbildlicht, die eine Lebensperspektive verheißt, die entsprechend ägyptischer Tradition als Unverweslichkeit bezeichnet wird und mit einem himmlischen Duft verbunden wird.
Zwar wird an keiner Stelle gesagt, daß die gläubigen Juden auch duften, aber die Verbindung von Gotteskindschaft und himmlischer Duftspeise erinnert doch sehr an die ägyptische Konzeption vom göttlichen Familiengeruch und an die vergöttlichende Wirkung der himmlischen Duftmittel, wie sie für den ägyptischen und griechisch-römischen Bereich belegt ist. Außerdem wird am Ende der Begegnung von Asenet mit dem Engel die Honigwabe verbrannt, und Wohlgeruch erfüllt das ganze Gemach *(JosAs 17,4)*. Durch die Ausbreitung des Dufts, der aus dem Verbrennen der Wabe entsteht, werden Asenet und ihr himmlischer Besucher eingehüllt, so daß zumindest eine momentane Duftgemeinschaft entsteht. Insgesamt bietet *JosAs* eine Fortführung biblischer Weisheitsmetaphorik, die aber mit Elementen aus der griechisch-römischen und ägyptischen Dufttradition angereichert wird.
Bei dem wichtigen jüdischen Theologen Philo von Alexandria,[18] der etwas früher schreibt als Paulus, findet sich ebenfalls ein Bezug zur Konzeption vom Duft der Weisheit, allerdings in einer sehr zurückgenommenen Form. Es geht um die Vorstellung vom göttlichen Wohlgeruch der Weisen, wie sie in *Sir 39,14* zu finden ist. Im Kontext einer Auslegung des Jakobsegens *(Gen 28,14)* wird neben der individuellen Dimension des Segens auch großer Wert auf die soziale Komponente gelegt *(De somniis 1,177)*. Wenn ein Mensch sich der Weisheit zuwendet, dann hat das positive Rückwirkungen auf die Gesellschaft. Philo vergleicht dann in *De somniis 1,178* diesen Weisen, der durch seine Ausstrahlung auch seine Umgebung sittlich bessert, mit einem Wohlgeruch ausströmenden Gewürz. Auch wenn Philo hier auf der Ebene des Vergleichs bleibt und keine direkte Verbindung zum Duft der göttlichen Weisheit herstellt, dürfte doch derselbe Gedanke zugrunde liegen wie in *Sir 24.39* und bei Paulus (s.u.).

---

[18] Zu Philo und seiner Theologie vgl. KÜGLER, Pharao, 191-193.234-244.

3. Im Angesicht des Todes: Duft als Unterpfand des neuen Lebens

In der Verwendung von Duftstoffen und auch hinsichtlich der Duftsymbolik im Kontext von Bestattung und Todestheologie unterscheidet sich das Frühjudentum nicht wesentlich von der hellenistisch-römischen Welt. Eine jüdische Sonderkultur scheint es, wie in früheren Zeiten auch,[19] trotz mancher Eigenheiten nicht gegeben zu haben.

Parfümflacons [20]

Die Parfümfläschchen, die den Toten mitgegeben oder auch bei Totenfeiern mitgebracht wurden und oft auf griechischen Grabdarstellungen zu sehen sind, finden sich auch im jüdischen Bereich, und zwar über einen längeren Zeitraum. Zahlreiche entsprechende Funde belegen dies für die Zeit vom 7. Jh. v.Chr. bis ins 1. Jh. n.Chr.[21]

Auch sonst ähnelten die jüdischen Bestattungssitten denen der hellenistischen Welt. Sowohl der Leichnam wurde parfümiert als auch die Knochen, die man nach der Zersetzung der Leiche sammelte und sekundär in Ossuarien bestattete. Es handelt sich dabei um Knochenbehälter, die meist aus Kalkstein gearbeitet und recht klein (ca. 60 x 40 x 30 cm) waren. Entsprechende Spuren bei Knochenfunden deuten auf die Verwendung von Duftölen bei dieser Sekundärbestattung hin. *"Das Sammeln der Knochen wurde hauptsächlich in Jerusalem und seiner Umgebung praktiziert, wo mehr als 2000*

Frühjüdisches Ossuarium [22]

---

[19] Vgl. P. WELTEN, Bestattung II. Altes Testament, TRE 5, 734-738: 737.

[20] Judäa, 200 v.Chr.-100 n.Chr., Keramik. Vgl. M. DAYAGI-MENDELS, Perfumes and Cosmetics in the Ancient World, Jerusalem 1993, Perfumes, 131. Computergraphik: J. K.

[21] Zu den frühjüdischen Bestattungssitten vgl. DAYAGI-MENDELS, Perfumes, 126-133; M. BROCKE, Bestattung III. Judentum, TRE 5, 738-743: 739 f.

[22] Judäa, 1. Jh. n.Chr., Bible Lands Museum, Jerusalem (BLMJ 1337a.b). Computergraphik: J. K.

Ossuarien gefunden wurden. Der früheste Beleg für diese Praxis stammt aus der Zeit Herodes' des Großen im letzten Viertel des ersten Jahrhunderts v.d.Z., und hängt bekanntlich mit neuen Vorstellungen der individuellen Auferstehung zusammen, deren Ursprünge bis in frühere Zeiten zurückverfolgt werden können (Dan 12,2; 2Makk 7,9-23; 12,43-44). Nach der Zerstörung des Tempels verschwand dieser Brauch allmählich, allerdings sind Einzelbelege bis ins 3. Jh. d.Z. hinein bekannt"[23]. Auf die Leichenverbrennung wurde im jüdischen Bereich meist verzichtet, aber es scheint Ausnahmen gegeben zu haben. Darauf deuten zumindest zwei Notizen im *Zweiten Buch der Chronik* hin, welche die Feuerbestattung bei Königen als üblich voraussetzen *(2Chr 16,14; 21,19)*. Man wird daraus sicher keine Informationen über die judäische Königszeit herauslesen dürfen, wohl aber über die Entstehungszeit des Textes, welche vermutlich auf den Beginn der hellenistischen Epoche zu legen ist.[24] Die Septuagintafassung verwendet an beiden Stellen den Begriff ἐκφορά (wörtlich: "Hinaustragung"), den *Terminus technicus* für die (Prozession zur) Leichenverbrennung. Der erste der beiden Texte zeigt darüber hinaus, daß die üppige Verwendung von Duftstoffen typisch für eine königliche Bestattung ist. In *LXX 2Chr 16,14* heißt es über König Asa:

> *Und man setzte ihn bei in der Grabhöhle, die er sich in der Stadt Davids angelegt hatte. Und man legte ihn auf die Bahre und füllte sie mit Duftstoffen* (ἀρωμάτων) *und Sorten von fachgerecht zubereiteten Duftölen* (γένη μύρων μυρεψῶν). *Und man bereitete ihm eine äußerst große Verbrennung.*

Ähnliche Nachrichten überliefert Josephus, der in seinen *Jüdischen Altertümern* von opulenter Verwendung von Duftstoffen bei königlichen Bestattungen der Herodeszeit berichtet. In *ant. 15* wird erzählt, welchen Aufwand Herodes bei der Bestattung des von ihm ermordeten Hohenpriesters Aristobul treibt, um seine Trauer öffentlich zu bekunden und so die Schuld von sich abzuwälzen.[25] Dabei ist dann auch von einer großen Menge von Duftstoffen *(ant. 15,3,4*: θυμιαμάτων*)* die

---

23 DAYAGI-MENDELS, Perfumes, 128 (Übersetzung: J. K.). Zu den frühjüdischen Auferstehungserwartungen vgl. COLLINS, Afterlife.

24 Zu Einleitungsfragen vgl. G. STEINS, Die Bücher der Chronik, in: E. ZENGER u.a., Einleitung in das Alte Testament, Stuttgart 1995, 165-174.

25 Zu den historischen Hintergründen vgl. P. SCHÄFER, Geschichte der Juden in der Antike. Die Juden Palästinas von Alexander dem Großen bis zur arabischen Eroberung, Stuttgart 1983, 107 f.

Rede. Noch gewaltiger ist dann allerdings der *Pompe funèbre* bei der Bestattung von Herodes selbst. Josephus berichtet in *ant. 17,8,3* von königlichem Purpur, Gold, vielen Juwelen, wahren Heerscharen von bewaffneten Soldaten und fünfhundert Haussklaven als Duftträgern (ἀρωματοφόροι). Es wird zwar nicht gesagt, um welche Aromen es sich hier handelt, aber aufgrund der Analogie zu hellenistisch-römischen Herrscherbestattungen (s.o.) ist auf Weihrauch zu schließen. Gerade im königlichen Bereich war ja die Anpassung an hellenistisch-römische Konzepte besonders ausgeprägt.

Was die theologische Bedeutung der Duftverwendung im Bestattungskontext angeht, so sind die archäologischen Funde wenig ergiebig, und auch Josephus schweigt sich darüber aus. Aus anderen Texten aber sind durchaus Rückschlüsse auf die frühjüdische Duftsymbolik möglich. Hier ist noch einmal auf die *Mose-Apokalypse* hinzuweisen.

Als Adam gestorben ist und Eva um ihn trauert, wird ihr von einem Engel Einblick gewährt in das Geschehen um die Aufnahme von Adams Seele in den Himmel. Sie sieht einen Lichtwagen vom Himmel kommen, von vier Adlern gezogen und von Engeln gelenkt, der dort stehen bleibt, wo Adam liegt. Eva erzählt:

> *Und ich sah goldene Räucherfässer und drei Schalen.*
> *Und siehe, alle Engel kamen mit Weihrauch und Räucherfässern zum Altar, und der Rauch des Räucherwerks verhüllte das Firmament.*
> *Und es fielen die Engel nieder, rufen Gott um Hilfe an und sprechen:*
> *Heiliger Jael, verzeih* (ihm),
> *denn er ist dein Ebenbild und Geschöpf deiner heiligen Hände.*
>
> *(ApkMos 33,4 f.)*

Der Duft des Weihrauchs wird hier als Element der himmlischen Welt dargestellt: Dort, wo Gott und seine Engel sind, ist Wohlgeruch. Wenn Adam in die Welt Gottes aufgenommen wird, dann wird er auch in diesen Duft aufgenommen. Diese Deutung wird bestätigt durch die Informationen über das Bestattungsritual für Adam. Nachdem ein Seraf den Leichnam im *"acherontischen See"*[26] gewaschen hat *(ApkMos 37,3)*, gibt Gott den Befehl, ihn weiter für die Bestattung herzurichten:

> *'Bereitet Linnen und bedeckt den Leichnam Adams und*
> *bringt Öl von wohlduftendem Öl und gießt es auf ihn aus!'*
> *Und die drei großen Engel bereiteten ihn zu Bestattung.*
>
> *(ApkMos 40,2)*

---

[26] Es handelt sich hier um ein Motiv aus dem hellenistischen Jenseitsglauben!

Anschließend wird Adam zusammen mit Abel in der Erde des Paradieses, am Ort seiner Erschaffung, bestattet *(40,6 f)*, was als Rückkehr zum Staube, aus dem Adam gemacht worden war, gedeutet wird. Dieser drastische Hinweis auf die Vergänglichkeit wird allerdings mit einer Lebensverheißung gekoppelt. Gott spricht zu Adam:

> *Ich sagte dir: Du bist durch Erde und gehst zur Erde hin.*
> *Wiederum verheiße ich dir die Auferstehung.*
> *Ich werde dich auferstehen lassen bei der Auferstehung mit dem ganzen Menschengeschlecht, das aus deinem Samen stammt.*[27]

Es ist naheliegend, die Auferstehungsverheißung mit der Duftsalbung in Verbindung zu setzen. Es geht dann bei der Behandlung der Leiche und der Knochen, wie sie die archäologischen Funde anzeigen, nicht nur um das Überdecken des Leichengeruchs,[28] sondern wie beim Einsammeln der Knochenreste in Ossuarien um einen Hinweis auf die endzeitliche Auferstehung. Da Gottes Welt, der Himmel und das Paradies, als duftend vorgestellt wird und die endzeitliche Welt dem Paradies entspricht, duftet auch die kommende Welt, für die der Tote aufbewahrt werden soll. So muß der jüdische Duftgebrauch im Bestattungskontext wie im hellenistisch-römischen Kulturbereich als Ausdruck der Lebenshoffnung verstanden werden. Allerdings geht es nicht einfach um das Leben der Seele im Jenseits, sondern darüber hinaus um Auferweckung in ein neues Leben.

Abschließend ist also festzuhalten, daß die religiöse Duftsymbolik im Frühjudentum viele Übereinstimmungen mit hellenistisch-römischen Vorstellungen und Praktiken aufweist, aber auch biblische Konzepte fortführt. Zwar gibt es keinen direkten Beleg, daß Gott selbst duftet, aber alles, was mit ihm zu tun hat, ist in Duft gehüllt. Im Himmel duftet Weihrauch, im Paradies duften Pflanzen. Auch die göttliche Weisheit duftet und die Menschen, die sie annehmen. Es duften die Taten, die Gott wohlgefällig sind, wie auch die Toten, die in der Hoffnung auf die Auferstehung beigesetzt werden.

---

27 *ApkMos 41,2.* - Nachdem auch Eva beerdigt ist, erläßt der Erzengel Michael das Gesetz, alle Toten so zu bestatten bis zur Auferstehung *(43,2 f.)*. Es geht hier also nicht um einen singulären Vorgang, sondern um die (mythische) Fundierung allgemeiner Bestattungsriten.

28 Gegen DAYAGI-MENDELS (Perfumes, 132), deren Erklärung hier eindeutig zu kurz greift.

VI. Duftmetaphorik im Neuen Testament

JOACHIM KÜGLER

Es wäre vielleicht etwas übertrieben, die neutestamentlichen Schriften als "geruchsarm" zu bezeichnen, aber im Neuen Testament sind ausdrückliche Erwähnungen von Duft oder Gestank doch recht selten, und keinesfalls kann man von einer entfalteten Dufttheologie sprechen, wie wir sie im ägyptischen Bereich angetroffen haben. An einigen Stellen des Neuen Testaments allerdings finden sich Spuren der alttestamentlichen Opferduftkonzeption, und andere Texte geben Hinweise auf die Rezeption der hellenistisch-römischen Duftsymbolik, wobei festzustellen ist, daß beide Dufttraditionen eine spezifische Umdeutung erfahren. Dies soll im Folgenden an einigen Beispielen gezeigt werden, wobei ich mit einem kurzen Überblick über die Textstellen beginne, die sich auf die biblische Opfertradition beziehen.

1. Der Wohlgeruch des Opfers

1.1. Die Solidarität der Gemeinde (Phil 4,18)

Die christliche Gemeinde in Philippi gehörte zu den von Paulus selbst gegründeten Gemeinden und war seine erste Gründung auf europäischem Boden.[1] War das Verhältnis des Apostels zu anderen Gemeinden recht wechselhaft, so zeichnete sich die Beziehung zu Philippi durch dauerhaftes Wohlwollen und Vertrauen aus, ja durch eine besondere Herzlichkeit. Die besondere Verbundenheit zwischen Paulus und der Gemeinde von Philippi zeigt sich auch darin, daß er sich nur von ihr finanziell unterstützen läßt. Gegenüber anderen Gemeinden verzichtet Paulus auf Unterhalt, obwohl er einen entsprechenden Anspruch durchaus gegeben sieht. So argumentiert er in *1Kor 9* damit, daß er (wie andere Apostel auch) ein Unterhaltsrecht gegenüber den Gemein-

---

1 Zu Philippi vgl. K. BRODERSEN (Hg.), Antike Stätten am Mittelmeer, Darmstadt 1999, 285-287; zur Geschichte der christlichen Gemeinde vgl. P. PILHOFER, Philippi 1. Die erste christliche Gemeinde Europas (WUNT 87), Tübingen 1995, bes. 229-258.

den hat. Er verzichtet aber auf dieses Recht und empfiehlt solchen Rechtsverzicht zur Nachahmung: Die korinthische Gemeinde soll *"lernen, daß die Erkenntnis erst dann zur Freiheit führt, wenn sie von der Liebe getragen und deshalb zum Verzicht auf Recht fähig ist"*[2].

Der philippischen Gemeinde als einziger erlaubt es Paulus, ihn materiell zu unterstützen. Ihre Unterstützung nimmt er sogar mehrfach an. Hierauf deuten entsprechende Bemerkungen in *2Kor 11,9*, aber auch *Phil 4*, wo Paulus schreibt:

> *15 Ihr Philipper wißt, daß beim Beginn (der Verkündigung) des Evangeliums, als ich wegging aus Mazedonien, keine Gemeinde mir in bezug auf Geben und Nehmen verbunden war außer ihr allein, 16 und daß ihr mir auch in Thessalonich und das eine und andere Mal etwas zur Unterstützung geschickt habt. 17 Es geht mir nicht um die Gabe, es geht mir um den Gewinn, der auf eurem Konto anwächst. 18 Ich habe alles erhalten und habe mehr als genug. Ich bin wohlversorgt, nachdem ich von Epaphroditus eure (Gaben) erhielt, ein* ***Duft des Wohlgeruchs****, ein angenehmes Opfer, Gott wohlgefällig. 19 Mein Gott aber wird euch alles geben, was ihr braucht, gemäß seinem Reichtum in Herrlichkeit durch Christus Jesus. 20 Unserem Gott und Vater sei die Ehre in alle Ewigkeit! Amen.*

Der zitierte Text, in dem Paulus sich für die Gaben der Gemeinde, die Epaphroditus ihm überbracht hat, bedankt, gehört zu einem längeren Abschnitt *(4,10-20)*, der vermutlich einen ursprünglich eigenständigen Brief nach Philippi darstellt.[3] Wie schon früher *(Phil 4,16)*, so hat Paulus auch jetzt wieder einmal *(4,10)* die Fürsorge der Gemeinde erfahren. In diesem Schreiben bestätigt Paulus den Empfang der Spende und bringt seine Freude über die Zuwendung der Gemeinde zum Ausdruck. Die Art und Weise wie er seinen Dank ausdrückt, zeigt, daß er

---

2 H. MERKLEIN, Der erste Brief an die Korinther. Kapitel 5,1-11,1 (ÖTK 7.2), Gütersloh 2000, 233. Vgl. ebd. 212-233.

3 So z.B. Ph. VIELHAUER, Geschichte der urchristlichen Literatur. Einleitung in das Neue Testament, die Apokryphen und die Apostolischen Väter, Berlin 1975, 159-166. Als nicht mehr begründungspflichtig vorausgesetzt wird die ursprüngliche Selbständigkeit von *Phil 4,10-20* bei W. SCHENK, Die Philipperbriefe des Paulus. Kommentar, Stuttgart 1984. Neuerdings wird aber wieder stärker die Einheitlichkeit des Philipperbriefs vertreten. Vgl. z.B. U. B. MÜLLER, Der Brief des Paulus an die Philipper (ThHK 11/I), Leipzig 1993, 4-14; K.-W. NIEBUHR, Die Paulusbriefsammlung, in: *ders.* (Hg.), Grundinformation Neues Testament. Eine bibelkundlich-theologische Einführung (UTB 2108), Göttingen 2000, 196-293, hier: 258.

die Solidarität der Gemeinde nicht nur als zwischenmenschlichen Vorgang versteht, sondern als etwas, was die Beziehung zu Gott betrifft. Paulus dankt nämlich der Gemeinde gar nicht explizit, sondern drückt vielmehr seine Dankbarkeit indirekt aus, und zwar durch eine theologische Deutung der Spende.

Diese theologische Deutung beruht auf seinem Selbstverständnis als Apostel. Paulus versteht sich als Gesandter Christi, der an der Ausbreitung des Evangeliums arbeitet, wobei er als Werkzeug der Gnade Gottes fungiert. Die Gemeinde ist als Teil des endzeitlichen Gottesvolks eine Frucht der Arbeit des Apostels, in der Gott sein Werk der Erlösung und Erwählung vollzieht. Weil sich im apostolischen Wirken des Paulus als Knecht Christi letztlich das Handeln Gottes realisiert, betrifft die Beziehung zwischen Apostel und Gemeinde immer auch die Beziehung beider zu Gott.

In diesem konzeptionellen Rahmen legt sich eine theologische Deutung des Handelns der Gemeinde gegenüber dem Apostel nahe. Was die Gemeinde für Paulus tut, hat direkte Auswirkung auf ihre Gottesbeziehung. Um diese Auswirkung auszudrücken, benutzt Paulus in V.17 (wie schon unmittelbar vorher) eine finanztechnisch[4] geprägte Sprache: Was die Gemeinde dem Apostel überweist, trägt Früchte bei Gott. *"Im Hintergrund steht die Vorstellung, daß Wohltun vor Gott Zinsen trägt. Als 'Kontobuch' hat das Buch des Lebens (4,3) zu gelten"*[5]. Und Paulus behauptet sogar, daß ihm diese Zinsen für die Gemeinde wichtiger sind als die Gabe, die er erhält. Wenn man die Logik dieses Gedankens weitertriebe, dann könnte man sogar folgern, daß die Gemeinde dankbar sein muß, wenn sie Paulus etwas geben und damit ihre Beziehung zu Gott positiv weiterentwickeln darf.[6]

---

4 Vgl. dazu SCHENK, Philipperbriefe, 62 f.

5 W. EGGER, Galaterbrief/ Philipperbrief/ Philemonbrief (NEB 9.11.15), Würzburg 1985, 72. Vgl. J. GNILKA, Der Philipperbrief (HThK 10.3), Freiburg [4]1987, 179; MÜLLER, Philipper, 206.

6 Eine solche "Werkgerechtigkeit" widerspricht der paulinischen Soteriologie nicht, weil Paulus natürlich davon augeht, daß die, welche zuvor allein durch den Glauben *(sola fide)* gerecht gemacht worden sind, gute Werke tun. *"Die Glaubenden stehen selbstverständlich im Einklang mit dem Gesetz |...| u. erfüllen es |...|, wenngleich das Heil nicht mehr auf dem Tun des Gesetzes, sondern auf der Gnade beruht (Röm 6,14)"*. - H. MERKLEIN, Paulus III. Paulinische Theologie, LThK 7 (1998) 1498-1505, hier: 1502. Dementsprechend erfolgt das eschatologische Gericht nach den Werken *(2Kor 5,10; Röm 2,5-11)*.

Bei der weiteren Ausgestaltung dieser Deutung greift nun Paulus auf biblische Traditionen zurück und bewertet die Spende der Gemeinde mit kultischen Kategorien. Die Unterstützung des Apostels wird als Opfer gedeutet. In diesem Zusammenhang tritt dann auch die typisch biblische Duftmetaphorik auf. Paulus bezeichnet in V.18 das Tun der Gemeinde als "Duft des Wohlgeruchs" (ὀσμὴ εὐωδίας).[7]
Mit dieser Formulierung übersetzt die *LXX* stereotyp die hebräische Wendung *reach nichoach* (רֵיחַ־נִיחוֹחַ), welche meist als "besänftigender Duft" verstanden wird (s. o. Kap. III). Der Aspekt der Besänftigung fehlt der griechischen Formulierung. Hier wird nur die positive Qualität des Duftes als wohlriechend betont, aber die Wirkung des Duftes auf Gott offengelassen. Vermutlich deshalb betont Paulus eigens, daß Gott das Opfer der Gemeinde annimmt: *ein angenehmes Opfer, Gott wohlgefällig* (V.18). Wie jedes Brandopfer, so stellt auch das Duftopfer der Gemeinde die Harmonie zwischen Gott und den Menschen her. Dies ist freilich kein kultischer Automatismus, sondern beruht auf der Annahme des Opfers durch Gott.
Daß Paulus überhaupt solche kultischen Kategorien für die Gottesbeziehung der Gemeinde verwenden kann, hängt sicher damit zusammen, daß er auch das Heilsgeschehen in Christus in kultischer Terminologie deutet: Der blutige Tod Jesu wird als Sühnopfer zur Vergebung der Sünden verstanden *(Röm 3,25)*. Dementsprechend kann Paulus auch das Leben und die Gemeinschaft der Glaubenden kultisch deuten. Die Kirche ist der eschatologische Tempel, in dem Gott seinem heiligen Volk nahe ist *(1Kor 3,16f; 2Kor 6,16)*.[8] Das gesamte Leben der Heiligen, die durch das Opfer Christi in eine neue Gottunmittelbarkeit versetzt worden sind, ist ein Kultgeschehen. So ermahnt Paulus die Ge-

---

7 Wenn V.18 so von V.17 her gedeutet wird, erspart man sich die interpretatorischen Verrenkungen, die LOHMEYER für nötig hält. Er behauptet, Paulus werde durch die Gabe der Gemeinde vom Duft erfüllt und damit als eschatologisches Opfer geheiligt. Vgl. E. LOHMEYER, Der Brief an die Philipper (KEK 9.1), Göttingen [14]1974, 187 f.

8 Die Vorstellung, daß die Gemeinde der Tempel Gottes ist, war auch für das Selbstverständnis der Qumrangemeinde prägend. Sie sieht sich als heiliger Rest Israels. Durch die Vollkommenheit ihrer Gemeinschaft übernehmen sie die Heilsfunktion des entweihten Tempels in Jerusalem. Vgl. *1QS IX,4-6; 1QS VIII, 8 f.* - Zur paulinischen Tempelmetaphorik und zu ihrem frühjüdischen Hintergrund vgl. W. STRACK, Kultische Terminologie in ekklesiologischen Kontexten in den Briefen des Paulus (BBB 92), Weinheim 1994, 221-272.

meinde in Rom, sich selbst *"als lebendiges, heiliges, Gott wohlgefälliges Opfer"* darzubringen *(Röm 12,1)*. Und auch sein eigenes Leben und Leiden kann Paulus als Opfer auffassen. In *Phil 2,17* freut er sich, wenn sein Leben als Trankopfer zusammen mit dem Glaubensopfer der Gemeinde dargebracht wird.[9] Bei der ekklesiologischen Verwendung der Opferkategorie wird ein Sühnecharakter des Opfers nicht mitthematisiert. Das hängt sicher mit der paulinischen Konzentration auf das Sühnegeschehen im Tod Jesu zusammen. Weil der Kreuzestod Jesu Vergebung erwirkt hat, geht es beim christlichen Opfer nicht speziell darum, Sühne zu erlangen, sondern allgemein um eine positive Beziehung zwischen Mensch und Gott.

Angesichts der Präsenz kultischen Denkens in der paulinischen Theologie ist es im Grunde gar nicht überraschend, wenn Paulus auch die Geldspende der philippischen Gemeinde mit der Metapher vom Duft des Brandopfers kulttheologisch deutet. Immerhin geht es bei der finanziellen Solidarität der Gemeinde mit dem Apostel um eine wirksame Anteilnahme an seinem Verkündigungswerk. Die Gemeinde unterstützt, indem sie Paulus hilft, die Ausbreitung des Evangeliums von der Gnade Gottes.[10] Sie partizipiert also letztlich am Heilswirken Gottes und diese aktive Teilnahme setzt die Gemeinde in eine Beziehung zu Gott, die der kultischen Kommunikation gleichwertig ist. Das Handeln der Gemeinde steigt wie der angenehme Duft des Brandopfers zu Gott empor. Weil Gott das Opfer annimmt, wird es zugunsten der Opfernden wirksam. Auffälligerweise thematisiert Paulus die gegenwärtigen Wirkungen des Opfers nicht. Im Sinne antiker Opfertheologie könnte man ja erwarten, daß das Opfer einen Raum der Harmonie und Gottesnähe eröffnet. Davon ist hier aber nicht direkt die Rede. Wenn Paulus in V.17 vom Gewinn spricht, der auf dem Konto anwächst, dann deutet er die Wirkung des Opfers zunächst einmal eschatologisch und vermeidet damit jedes enthusiastische Mißverständnis. Das Guthaben der Gemeinde wächst an und eröffnet die Aussicht auf Herrlichkeit, Ehre und

---

9 Ich verstehe *Phil 2,17* so, daß die Gemeinde *selbst* ihren Glauben als Opfer darbringt. Vgl. GNILKA, Philipperbrief, 154f; EGGER, Galaterbrief/ Philipperbrief/ Philemonbrief, 63. Anders LOHMEYER, Philipper, 112-114; MÜLLER, Philipper, 120 f; STRACK, Kultische Terminologie, 304-307.

10 Auch die Verbreitung des Evangeliums kann Paulus unter dem Bild des Dufts fassen. Im Unterschied zu *2Kor 2* stammt die Duftmetapher hier aber nicht aus der weisheitlichen Tradition oder der hellenistisch-römischen Kultur, sondern aus der biblischen Kulttheologie.

Frieden im endzeitlichen Gericht Gottes. Daß es aber auch nicht nur um eschatologische Hoffnung geht, macht Paulus in *Phil 4,19* deutlich. Gott als Erlöser und Erhalter weiß, was die Gemeinde braucht, und wird für sie sorgen. Wenn Gott hier in besonderer Weise zu Paulus in Beziehung gesetzt wird *("mein Gott")*, dann deutet dies wohl darauf hin, daß Gott hier für Paulus handelt: Er vergilt, was seinem Apostel Gutes getan wird. So wird durch das fürsorgliche Handeln Gottes an der Gemeinde auch wieder eine Beziehung zwischen Paulus und der Gemeinde konstituiert. Dementsprechend schließt sich Paulus in V.20 mit der Gemeinde zusammen *("unserem Gott und Vater")* zum abschließenden Lob Gottes.
Das Bild vom aufsteigenden Duft des Brandopfers dient hier also dazu, deutlich zu machen, daß die Solidarität, welche die philippische Gemeinde Paulus erweist, unlösbar verbunden ist mit der Beziehung zu Gott. Die kultische Bildsprache ordnet das Handeln der Gemeinde am Apostel ein in ein Kommunikationsgeschehen, welches himmlische und irdische Welt verbindet. Insofern die Kommunikation zwischen Gott und Mensch als primäres Anliegen des Opfers bestimmt werden kann, stellt der paulinische Gebrauch der Duftmetapher nicht nur ein literarisches Spiel dar, sondern entspricht ganz der kulttheologischen Tradition, welche freilich bei ihm radikal christologisch transformiert ist.

1.2. Das Opfer Christi (Eph 5,2)

Obwohl die biblische Opfertradition für Paulus eine wichtige theologische Kategorie ist, um die Heilsbedeutung des Todes Christi auszudrücken, und obwohl er, wie zu sehen war, das Bild vom Opferduft in ekklesiologischem Zusammenhang benutzt, findet sich in den echten Paulusbriefen kein Text, in dem der Kreuzestod Jesu mit dem Bild des Opferduftes theologisch gedeutet wird. Das ist im Bereich der pseudopaulinischen Schriften nicht prinzipiell anders. Auch hier gibt es nur eine Stelle, an der die Heilsbedeutung des Kreuzes unter dem Bild des Opferdufts versprachlicht wird. Sie findet sich im *Epheserbrief*, der in der modernen Bibelforschung ganz überwiegend nicht als echter Pau-

lusbrief, sondern als pseudepigraphisches Schreiben aus der frühchristlichen Paulustradition eingestuft wird.[11]
In *Eph 5* heißt es:

> *1 Werdet nun Nachahmer Gottes als geliebte Kinder, 2 und wandelt in Liebe, wie auch der Christus uns geliebt und sich für uns hingegeben hat als Gabe und Opfer für Gott zum Duft des Wohlgeruchs.*

Wie in *Phil 4,18* treffen wir hier auf die Wendung "Duft des Wohlgeruchs" (ὀσμὴ εὐωδίας), allerdings nun nicht in bezug auf die Glaubenden, sondern auf ein Handeln Christi. Mit diesem Handeln, das als liebende Selbsthingabe für die Glaubenden ("für uns") bezeichnet wird, ist sicher der Tod Jesu gemeint. Er wird als stellvertretender Sühnetod gedeutet und mit der biblischen Opfertradition verbunden. Der Duft des Opfers verweist in diesem Zusammenhang auf die Wirkung, die in der biblischen Tradition dem Brandopfer zugeschrieben wird. Es besänftigt Gott und versöhnt ihn mit den Menschen. Hier legt sich auch eine Verbindung zum Tod des Gottesknechts in *Jes 53* nahe, der für die vielen als Sühnopfer (אשׁם) stirbt.
Hier tritt allerdings das Problem auf, daß das Sühnopfer im AT nicht als "beruhigender Duft" *(reach nichoach)* interpretiert wird. Auch im Zusammenhang mit dem Tod des Gottesknechts *(Jes 53,10)* ist nicht von einem "beruhigenden Duft" die Rede. Wenn also *Eph 5,1* den Tod Jesu als duftendes Opfer deutet, dann sprengt dies die biblische Opfersystematik. Ausschlaggebend hierfür dürfte die *LXX* sein, die mit der Formulierung "Duft des Wohlgeruchs" für *reach nichoach* die alte tendenziell Systematik einebnet. Vor dem Hintergrund der hellenistischen Duftmetaphorik kann dann Wohlgeruch dem Brandopfer wie dem Räucheropfer zugeordnet werden. Da auch der liebenden Selbsthingabe Jesu am Kreuz versöhnende und erlösende Wirkung zukommt *(Eph 1,7)*, kann sie im weiteren Sinne als Opfer, als "Duft des Wohlgeruchs", gedeutet werden, ohne daß ein direkter Bezug zum Schuldopfer anzusetzen ist. Im übrigen kann auch schon im Alten Testament selbst der "beruhigende Duft" *Pars pro toto* zur Bezeichnung von Opfern allgemein dienen *(Lev 26,31)*.
Die opfertheologische Deutung des Kreuzestods steht im Zusammenhang mit einer ethischen Ermahnung der Adressaten. Die Paränese des

---

[11] Zur Verfasserfrage vgl. z.B. VIELHAUER, Geschichte der urchristlichen Literatur, 207-212; F. MUẞNER, Der Brief an die Epheser (ÖTK 10), Würzburg 1982, 33 f; NIEBUHR, Die Paulusbriefsammlung, 252 f.

Autors will die Glaubenden zu einem Lebenswandel ermuntern, der ihrem Heilsstand entspricht. Dabei deutet das rückverweisende "nun" (οὖν) in *5,1* an, daß der kurze Abschnitt eher als theologische Begründung und Zusammenfassung der vorhergehenden Mahnungen zu verstehen ist, denn als Einleitung der folgenden. Als direkter Kontext des zitierten Textes ist deshalb der Abschnitt *4,25-5,2* anzusehen,[12] wobei aber natürlich auch Verbindungen zu *4,17-24* bestehen, wo das Thema des rechten christlichen Lebenswandels in Abgrenzung von dem der Heiden schon angesprochen wurde. Dabei ist der theologische Grundgedanke der Ermahnung stets die Entsprechung von Heilserfahrung und ethischer Bewährung. Das christliche Ethos ist keine Leistung, die der Mensch aus sich heraus erbringen müßte oder könnte, sondern (ganz entsprechend der paulinischen Theologie) die angemessene Antwort auf die vorhergehende Gnade Gottes. Die Erfahrung der göttlichen Güte ist die Basis für jede ethische Bewährung. Dieses Konzept der Entsprechung von Gnade und Ethos taucht z.B. schon in *Eph 4,32* auf, wo die Mahnung zur Versöhnungsbereitschaft mit der vorausgehenden Vergebung Gottes begründet wird. Der Entsprechungsgedanke wird dann in *5,1 f.* als Nachahmung Gottes programmatisch ausgeführt und mit dem Topos der Gotteskindschaft verbunden.
Die Rede von der Nachahmung der Gottheit ist in der griechisch-römischen Ethik, vor allem der Stoa, bekannt, aber ebenso im hellenistischen Judentum, wo sie sich z.B. bei Philo von Alexandria findet, der sagt, die Frömmigkeit gebiete *"die Nachahmung der Werke Gottes" (all. 1,48)*.[13] Hier aber wird diese Nachahmung nicht anthropologisch, sondern soteriologisch begründet. Es geht nicht (wie etwa bei Epiktet[14]) darum, der Gottheit durch Nachahmung zu gefallen, sondern auf das vorausgehende Heilshandeln Gottes zu reagieren. Gott hat mit seiner erlösenden Liebe den Grund für die christliche Nachahmung gelegt, welche dadurch Antwortcharakter besitzt.
Der Indikativ der Gnade, welcher die soteriologische Basis für den ethischen Imperativ legt, ist im Begriff der Gotteskindschaft verdichtet.

---

12 Vgl. R. SCHNACKENBURG, Der Brief an die Epheser (EKK 10), Zürich 1982, 207 f; R. HOPPE, Epheserbrief/ Kolosserbrief (SKK.NT 10) Stuttgart 1987, 66.

13 Vgl. auch Philo, *virt. 168*. Allgemein zum antiken Mimesis-Gedanken vgl. J. GNILKA, Der Epheserbrief (HThK 10.2), Freiburg [3]1982, 243.

14 Vgl. z.B. Epiktet, *Lehrgespräche (Diatriben) 2,14*.

Gott hat die Glaubenden als seine geliebten Kinder angenommen, und es geht für die ChristInnen nun darum, sich als solche zu bewähren.
Die Annahme als geliebte Gotteskinder zeigt nicht nur die Liebe Gottes, sondern ist in sich zugleich auch Ausdruck des Nachahmungsgedankens. Im kulturellen Wissen der Antike war ja mit der Vater-Kind-Beziehung die Vorstellung der Ähnlichkeit zwischen Vater und Kind verbunden. Dies galt besonders für die Vater-Sohn-Beziehung, aber auch allgemein für die Beziehung von Kindern zu ihrem Vater. Das Kind konnte in gewisser Weise als Abbild oder Wiederholung des Vaters begriffen werden. Dabei wird einerseits die personale Verschiedenheit von Vater und Kind festgehalten, aber andererseits ihre qualitative Einheit betont.
Dies gilt schon für Ägypten, wo die Vorstellung anzutreffen ist, daß der Vater im Sohn weiterlebt.[15] Was die griechischen Zeugungsvorstellungen angeht, so ging die Mehrheitsmeinung dahin, daß die Mutter nur Gefäß und Nahrung für das entstehende Leben sei.[16] Der Same ist ausschließlich das Produkt des männlichen Körpers. Der männliche Samen gibt an den weiblichen Körper, der nur die Materie und die Nährseele beisteuert, die entscheidenden Qualitäten des Vaters weiter, indem er das Menstruationsblut zum Stocken bringt und so den Embryo formt.[17] Die Zeugung einer Tochter stellt in solchen Konzeptionen zwar nur einen unvollkommenen Formungsvorgang dar, aber auch die Tochter ist Abbild ihres Vaters, wenngleich in geringerem Maße als der Sohn.[18]

---

15 Vgl. J. ASSMANN, Stein und Zeit. Mensch und Gesellschaft im alten Ägypten, München 1991, 96-137.

16 Aristoteles liefert in seinem Werk *"Über die Zeugung der Geschöpfe" (De generatione animalium)* die ausführlichste Darstellung dieser Auffassung. Im 1. Buch dieser Abhandlung *(Kap. 19 f.)* stellt er klar, daß der weibliche Körper keinen Samen produziert. Der männliche Same entsteht aus dem Blut und wird mit Pneuma gemischt, welches die Lust des Beischlafs auslöst. Dieser Blut-Pneuma-Samen prägt die vom weiblichen Körper bereitgestellte Materie nach dem Vorbild des Vaters. Im Idealfall entsteht so ein Sohn, der dem Vater gleicht.

17 Nach Aristoteles ist die Wirkung des männlichen Samens auf den weiblichen Ausfluß im Uterus der von Lab auf Milch vergleichbar. Vgl. *Gen. an. 739b.* Deutscher Text: P. GOHLKE (Hg.), Aristoteles, Über die Zeugung der Geschöpfe, Paderborn 1959, 96 f.

18 Die naturphilosophische Theorie kann in diesem Punkt als Parallele zur Stellung der Frau in der griechischen Gesellschaft verstanden werden. Der

Von theologischer Bedeutung ist diese Abbildkonzeption etwa bei dem jüdischen Theologen Philo von Alexandria, der den Logos als erstgeborenen Sohn und Abbild Gottes begreift,[19] aber auch im christlichen Bereich. Bei Jesus wird etwa die Aufforderung der Feindesliebe mit der langmütigen Liebe Gottes, der seine Sonne aufgehen läßt über Böse und Gute und regnen läßt über Gerechte und Ungerechte *(Mt 5,45)*, begründet und mit der Würde der Gotteskindschaft verbunden *(Mt 5,9)*.[20] Im Johannesevangelium kann dann Christus von sich sagen, daß diejenigen, die ihn kennen, zugleich den Vater kennen *(Joh 8,19; 14,7)*. Wer Jesus sieht, sieht den Vater *(14,9)*, denn Sohn und Vater sind eins *(10,30)*.[21] Eine interessante Parallele zur ethischen Ermahnung des Epheserbriefs findet sich im Ersten Johannesbrief, wo die Gotteskindschaft ebenfalls die entscheidende soteriologische Basis für das christliche Ethos legt. Weil Gott Liebe ist, müssen sich auch die, die aus ihm gezeugt bzw. geboren sind, durch Liebe auszeichnen. Jeder, der von sich behauptet, Kind Gottes zu sein, muß an der Liebe erkennbar sein *(1Joh 4,7)*.[22]
Da die Annahme durch Gott ein Akt seiner Liebe ist, müssen auch in *Eph 5,1 f.* die geliebten Kinder Gottes in Liebe wandeln, um so den Vater nachzuahmen und sich als echte Kinder ihres Vaters zu erweisen. *"Offensichtlich will Eph zum Ausdruck bringen, was auch 4,13 leitend war, nämlich daß die Christen das werden sollen, was sie eigentlich schon sind. Was sie sind, sind sie aber durch die Vergebung Gottes (vgl. 4,32), der sie entsprechen, die sie - und zwar stetig - zu ihrer Lebenspraxis machen sollen. Darin realisieren sie ihre Gotteskindschaft"*[23].
Dieser Grundgedanke wird dann in V.2 christologisch erweitert. Christus wird neben dem Vater als weiteres Vorbild für die Glaubenden

---

gesellschaftlichen Inferiorität der Frau entspricht das Konzept der biologischen Inferiorität alles Weiblichen.

[19] Vgl. dazu J. KÜGLER, Der andere König. Religionsgeschichtliche Perspektiven auf die Christologie des Johannesevangeliums (SBS 178), Stuttgart 1999, 38-41.

[20] Vgl. P. HOFFMANN, Studien zur Frühgeschichte der Jesus-Bewegung (SBAB.NT 17), Stuttgart 1994, 37.

[21] Vgl. KÜGLER, Der andere König, 44-46.

[22] Zur Liebesparänese in *1Joh* und zu ihrem textpragmatischen Hintergrund vgl. J. KÜGLER, In Tat und Wahrheit. Zur Problemlage des Ersten Johannesbriefes, BN 48 (1989) 61-88.

[23] HOPPE, Epheserbrief, 69.

eingeführt. Das Sterben Jesu wird als Hingabe, als wohlriechendes Opfer an Gott zugunsten der Glaubenden gedeutet. In der Selbsthingabe Jesu realisiert sich eine vorbildliche Liebe, die von den AdressatInnen nachgeahmt werden soll.[24]
Man kann diese christologische Erweiterung als Störung des Gedankengangs empfinden und entstehungsgeschichtlich erklären, etwa mit der Hinzufügung von Bekenntnissätzen aus der Gemeindetradition.[25] Allerdings schließt das nicht aus, daß die Verbindung von Theologie und Christologie, die durch diese Zufügung entsteht, der Konzeption des *Epheserbriefs* durchaus entspricht. Immerhin wird schon im ersten Kapitel des Textes eine ganz ähnliche Verbindung von göttlicher Liebe und Christusereignis hergestellt. In dem einleitenden Loblied *Eph 1,3-14* wird die vorherbestimmte Erlösung als Gottessohnschaft definiert *(1,5)* und christologisch enggeführt. Die Liebe des Vaters, die sich in der Erwählung und Vorherbestimmung äußert, vollzieht sich konkret im Tod Jesu. Durch sein Blut wird den Erwählten die erlösende Gnade zuteil *(1,7)*. Da Christus der geliebte Sohn des Vaters ist und als Sohn in einer Handlungseinheit mit dem Vater steht, bezieht das Handeln des Sohnes den Vater ein und umgekehrt. In der Lebenshingabe des Sohnes vollzieht sich das liebende und erlösende Handeln des Vaters. Der Vater handelt in und durch Christus.
Vor diesem Hintergrund wird man die Reibung, die sich in *Eph 5* durch die christologische Erweiterung des Nachahmungsgedankens ergibt, nicht allzu schwer gewichten. Gott schenkt seinen Kindern seine Liebe in der liebenden Selbsthingabe Jesu. Die Liebe, die Christus den Glaubenden erweist, ist eine Liebe bis zum Tod. Sie ist, darauf macht die Duftmetapher aufmerksam, sühnendes Opfer. Die nachahmende Antwort der Kinder kann sich deshalb auch nicht auf eine allgemeine Geisteshaltung der Liebe beschränken, sondern muß sich im liebenden Lebenswandel vollziehen, der als Lebenshingabe verstanden werden kann. Die christliche Liebespraxis als Nachahmung des Vaters

---

24 Der Vergleichspunkt zwischen der Tat Christi und dem Lebenswandel der ChristInnen ist selbstverständlich nur die Liebe, nicht aber die Sühnewirkung der Hingabe Christi. Wird dies beachtet, dann muß man nicht abstreiten, daß der Tod Jesu in *Eph 5,2* unter dem Sühneaspekt gesehen wird, und die Probleme, die GNILKA (Der Epheserbrief, 245) bei der Auslegung hat, erweisen sich als völlig unnötig.

25 Vgl. z.B. U. LUZ, Der Brief an die Epheser, in: J. BECKER/ U. LUZ, Die Briefe an die Galater, Epheser und Kolosser (NTD 8.1), Göttingen 1998, 105-180; hier: 164.

ist Kreuzesexistenz und als solche zugleich Nachahmung der Hingabe Jesu. Daß die liebende Lebenspraxis der ChristInnen Teil des Duftopfers Christi ist, wird hier nicht gesagt. Ein solcher Gedanke wird vom Text zwar nicht ganz ausgeschlossen, aber auch nicht nahegelegt oder gar explizit formuliert.[26]

Zusammenfassend läßt sich festhalten, daß das Bild vom Wohlgeruch des Brandopfers in *Eph 5* eine kulttheologische Versprachlichung des Sühnecharakters ist, der dem Tod Jesu zugeschrieben wird. Indem sich Jesus für die Glaubenden hingibt und opfert, gibt er ein Beispiel der Liebe, das in einem Lebenswandel der Liebe nachgeahmt werden soll. Weil sich im erlösenden Opfer Christi zugleich die Liebe des Vaters zu seinen Kindern realisiert, ist die christliche Liebe Nachahmung des Vaters und des Sohnes in einem. Im Kontext der Paränese von *Eph 4 f.* ist die Rede vom Wohlgeruch des Brandopfers eine symbolische Verdichtung der soteriologischen Grundlegung christlicher Ethik und stellt als solche eine (durchaus naheliegende) Weiterführung paulinischer Kultterminologie dar.

1.3. Die Gebete der Glaubenden (Offb 5,8; 8,3 f.)

Im Unterschied zu den beiden bisher besprochenen Texten wird in der *Johannesoffenbarung* der Duft des Opfers nur vorausgesetzt, aber nicht direkt erwähnt. Zwar kann, wenn vom Verbrennen von Räucherwerk bzw. Weihrauch die Rede ist, die Entstehung und Ausbreitung von

---

26 Das ist der entscheidende Unterschied zum originären Paulustext in *Phil 4,18*. Trotzdem erscheint ein Zusammenhang zwischen beiden Texten möglich. Entweder hat in der paulinischen Gemeindetradition (durch *Phil 4,18* angeregt?) eine Übertragung der Duftmetapher auf den Opfertod Jesu stattgefunden, die vom Autor des *Epheserbriefs* übernommen wurde, oder der Autor selbst hat eine solche Übertragung vorgenommen. Wenn man die Kenntnis des *Philipperbriefs* voraussetzt, dann dürfte der paränetische Kontext in *Eph 5* eine solche Übertragung erleichtert haben. Im Nachahmungsgedanken werden das Tun Christi und das Handeln der Glaubenden so verbunden, daß eine Übertragung der Duftmetapher ohne weiteres möglich erscheint. Angesichts der kultischen Deutung des Sühnetods Jesu, die sich schon beim historischen Paulus findet, muß eine solche Übertragung, ob sie nun in der Gemeindetradition oder erst durch den Autor des Epheserbriefs vollzogen wurde, sogar als naheliegend eingestuft werden.

Duft erschlossen werden, daß aber dieser Duft nicht thematisiert wird, muß auffallen. In der biblischen Opfertheologie wird die Rede vom "beruhigenden Duft" in der Regel in Zusammenhang mit dem Brandopfer gebraucht. In bezug auf Weihrauch taucht die Formel nur dort auf, wo der Weihrauch dem Speiseopfer beigemischt wird, nicht aber in bezug auf das eigentliche Weihrauchopfer. Dieser Unterscheidung scheint die *Johannesoffenbarung* bei ihren beiden Erwähnungen des Weihrauchs zu folgen.

Der erste Text steht im Kontext der himmlischen Huldigung des Lammes, dem die eschatologische Herrschaft übertragen worden ist. Zu dieser Herrschaftsübertragung gehört die Übergabe des Buches mit den sieben Siegeln *(Offb 5,1-7)* an das Lamm. Dann heißt es in V.8:

> *Und als es das Buch genommen hatte, fielen die vier Wesen*
> *und die vierundzwanzig Ältesten vor dem Lamm nieder,*
> *wobei jeder eine Zither hatte*
> *und goldene Schalen voll von Räucherwerk* (θυμιαμάτων),
> *welches die Gebete der Heiligen sind.*

Daß man mit Zithern und Goldschalen nicht gut niederfallen kann, scheint ein Problem zu sein. GIESEN meint, daß den visionären Text solche Einzelheiten nicht interessieren, weil es vor allem um die Sachaussage geht.[27] Aber erstens ist nicht gesagt, daß die himmlischen Wesen die Gegenstände in den Händen behalten, wenn sie dem Lamm als eschatologischem Herrscher huldigen, und zum anderen ist auch nicht gesagt, daß sie sich dazu in Anbetung niederwerfen. Die eigentliche Proskynese der Ältesten wird jedenfalls erst später erwähnt *(5,14)*. Eventuell läßt sich also das Problem so lösen, daß man annimmt, daß hier noch kein völliges Niederwerfen gemeint ist.[28]

Die Zithern gehören jedenfalls zur Huldigung, denn im folgenden wird ein "neues Lied" zu Ehren des Lammes gesungen. Auch der Weihrauch paßt zur Anbetung, selbst wenn er hier noch nicht verbrannt wird. Insgesamt haben wir es hier also mit einer kultisch geprägten Szenerie zu

---

27 Vgl. H. GIESEN, Die Offenbarung des Johannes (RNT), Regensburg 1997, 169.

28 Kniende Gebetshaltung ist ja von alters her bekannt und auch für das Musizieren vor der Gottheit belegt. Vgl. z.B. *1Kön 18,42; 19,18; 2Chr 6,13; Esr 9,5; 10,1; Jes 45, 23; Lk 22,41*. Ältere Bildbelege bei O. KEEL, Die Welt der altorientalischen Bildsymbolik und das Alte Testament. Am Beispiel der Psalmen, Göttingen [5]1996, 292-294 (Knien als Gebetshaltung) und 326 (kniender Musiker vor der Gottheit).

tun: Die Gebetshaltung des Niederfallens bzw. Kniens, die Musikinstrumente und der Weihrauch sind Elemente des irdischen Tempelkultes, welcher hier in die himmlische Welt transferiert wird. Die Vorstellung, daß im Himmel ein Kult stattfindet, der Analogien zum irdischen aufweist, ist im Frühjudentum üblich. Da der irdische Tempel als Wohnort Gottes ein Stück Himmel auf Erden ist, liegt es nahe, umgekehrt den Himmel als Tempel zu konzipieren.[29] Hier allerdings wird die Verbindung von Himmel und Erde auf besondere Weise gestiftet: Das Räucherwerk des himmlischen Kultes sind die Gebete der "Heiligen", wie die ChristInnen schon bei Paulus genannt werden. Die Verbindung von Gebet und Weihrauch hat ihr biblisches Vorbild in *Ps 141,2 (LXX 140,2)*, wo der bedrängte Beter erhofft, daß sein Gebet *"wie Räucherwerk"* (ὡς θυμίαμα) zu Gott emporsteigt. Während es im Psalm allerdings vor allem um die Gleichwertigkeit und Gleichwirksamkeit von Gebet und Rauchopfer geht, liegt der Akzent in *Offb 5* anders: Die Gebete der Glaubenden sind als Opfermaterial im himmlischen Kult vor dem Lamm präsent. Durch sie werden Himmel und Erde verbunden.

Eine weitere Deutung der Gebete ist davon abhängig, wie man ihren Inhalt einschätzt. Handelt es sich um Lob und Dank, um Bitte und Fürbitte, oder geht es um Fluch und Segen? Diese Frage beantwortet der Text an dieser Stelle nicht, aber allein schon die apokalyptische Textsorte mit ihrer pragmatischen Grundintention der Tröstung und Ermutigung läßt auf endzeitliche Bedrohung und Gefahr schließen. Auch die Situationsangaben in den ersten vier Kapiteln deuten in diese Richtung: Mehrmals *(z.B. Offb 1,9; 2,9 f.)* ist von Bedrängnis (θλῖψις) die Rede. Autor und AdressatInnen befinden sich in bedrohlicher Lage. Es geht um Leben und Tod.[30] Spätere Textstellen *(7,14; 12,11; 16,6; 17,6; 18,24; 19,2;)* bestätigen diese Einschätzung. Auch wenn sich in

---

29 Vgl. J. D. CHARLES, An Apocalyptic Tribute to the Lamb (Rev 5:1-14), JETS 34 (1991) 461-473: 463-465; A. M. SCHWEMER, Gott als König und seine Königsherrschaft in den Sabbatliedern aus Qumran, in: M. HENGEL/ A. M. SCHWEMER (Hg.), Königsherrschaft Gottes und himmlischer Kult im Judentum, Urchristentum und in der hellenistischen Welt (WUNT 55), Tübingen 1991, 453-118; H. LÖHR, Thronversammlung und preisender Tempel. Beobachtungen am himmlischen Heiligtum im Hebräerbrief und in den Sabbatopferliedern aus Qumran, ebd. 185-205. Vgl. auch *ApkMos 33,4 f.; 38,2* (dazu s.o.).

30 Zum zeitgeschichtlichen Hintergrund des Textes vgl. J. KÜGLER, Offenbarung des Johannes, NBL 3, 21-25: 23 f.

Offb 5 noch nicht genau sagen läßt, was der Inhalt der Gebete der ChristInnen ist, so kann doch festgehalten werden, daß es sich um Gebete in Bedrängnis handelt. In *Offb 6,9-11* wird ein weiterer Hinweis gegeben. Als das Lamm das fünfte Siegel des Buches öffnet, sieht der Seher unter dem himmlischen Altar die Seelen aller, die wegen ihrer Treue zu Gottes Wort umgebracht wurden.
In V.10 heißt es dann, daß diese Seelen mit lauter Stimme rufen:

> *Wie lange zögerst du noch, Herr,*
> *du Heiliger und Wahrhaftiger, Gericht zu halten*
> *und unser Blut an den Bewohnern der Erde zu rächen?*

Dieser Klageruf wird dann in V.11 damit beantwortet, daß die Blutzeugen mit weißen Festgewändern bekleidet werden und ihnen gesagt wird, sie müßten nicht mehr lange warten, bis ihr Verlangen nach Gerechtigkeit erfüllt würde.
Der Ruf der Getöteten nach Vergeltung dürfte den Gebeten der bedrängten ChristInnen ziemlich genau entsprechen. In den Rauchopferschalen der himmlischen Wesen liegen Gebete, die um *"die Durchsetzung des Heilsplans Gottes"* flehen,[31] d.h. um das Ende der Bedrängnis, um die Durchsetzung der göttlichen Gerechtigkeit.
Wenn solche Gebete zum himmlischen Gottesdienst gehören, dann wird eine direkte Verbindung von Gottesverehrung und irdischem Leid hergestellt. Dabei ist die Art der Zuordnung genau zu beachten: Nicht das Leiden und Sterben der Glaubenden dient der Anbetung Gottes, sondern ihre Gebete, also die Bitten um Gerechtigkeit, liegen in den himmlischen Schalen und nehmen Gott als allmächtigen und gerechten Herrn der Geschichte in Anspruch. Die himmlische Herrlichkeit Gottes und seines Lammes ist keine selbstgenügsame, menschenferne und leidvergessene Herrlichkeit, sondern bezieht die Erinnerung an das Leid stets ein. Die Klage der Leidenden ist im himmlischen Kult präsent und kann nicht vergessen werden. Das gibt die Gewißheit auf ein baldiges Ende der Not. Diese Heilsgewißheit drückt auch das folgende Lied aus. Es besingt die, die jetzt noch leiden, schon als Volk Gottes, von Christus durch sein Blut erlöst *(5,9)*. Auch wenn die Erlösten erst in Zukunft auf Erden herrschen werden, sind sie doch jetzt schon Könige und Priester *(5,10)*.

---

[31] GIESEN, Die Offenbarung des Johannes, 169. Vgl. U. B. MÜLLER, Die Offenbarung des Johannes (ÖTK 19), Würzburg [2]1995, 157.

Der zweite Text, in dem die Gebete der ChristInnen im himmlischen Kult erwähnt werden, bestätigt diese Auslegung. In *Offb 8* wird erzählt, wie das Lamm, welches allein dazu in der Lage ist *(Offb 5)*, das siebte und letzte Siegel des Buches öffnet. Es entsteht eine halbstündige Stille im Himmel, während (oder nach) der der Prophet Johannes sieben Engel sieht, denen sieben Posaunen gegeben werden, mit denen sie später die apokalytischen Plagen einleiten. In diesem Kontext heißt es dann:

> *3 Und ein anderer Engel kam und stellte sich mit einer goldenen Weihrauchpfanne an den Altar, und es wurde ihm viel Räucherwerk gegeben, damit er es als die Gebete*[32] *aller Heiligen auf den goldenen Rauchopferaltar vor dem Thron gebe. 4 Und der Rauch des Räucherwerks stieg auf als die Gebete der Heiligen aus der Hand des Engels vor Gott. 5 Und der Engel nahm die Weihrauchpfanne und füllte sie mit dem Feuer des Altars und warf es auf die Erde. Und Donner und Stimmen und Blitze und ein Erdbeben entstanden.*

Anschließend beginnen die sieben Engel ihre Posaunen zu blasen und apokalyptische Plagen setzen ein.

Räucherschaufel [33]

Daß ein Engel die Gebete von Menschen vor Gott trägt, ist eine frühjüdische Vorstellung, die sich z. B. auch in dem spätbiblischen Buch *Tobit* findet *(Tob 12,12.15)*, welches aus dem 2. Jh. v.Chr. stammt. Hier in *Offb 8* werden die Gebete der Heiligen aber nicht nur vor Gott gebracht, sondern darüber hinaus in den himmlischen Kult eingebunden, wie dies ja schon in *Offb 5* angedeutet war. Während aber dort der Gebetsweihrauch noch nicht verbrannt wurde, wird er hier auf dem goldenen Altar dargebracht und sein Rauch steigt zu Gott empor. Das Rauchopfer hat hier keine sühnende oder beruhigende Wirkung, sondern ist reine Kommunikation. Das Gebet der ChristInnen gelangt zu Gott, und Gott

---

32 Im griechischen Text steht hier ein schwer zu übersetzender Dativ (ταῖς προσευχαῖς), der auch "zusammen mit" oder "für" bedeuten kann. Jedenfalls werden die Gebete und das Räucherwerk eng miteinander verbunden. Da in *Offb 5,8* beides miteinander identifiziert wird, habe ich mich hier für die Übersetzung "als" entschieden.

33 Levante, 100-300 n.Chr., Bible Lands Museum, Jerusalem (BLMJ 925). Computergraphik: J. K.

reagiert, wenn auch durch die Vermittlung seines Engels, der vom Altar Feuer nimmt, um es auf die Erde zu werfen.
Zwar wird auch hier keine direkte Information über den Inhalt der Gebete gegeben, aber der Kontext deutet doch sehr darauf hin, daß die Interpretation als Klagegebete (in Entsprechung zu *Offb 6*) nicht ganz falsch sein kann. Dadurch, daß die Posaunenengel, welche göttliche Strafaktionen auslösen, vor und nach der Darbringung des Gebetsweihrauches erwähnt werden, ensteht ein Kontext von Strafe und Gericht. Dieser Kontext wird noch eindeutiger durch die Aktion des Räucherengels, der Feuer auf die Erde schleudert, was als Hinweis auf den göttlichen Zorn und die bevorstehende Zerstörung zu verstehen ist. Donner, Stimmen, Blitze und Erdbeben sind biblische Begleitphänomene der Gotteserscheinung. Sie leiten hier Gottes Eingreifen ein und *"ereignen sich als Vorboten des Gerichts"*[34]. Das Feuerwerfen des Engels ist aber unmittelbar mit den Gebeten der ChristInnen verbunden: Es ist dasselbe Feuer, in dem ihre Gebete dargebracht wurden, derselbe Altar, dieselbe Weihrauchpfanne.
Aus diesem recht eindeutigen Kontext ist mit GIESEN zu schließen, daß es bei den Gebeten der Heiligen um die Realisierung der eschatologischen Gottesherrschaft gegen die Herrschaft der Gottlosen geht. Kaum noch nachvollziehbar ist dann allerdings, wie GIESEN behaupten kann, die Gebete seien keine Rachegebete, *"sondern Dank- und Lobpreis"*[35]. Dabei haben die klagenden Seelen der Geschlachteten in *Offb 6,10* doch eindeutig von Rache gesprochen, und die Vernichtung der Gottlosen beginnt sich in den apokalyptischen Plagen zu vollziehen! Freilich geht es nicht um persönliche Rachsucht der Gequälten, sondern um die eschatologische Herstellung einer umfassenden gerechten Ordnung.[36] Das Leid der Opfer klagt die Güte Gottes an und fordert seine Gerechtigkeit ein. Wenn es aber im apokalyptischen Drama, das die *Johannesoffenbarung* entwirft, darum geht, die Gerechtigkeit Gottes durchzusetzen, dann gehört dazu auch die Bestrafung der Übeltäter und die Sühne für die Leiden der Opfer.[37]

---

34 MÜLLER, Offenbarung des Johannes, 187.

35 GIESEN, Offenbarung des Johannes, 209.

36 Das sieht im übrigen auch GIESEN (Offenbarung des Johannes, 183 f.) so.

37 Ohne Sühne kann Gottes neue gerechte Ordnung nicht gelingen. Eine zeitgenössische Gerichtstheologie wird freilich immer festhalten müssen, daß das Gericht letztlich nicht der Vernichtung der Täter gilt, sondern ein Gericht der Versöhnung ist, ein Gericht zum Leben, das auch eine Rechtferti-

Zu solcher Sühne fordern die Gebete der Leidenden und Bedrängten in *Offb 8* auf und die Reaktion des Engels in V.5 wie auch die folgenden Plagen zeigen, daß Gott die Leiden seines Volkes wahrgenommen hat und im Zorn darauf reagiert. Damit läßt sich nun auch die Duftsymbolik der *Offenbarung des Johannes* weiter deuten. Es ist verständlich, warum in *Offb 5.8* nicht vom "Duft des Wohlgeruchs" die Rede sein kann. Zum einen ist diese Formulierung biblisch eher mit dem Brandopfer als mit dem Rauchopfer verbunden, zum anderen wurde hinter der griechischen Übersetzung eventuell noch die hebräische Formulierung vom besänftigenden Duft des Opfers erkannt und als unpassend eingestuft. Hier geht es ja nicht um Besänftigung Gottes, sondern um seinen Zorn. Die Ordnung der Welt ist gestört, und das Weihrauchopfer stellt diese Ordnung nicht wieder her, sondern macht auf die Störung aufmerksam und ruft zu ihrer Behebung auf. Der Weihrauch hat hier also "nur" kommunikative Bedeutung. Er stellt wie in der altägyptischen Dufttheologie eine Verbindung zwischen Gott und Mensch her, allerdings ist diese Verbindung hier thematisch anders besetzt.
Im Kontext apokalyptischer Weltdeutung kann es nicht mehr der König als Repräsentant irdischer Herrschaft sein, der mit Gott in Verbindung gesetzt wird. Die irdische Herschaft, unter der die Gerechten leiden, wird ja als widergöttlich eingestuft. Die königliche Würde ist den leidenden und verfolgten Gerechten übertragen worden. Sie sind die Könige und Priester *(Offb 5,10)* und werden Söhne Gottes sein *(21,7)*. So stiftet nun auch der Weihrauch eine Verbindung zwischen den königlichen Leidenden und Gott. Es geht hier aber nicht um Verschmelzung im gemeinsamen Familiengeruch. Die Differenz zwischen Gott und Mensch wird nicht überwunden. Der Rauch des verbrannten Räucherwerks wird nicht einmal als wohlriechend eingestuft. Der Duft des Weihrauchs ist ja nicht wie in der ägyptischen und griechisch-römischen Duftsymbolik ein Teil des göttlichen Wesens und repräsentiert hier auch nicht die göttliche Identität, sondern die Klage der Leidenden, und bringt diese vor Gott. Der Rauch der Klage wird von Gott nicht als Wohlgeruch wahrgenommen, sondern als Herausforderung zur Solidarität, und sein Zorn zeigt, daß er dazu bereit ist.
Vor diesem Hintergrund ist es auch recht unwahrscheinlich, daß das Passiv in V.3 *("es wurde ... gegeben")* tatsächlich ein *Passivum divinum* darstellt und also Gott der Spender des Räucherwerks ist. Es

---

gung Gottes impliziert. Vgl. O. FUCHS, Neue Wege einer eschatologischen Pastoral, ThQ 179 (1999) 260-288: 273-282.

geht eben nicht um den göttlichen Wohlgeruch, der von Gott ausgeht und wieder zu ihm zurückkehrt. Auch ein Bezug auf das Heilshandeln Christi (wie in *Eph 5*) wird vom Text nicht nahegelegt.[38] Es besteht zwar eine Verbindung zwischen dem Rauch der Gebete der Glaubenden und dem Rauch der göttlichen Macht, aber wenn in *Offb 15* der Rauch der Herrlichkeit Gotttes den Tempel erfüllt, dann ist nicht von Wohlgeruch die Rede, sondern von Zorn *(15,7 f.)*.[39] Es geht hier nicht um Duft, sondern um den Rauch einer distanzstiftenden Zornesherrlichkeit: Niemand kann den Tempel betreten, bis der Zorn Gottes vollendet ist *(15,8)*.

Abschließend kann festgestellt werden, daß in der *Johannesoffenbarung* eine durchaus selbständige Weiterführung biblischer Dufttheologie in apokalyptischer Transformation zu finden ist. Zur Duftsymbolik seiner Kontextkultur zeigt der Text eine auffällige Distanz, was der allgemein gesellschafts- und kulturkritischen Einstellung der Apokalypse entspricht. Der üppige Gebrauch von Duftstoffen wird als Charakteristikum einer verkommenen Welt eingestuft, die sogar mit Menschen handelt *(18,12 f.)*. Wenn diese Welt zu Ende geht, wird ihr Handel eingestellt, nur noch der Rauch der brennenden Stadt "Hure Babylon" *(18,9.18; 19,3)*[40] steigt als Zeichen des Zorngerichts Gottes empor *(14,11)*, und in der neuen Stadt "Jerusalem" gibt es keinen Tempel mehr, also auch keinen Kult, keinen Weihrauch. So bleibt die Identifikation mit der Klage der Leidenden, die den Zorn Gottes herausfordert, die einzige positive Weihrauchsymbolik in der *Johannesoffenbarung*.

---

38 Gegen GIESEN, Offenbarung des Johannes, 209.

39 Man mag zwar wegen der Beziehung zu *Jes 6,4* an den Weihrauch des Tempelskultes denken, aber schon dort ist vom Duft nicht die Rede, sondern nur von Rauch. Der Rauch des Kultes wird vermutlich schon in *Jes 6* nur als Analogie zum Rauch der Theophanie *(Ex 19,18)* verstanden. Im übrigen scheint mir die Verbindung des Rauchs mit dem Zorn Gottes über die Bedrängnis der Gerechten in *Offb 15* stark vom Danklied des bedrängten David in *Ps 18 (LXX Ps 17,8 f.* par. *2Sam 22,8 f.)* beeinflußt zu sein.

40 Vgl. *LXX Ps 36,20; 67,3*: Die Feinde Gottes vergehen wie Rauch.

2. *Der göttliche Duft Christi*

2.1. Der Duft des triumphierenden Christus (2Kor 2,14-16)

Während in *Phil 4* zu sehen war, daß Paulus sich auf die biblische Opfertheologie bezieht, haben wir es in *2Kor 2* mit einer deutlichen Bezugnahme auf biblisch-weisheitliche und pagane Duftsymbolik zu tun.

> *14 Dank sei Gott, der uns immer im Triumphzug herumführt in Christus und den Duft seiner Erkenntnis durch uns an jedem Ort offenbar macht. 15 Denn Christi Wohlgeruch sind wir für Gott unter denen, die gerettet werden und unter denen, die verlorengehen. 16 Den einen Geruch aus Tod zum Tod, den anderen aber Geruch aus Leben zum Leben. Wer ist dazu fähig?*

Hinsichtlich der Auslegung der komplexen Duftmetaphorik in *2Kor 2,14-16* sind mehrere Punkte umstritten:[41]
Welches Bild soll die Erwähnung des Triumphzugs bei den impliziten Lesern evozieren, und wie hängt dieses Bild mit den mehrfachen Erwähnungen von Duft in diesem Abschnitt zusammen? Wie ist schließlich die Rolle des Paulus im Triumphzug Gottes zu bestimmen?
Um diese Fragen angehen zu können, ist zunächst nach dem Horizont kulturellen Wissens zu fragen, vor dem der paulinische Text steht.

– *Der römische Triumphzug als kulturelles Basisbild*

Es ist anzunehmen, daß das Präsenspartizip θριαμβεύοντι in V.14 auf die römische Institution des Triumphes anspielt, weswegen es hier mit "der uns im Triumphzug herumführt" übersetzt wurde.[42] Der römische Triumph bezog ja, wie oben (Kap. IV.2) zu sehen war, seine Bedeutung

---

[41] Da ich mich an anderer Stelle ausführlich zu diesem Text geäußert habe, sei hier eine kürzere Darstellung gestattet. Vgl. zum folgenden J. KÜGLER, Paulus und der Duft des triumphierenden Christus. Zum kulturellen Basisbild von 2Kor 2,14-16, in: R. HOPPE/ U. BUSSE (Hg.), Von Jesus zum Christus. Christologische Studien. FS Paul Hoffmann (BZNW 93), Berlin 1998, 155-173.

[42] Mit dieser Übersetzung ist eine Entscheidung in bezug auf die Bedeutung von θριαμβεύω schon gefällt, nämlich die Ablehnung der neutralen Bedeutung "bekannt machen", für die vor allem EGAN eingetreten ist. Vgl. R. B. EGAN, Lexical Evidence on two Pauline Passages (NT 19) 1977, 34-62: 36; auch G. DAUTZENBERG, Art. θριαμβεύω *thriambeuô* bekannt machen, EWNT 2, [2]1992, 384-386. Zur Kritik an EGANS These vgl. J. SCHRÖTER, Der versöhnte Versöhner. Paulus als unentbehrlicher Mittler im Heilsvorgang zwischen Gott und Gemeinde nach 2Kor 2,14 - 7,4 (TANZ 10), Tübingen 1993, 14-16; KÜGLER, Paulus und der Duft, 158 f.

aus der Einbettung in einen religiös aufgeladenen Kontext. Zum religiösen Charakter dieses öffentlichen Kultakts gehörte auch das Verbrennen von Weihrauch, dessen Duft hier als Zeichen für die Epiphanie des Göttlichen fungierte. Damit dürfte der Triumphzug mit seinem Epiphaniecharakter und dem verbreiteten Duft das Basisbild für den paulinischen Text bilden. Gott triumphiert durch seinen Christus und offenbart seine Gegenwart im Duft. Allerdings kann die Triumphkonzeption nicht alle Dimensionen der paulinischen Duftsymbolik erklären. Es müssen zusätzliche Dufttraditionen berücksichtigt werden.

– *Der Duft der Weisheit und des Weisen*

Bei Paulus als jüdischem Autor ist von vornherein auch ein Bezug zu biblisch-jüdischen Konzeptionen zu erwarten. In *2Kor 2* ist vor allem eine Verbindung zu weisheitlichen Traditionen festzustellen. Der verströmte Duft ist ja der der Erkenntnis Gottes bzw. Christi (V.14). Wie gesagt, wird die aus dem königlichen Kontext stammende Vorstellung vom göttlichen Wohlgeruch in *Sir 24,15* auf die Weisheit übertragen. Auch die Vorstellung, daß Paulus selbst Wohlgeruch Christi ist (V.15), ist eine Fortschreibung der Weisheitstradition. Die Weisheit gibt ihren Duft ja an die Weisen weiter *(Sir 39,14)*. Wer zur duftenden Weisheit gehört, wird selbst zum Duftträger. Von dieser Konzeption her, die sich, wie oben zu sehen war, auch im hellenistischen Judentum (Philo von Alexandria) findet, ist die Duftdeutung des Paulus zu verstehen. Wie der Weise von der Weisheit duftend gemacht wird, so wird auch Paulus, der Verbreiter der göttlichen Gnosis, selbst zum Duft für andere.

– *Lebensduft und Todesgeruch*

Zusätzlich werden in *2Kor 2,16* aber auch noch Vorstellungen von der belebenden bzw. tötenden Wirkung des Geruchs einbezogen, um die kritische Wirkung der paulinischen Botschaft auszudrücken. Die ambivalente Symbolik des Geruchs ist vor allem in Ägypten entfaltet, aber auch in griechischer Tradition belegt. Ist der Wohlgeruch das Kennzeichen des göttlichen Lebens, so ist der Gestank das Symbol des Todes, wobei im Kontext des menschlichen Sterbens konkret an den Verwesungsgeruch zu denken ist. Dieser Gegensatz von Tod und Leben ermöglicht es Paulus, auch die ambivalente Wirkung seiner Verkündigung, die den einen Tod, den anderen Leben bringt, mit der Duftmetaphorik auszudrücken und eine direkte Beziehung zu Tod und Sterben herzustellen. Denen, die die paulinische Verkündigung ablehnen, bleibt das Wort vom Kreuz nur die Nachricht von einem menschlichen Tod,

Geruch *aus* Tod, und wird ihnen so auch Geruch *zum* Tod, weil die Verweigerung des Glaubens zugleich die Verweigerung von Auferstehung und Leben ist. Wer umgekehrt im Glauben die Botschaft vom erlösenden Sterben Jesu annimmt, erkennt im Kreuz das Heil, Duft *aus* Leben, und erhält in diesem Glauben zugleich die Verheißung ewigen Lebens, Duft *zum* Leben.

Die Basis für dieses vielschichtige Spiel mit verschiedenen Aspekten der Duftsymbolik ist das kulturelle Wissen um die Epiphaniequalität des vom Triumphzug ausströmenden Duftes, welches wiederum auf der noch allgemeineren Konzeption vom göttlichen Wohlgeruch beruht. Diese interreligiös verbreitete Vorstellung bildet die Basis dafür, daß Paulus an das Bild vom Triumph die anderen Aspekte, die er braucht, um seiner Konzeption des eigenen Wirkens adäquat Ausdruck zu verleihen, ohne weiteres anschließen kann.

– *Die Rolle des Paulus im Triumphzug Gottes*

Vor dem Hintergrund der dargestellten kulturellen Tradition ist nun die Frage zu stellen, welche Rolle Paulus sich selbst im Triumph Gottes zuschreibt. Nach WINDISCH denkt Paulus hier an seine Missionstätigkeit und man hat ihn sich *"aktiv vorzustellen, sei es als Träger seiner Trophäen /.../, sei es als Träger der Weihrauchfässer, sei es als Herold, der die Siege verkündet, sei es als Unterführer oder Soldat, der die Gefangenen an der Hand führt. Jedenfalls ist 'Christus der Sieger und P. der Zeuge dieses Sieges' das Hauptmoment dieser Aussage"*[43].

Weil diese Auslegung aber ein Verständnis von "triumphieren" voraussetzt, das ohne weitere lexikalische Belege auskommen muß, findet sie heute kaum noch Anhänger.[44] In der modernen Forschung wird das Verb meist so aufgefaßt, daß das Herumführen eines Gefangenen im Triumph bezeichnet wird.[45] Allerdings bezeichnet sich Paulus nur dann als Gefangener Christi, wenn er tatsächlich im Gefängnis sitzt *(Phlm 1.9; Phil 1,7.13)*, was hier nicht der Fall ist.[46] Auch kann für die Verwendung der Duftmetaphorik in diesem Fall kein Haftpunkt im Bild angegeben werden. Daß nämlich der Triumphator durch die Ge-

---

43 H. WINDISCH, Der zweite Korintherbrief (KEK 6), Göttingen 1924, 97.

44 Als Ausnahmen sind zu nennen: C. K. BARRETT, A Commentary on the Second Epistle to the Corinthians (BNTC), London ²1979, 97 f; J. KREMER, 2. Korintherbrief (SKK.NT 8), Stuttgart 1990, 33 f.

45 Vgl. FURNISH, II Corinthians, 174 f; KLAUCK, Zweiter Korintherbrief, 32 f.

46 Vgl. Ch. WOLFF, Der zweite Brief des Paulus an die Korinther (ThHK 8), Berlin 1989, 54.

fangenen Duft verbreitet, ist nicht nachvollziehbar. Die Gefangenen werden ja nicht als Brandopfer dargebracht. So schwächt denn auch BREYTENBACH den Aspekt der Gefangenschaft des Paulus stark ab.[47] Er kommt schließlich zu der Deutung, der Triumphzug sei eine Metapher für die apostolische Aktivität des Paulus, der sein Bekehrungserlebnis als Besiegtwerden von Gott verstanden habe.

Hier ist aber zu fragen, ob man denn Paulus wirklich den Gedanken zutrauen soll, daß seine "Niederlage" vor Damaskus der Grund für den permanenten Triumph Gottes sei. Konnte Paulus seine eigene Bekehrung als die entscheidende heilsgeschichtliche Wende verstehen? Diese Frage ist entschieden zu verneinen, denn für Paulus geschieht die eschatologische Wende selbstverständlich im Kreuz und in der Auferstehung Christi und nicht in seiner "Niederlage".[48]

Zudem löst diese These eigentlich das Problem nicht, wie denn die Rolle des Paulus im Triumphgeschehen zu bestimmen sei. Sie zwingt nämlich dazu, Paulus eine doppelte Rolle zuzuweisen: Der Triumph Gottes wäre einerseits eine immerwährende Feier des Sieges über Paulus als Repräsentanten der alten Welt, andererseits würde sich diese Feier konkret in der Evangelisationstätigkeit des Paulus als Repräsentanten Christi vollziehen. Die Rolle des Paulus würde also innerhalb eines Satzes unter zwei völlig gegensätzlichen Aspekten thematisiert. Das ist wenig wahrscheinlich und mit dem Bild des Triumphzuges nicht zu vereinbaren. Eine solche Doppelrolle des Paulus paßt außerdem weder zum unmittelbaren noch zum weiteren Kontext.

---

47 Vgl. zum folgenden BREYTENBACH, "thriambos", 259-269; auch SCHRÖTER, Versöhner, 21-33; J. LAMBRECHT, The Defeated Paul, Aroma of Christ: An Exegetical Study of 2 Corinthians 2:14-16b, Louvain Studies 20 (1995) 170-186: 183-185.

48 Außerdem ist es sehr fraglich, ob Paulus seine Bekehrung überhaupt als Niederlage versteht. In *Gal 1,15 f.* jedenfalls ist keine Rede davon, daß Gott Paulus besiegt hat, sondern davon daß Gott ihn in seiner Gnade berufen hat und ihm seinen Sohn offenbarte. Auch in *1Kor 15,9 f.* thematisiert Paulus seine Bekehrung unter dem Aspekt des Gnadenhandelns Gottes. In V.10 fällt das Stichwort "Gnade" dreimal, von der Dialektik von Sieg und Niederlage ist dagegen nichts zu finden. Es dürfte generell schwerfallen, einen Beleg zu finden, wo Paulus sein Bekehrungserlebnis wirklich als Besiegtwerden durch Gott darstellt. Daß Paulus sich als Sklave Christi bezeichnen kann *(Röm 1,1; Gal 1,10)*, ist bekannt. Damit ist allerdings stets der Aspekt der gnadenhaften Berufung und Beauftragung, nicht aber der Aspekt des Besiegtwerdens verbunden.

V.14 ist ein Satz mit zwei Partizipialwendungen. Die Gleichförmigkeit der Syntax zwingt dazu, die beiden Handlungen Gottes als gleichzeitig sich vollziehend aufzufassen. Der Dank des Paulus geht an Gott für seinen Triumph und für sein Offenbarungswirken. Eine Gegnerschaft zwischen Paulus und Gott ist nicht thematisiert. Vielmehr wird Paulus im Offenbarungsprozeß als Instrument göttlichen Handelns ("durch uns") charakterisiert. Er gehört also auf Gottes Seite. Daß Paulus sich im ersten Satzteil eine völlig andere Rolle zuschreiben würde, ist nicht anzunehmen. In V.15 wird die Nähe zwischen Gott und dem Apostel so betont, daß der Apostel nicht nur Instrument zur Verbreitung des göttlichen Wohlgeruchs ist, sondern sogar diesen selbst verkörpert. Auch hier ist die Rollenverteilung klar: Als Verbreiter des Duftes der göttlichen Weisheit ist Paulus ein Instrument Gottes; er gehört auf Gottes Seite. Am Ende von V.16 stellt Paulus die Frage, wer dazu geeignet sei. Paulus gibt keine direkte Antwort, suggeriert aber in V.17 durch die Abgrenzung von den anderen, den Gegnern, daß er es durchaus sei. Damit ist vorausgesetzt, daß im vorausgehenden Text etwas Ehrenvolles und Erstrebenswertes angesprochen wurde. Doch wohl nicht der Status eines Besiegten, sondern eher die Größe und Würde des apostolischen Dienstes.
In *2Kor 3,1* stellt Paulus die rhetorische Frage, ob das Gesagte wieder eine Selbstempfehlung sei. Auch dies läßt erschließen, daß er meint, vorher einen Anspruch formuliert zu haben, der eventuell als anmaßend kritisiert werden könnte. Kann er dabei an den Status eines Besiegten, oder gar eines zur Schau gestellten Gefangenen denken? Die pragmatische Intention, die Würde des Apostelamtes zu begründen, läßt nicht erwarten, daß hier eine Feindschaft zwischen Gott und Paulus thematisiert ist, auch wenn klar ist, daß der Apostel von heute der Feind von früher war, der nur durch seine Bekehrung zum Knecht Christi wurde.
Aus diesem Dilemma versucht die These von DUFF herauszuführen. Er hält einerseits daran fest, daß die Triumphmetapher in *2Kor 2,14* den Apostel in der Rolle des Gefangenen präsentiert, der zur Hinrichtung geführt wird, andererseits aber sieht er als zweite Konnotationsebene die Teilnahme des von der Liebe Christi versklavten Paulus an einer kultischen Epiphanieprozession des Christus.[49] Textpragmatisch würde

[49] Vgl. P.B. DUFF, Metaphor, Motif, and Meaning: The Rhetorical Strategy behind the Image "Led in Triumph" in 2 Corinthians 2:14, CBQ 53, 1991, 79-92; hier: 86-92.

eine solch spannungsreiche Doppelmetapher die Funktion haben, einerseits die Geringschätzung der Leidenserfahrungen des Paulus durch seine Gegner aufzunehmen und andererseits deutlich zu machen, daß das, was aussieht wie ein Gang zum Richtplatz, auch etwas ganz anderes sein könnte, nämlich die Teilnahme an einer kultischen Prozession mit Epiphaniecharakter.

Problematisch ist an dieser These die Absetzung des Triumphzuges von der Götterprozession mit ihrem Epiphaniecharakter. Eine solche Trennung ist auch völlig unnötig, denn - wie oben beschrieben - war auch der Triumphzug eine Götterprozession mit Epiphaniecharakter. Allerdings ist das Kultbild, in dem die Gottheit präsent ist, in diesem Fall ein Mensch, nämlich der Triumphator in der Rolle Jupiters. Im paulinischen Text wäre das der triumphierende Christus als Bild Gottes *(2Kor 4,4)*. Das Triumphieren Gottes, welches sich auf Paulus als Objekt richtet, ist ein Handeln "in Christus". Das läßt sich durchaus so verstehen, daß der Triumph Gottes sich auf seinen Sieg im Tod und in der Auferstehung Christi bezieht, welcher zugleich den Sieg über alle Sünde (und also auch über die des Paulus) darstellt. V.14 deutet jedenfalls darauf hin, daß das Offenbaren der Erkenntnis durch den Apostel an jedem Ort und der Triumph Gottes sich zeitgleich vollziehen. Bei dem Triumph handelt es sich also um ein himmlisches Geschehen, das problemlos mit den Verkündigungsreisen des Apostels parallelisiert werden kann, weil es der irdischen Zeitstruktur enthoben ist und sich deshalb permanent realisieren kann. Der Triumph Gottes ist also der himmlische Siegeslauf des erhöhten Christus, wobei die Rollenverteilung der der *Pompa triumphalis* entspricht: Im römischen Triumph ist Jupiter als göttlicher Vater der eigentliche Triumphator, der durch sein menschliches Kultbild, den in der Sohnesrolle agierenden Feldherrn, repräsentiert wird. Analog dazu vollzieht sich bei Paulus der Triumph Gottes, des Vaters, im Handeln des Christus, welcher (als Sohn und lebende Ikone des Vaters) stellvertretend den errungenen Sieg feiert. Wenn aber Gott "in Christus" triumphiert, dann gehört Paulus auf dessen Seite, denn ganz sicher gehört auch er zu denen, die "in Christus" sind.

Offensichtlich ist die Feststellung unausweichlich, daß der paulinische Kontext dem Herumgeführtwerden im Triumphzug insofern eine positive Qualität zuordnet, als der Apostel sich auf der siegreichen Seite Gottes sieht und nicht auf der feindlichen. Setzt man diese Aussage mit der üblichen Bedeutung in Verbindung, so ergibt sich eine deutliche Spannung: Wie kann der überwundene Feind, der im Triumph herum-

geführt wird, eine positive Rolle spielen? Eine mögliche Antwort liegt im Hinweis auf den metaphorischen Charakter der paulinischen Formulierung. Die von DUFF angeführte Stelle bei Ovid mag weiterhelfen. In *Amores 1,2,19* beginnt eine Rede des Verliebten an Cupido, in der der Dichter völlig problemlos zwischen der Bildwelt des Triumphes und der des Dionysoszuges changieren kann. Zunächst gesteht der vom Pfeil der Liebe getroffene Sprecher, daß er die neueste Beute des Gottes sei, und bietet sich unterwürfig zur Fesselung an *(2,19 f.)*. Er hat kapituliert und bittet um Frieden. Es folgt ab *2,23* eine parodierende Beschreibung des Triumphzuges des Cupido: Der Triumphwagen wird von den Tauben der Venus gezogen, das Volk akklamiert, gefangene Jungen und Mädchen werden mitgeführt. Neben dem Sprecher, der als neueste Beute seine Fesseln trägt *(2,29 f.)*, werden auch Tugenden als Gefangene mitgeführt. Die Menge schreit den Triumphruf; Schmeichelei, Verblendung und Wahnsinn sind die Soldaten, mit denen Cupido Menschen und Götter überwältigt *(2,35-38)*. Die Mutter Venus applaudiert vom Olymp und streut dem Triumphator Rosen *(2,39 f.)*. Der goldglänzende Liebesgott, über und über mit Juwelen geschmückt, fährt im goldenen Wagen daher, verschießt seine Pfeile selbst noch im Triumph und macht neue Beute *(2,41-46)*. In *2,47 f.* wird dann auf die Vorstellung von der siegreichen Rückkehr des Dionysos aus Indien angespielt. Schließlich versichert der Sprecher, daß er Teil des heiligen Triumphes ist, und daß der siegreiche Cupido keine Gewalt mehr anwenden muß; er soll sich vielmehr den Kaiser zum Vorbild nehmen, der mit derselben Hand die Feinde schont, mit der er sie besiegt hat *(2,49-52)*. Die Elegie endet mit einem Bild der Gnade: Der Gefangene nimmt bereitwillig am Triumphzug teil und wird geschont.
Es wäre sicher sehr gewagt, wollte man das paulinische Selbstverständnis als Apostel und seine Beziehung zu Christus mit der Beziehung des Verliebten zu Cupido in eine direkte Analogie setzen. Die Triumphmetaphorik Ovids kann aber deutlich machen, wie groß der Spielraum im übertragenen Gebrauch des Triumphbildes ist und wie sehr der Kontext, in dem die Metapher steht, die Wertungen der übernommenen Bildelemente bestimmt. Wenn es bei Ovid möglich ist, daß der Liebende sich als Kriegsbeute des Liebesgottes beschreibt, ohne daß damit Aspekte der Feindschaft, der Erniedrigung oder gar die Aussicht auf eine rituelle Hinrichtung verbunden wären, dann muß eine entsprechende Freiheit auch dem paulinischen Text zugebilligt werden. Bei Ovid ist es der Kontext der erotischen Liebe, der das Mitgeführtwerden im Triumph als ein höchst lustvolles Überwältigtwerden erscheinen

läßt, bei Paulus dagegen steht das Triumphbild im Kontext seiner Beziehung zu Gott und Christus. Diese Beziehung ist, wie oben zu sehen war, ganz von Gnade und Liebe geprägt. Wenn es etwas gibt, was den Kirchenverfolger Paulus "überwunden" hat, dann ist es die Liebe Christi, von der er sich gedrängt und "gefangengenommen" fühlt *(2Kor 5,14)*.[50] Zum Sklaven Christi berufen, steht Paulus ganz auf der Seite Gottes und seines Christus. Er verbreitet in seiner Verkündigung den Duft der göttlichen Weisheit, ja wird selbst zum Duft Christi. In diesem Kontext kann der Triumph Gottes über Paulus nicht mehr als der Triumph über einen gefangenen Feind, der hingerichtet wird, verstanden werden, sondern als herrscherliche Inbesitznahme eines Sklaven in Christus.
Wie immer man sich den Ort des versklavten Paulus im Triumphzug genau vorzustellen hätte (vielleicht doch als einen Sklaven, der Weihrauch trägt?), jedenfalls macht der Kontext klar, daß der Apostel mit seiner Verkündigungstätigkeit auf die Seite des Triumphators gehört. Zugleich wird die übliche Bedeutung des Herumführens im Triumphzug nicht völlig aufgehoben. So wird ausgeschlossen, daß Paulus sich hier als Verwandter, Offizier oder Soldat des Triumphators sieht, der selbst mittriumphiert. Es geht nicht um den Triumph des *Paulus*, sondern um den Triumph *Gottes* in *Christus*.

Zusammenfassend läßt sich also sagen, daß sich die Teilnahme des Apostels am Triumph in der Rolle eines Sklaven ereignet, der früher Feind war. Als Sklave Christi aber agiert Paulus nun als göttliches Werkzeug im Triumph. Im Dienst der duftenden göttlichen Weisheit wird er selbst zum Duftträger und verbreitet in seiner Verkündigung das Wort vom Kreuz, welches aber unterschiedliche Wirkung hat - je nach der Glaubensentscheidung der AdressatInnen. Den einen ist es (als pure Todesbotschaft) Geruch *aus* Tod *zum* Tod, den anderen, die die Botschaft vom Tod Jesu im Glauben als Heilsbotschaft und Verheißung ewigen Lebens annehmen, wird sie zum Duft, der *aus* dem Leben kommt und *zum* Leben führt.

---

50 Vgl. DUFF, Metaphor, 86 f.

2.2. Weihrauch und Myrrhe für das Messiaskind (Mt 2,11)

Zu den bekanntesten Einzelinformationen der neutestamentlichen Literatur gehört sicher die dreifache Gabe der Magier aus dem Morgenland, die in der matthäischen Geburtserzählung erwähnt werden. In *Mt 2,11* heißt es dazu:

> *Und sie gingen in das Haus, sahen das Kind mit Maria, seiner Mutter; und sie fielen nieder und huldigten ihm. Und sie öffneten ihre Schatzkisten und brachten ihm Geschenke: Gold und Weihrauch und Myrrhe.*

Daß es sich hier um symbolische Geschenke handelt,[51] ist in der Auslegungsgeschichte selten bestritten worden, und trotz mancher Irrwege, welche die daran anknüpfenden Spekulationen teilweise auch darstellen mögen, sollte man sich nun nicht dazu hinreißen lassen, jede weitere Bedeutung der Einzelgeschenke zu leugnen und sie etwa nur als allgemeinen Hinweis auf die Kostbarkeit der Gaben zu verstehen.[52] Dazu ist die Erwähnung der Einzelgeschenke zu gewichtig formuliert. Die Aufzählung der Geschenke erklärt sich überdies nicht aus erzähltechnischen Notwendigkeiten (sie spielen ja im weiteren Erzählverlauf keine Rolle), sondern dient den christologischen Interessen des Evangelisten. Zu Beginn des Evangeliums soll den Lesenden durch den Besuch und die Anbetung der Magier, die bei Matthäus als "närrische Experten" der heidnischen Welt fungieren,[53] die universale Bedeutung des Jesuskindes deutlich gemacht werden.

Wenn man nun versucht, den Zeichengehalt der drei erwähnten Gaben zu beschreiben, ohne in den Bereich willkürlicher Assoziationen abzudriften, sollte man von zwei methodologischen Grundsätzen ausgehen. Zum einen geht es darum, zu eruieren, was im kulturellen Kontext, in dem der Text entstanden ist, als Symbolgehalt bestimmter Begriffe, Vorstellungen und Sachen möglich bzw. üblich war. Zum anderen ist der erzählerische Kontext zu beachten, der aus dem Repertoire möglicher Bedeutungen unter Umständen nur einige wenige auswählt und für die Textaussage funktionalisiert. Nicht alles nämlich, was an kultu-

---

51 Vgl. hierzu und zum folgenden H. KRUSE, Gold und Weihrauch und Myrrhe *(Mt 2,11)*, MThZ 46 (1995) 203-213; J. KÜGLER, Gold, Weihrauch und Myrrhe. Eine Notiz zu Mt 2,11, BN 87 (1997) 24-33.

52 Gegen U. LUZ, Das Evangelium nach Matthäus. 1. Teilband Mt 1-7 (EKK I,1), Düsseldorf [4]1997, 121.

53 Zum Bild der Magier vgl. jetzt M. A. POWELL, The Magi as Wise Men: Reexamining a Basic Supposition, NTS 46 (2000) 1-20; bes. 4-13.

rellem Wissen textzeitgenössisch über Gold, Weihrauch und Myrrhe bekannt war, muß für die matthäische Erzählung relevant sein.
Was nun die konkrete Deutung angeht, so ist zunächst festzuhalten, daß die mögliche Symbolik der Geschenke keine Aussage über die Schenkenden machen will, sondern sich auf den Beschenkten, also Jesus, bezieht. Nach allgemeiner antiker Auffassung hat das Geschenk dem Beschenkten zu entsprechen. Zwar gibt es auch die Auffassung, daß Gabe und Geber sich entsprechen, aber diese Regel scheidet hier aus, weil der Gesamtrahmen der Erzählung deutlich macht, daß es um eine Charakterisierung Jesu und nicht um eine Charakterisierung der Besucher geht, die nach erfüllter Aufgabe spurlos aus der Erzählung verschwinden und für den Erzähler nicht weiter von Interesse sind. Entsprechend der christologischen Gesamtintention des Evangeliums dienen die Geschenke im Rahmen der Magierperikope zur Charakterisierung des Besuchten.
Bei einer näheren Beschreibung der Geschenksymbolik ist der biblische Hintergrund zu beachten, vor dem eine frühchristliche Erzählung über den Besuch frommer Heiden steht, und auf den bibelkundige Adressaten den matthäischen Text beziehen konnten.
Hier ist zunächst der Hinweis auf *Ps 72 (LXX 71),10 f.* wichtig. Die betreffende Psalmstelle lautet in der Übersetzung der Septuagintaversion:[54]

10 Die Könige von Tarschisch und die Inseln bringen Geschenke,
Die Könige der Araber und von Saba kommen mit Geschenken.
11 Und niederfallen werden vor ihm alle Könige;
alle Völker werden ihm dienen.

Selbstverständlich bestehen Unterschiede: Bei *Matthäus* sind die Besucher Magier und keine Könige und ihre Gaben sind genauer genannt als im Psalm, aber durch die beiden Motive "Geschenke bringen" und "in Proskynese niederfallen" ist *Mt 2,11* ebenso mit dem Psalmtext verbunden, wie durch den königlichen Kontext. So liegt der Schluß nahe,

---

54 Da die frühchristlichen Autoren wohl in der Regel einen griechischen Bibeltext verwendeten, liegt es nahe, nach der *LXX* zu zitieren. Zur Deutung des hebräischen Textes vgl. K. SEYBOLD, Die Psalmen (HAT I.15), Tübingen 1996, 275-279. Seine Einschätzung, das NT erwähne den Text nicht (ebd. 277), trifft nur zu, wenn damit ein direktes Zitat gemeint ist. Auch *Mt 2,11* zitiert ja nicht. An einer impliziten Bezugnahme auf den Psalm im Sinne eines biblischen Erwartungshorizonts ist aber wohl nicht zu zweifeln.

daß der matthäische Text den Besuch der Fremden aus dem Osten als Erfüllung des als Verheißung gelesenen biblischen Textes verstanden wissen will. Dies gilt umso mehr, als in V.15 dieses Psalms unter den Geschenken der Fremden explizit Gold erwähnt wird. Ob nun die Verse 10.15 von *Ps 72 (71)* tatsächlich Einträge aus *1Kön 10,1-13* darstellen[55] oder nicht, kann in unserem Zusammenhang offenbleiben. Jedenfalls stellt die dort zu findende Erzählung vom Besuch der Königin von Saba bei König Salomo einen weiteren biblischen Bezugstext für das Motiv vom Besuch fremder Gabenbringer dar. In diesem Zusammenhang ist auch erwähnenswert, daß zu den opulenten Geschenken der Königin von Saba neben Gold auch Duftstoffe (*1Kön 10,2.10:* ἡδύσματα/ "Balsam") gehören, welche in *Ex 30,23.34* als Bestandteile des Rauchopfers aufgezählt werden[56] und eine Verbindung zu den Duftstoffen unter den Geschenken der Magier herstellen. So kann einstweilen festgehalten werden: Vor dem biblischen Hintergrund von *Ps 72 (71)* wird Jesus durch das Herbeikommen der Fremden und ihre Huldigung als der Friedenskönig kenntlich gemacht, der im Psalm erwartet wird. Durch diese biblische Grundierung der Magiererzählung wird Jesus als der eschatologische Messiaskönig erkennbar.
Der andere biblische Bezugstext ist in *Jes 60,6* zu sehen. Dort geht es nicht um den Besuch beim König, sondern um die Vorstellung der eschatologischen Völkerwallfahrt auf den Zion. Der Septuagintatext lautet übersetzt:

> *Und zu dir werden kommen (6) Herden von Kamelen.*
> *Und bedecken werden dich Kamele aus Madiam und Gaifa.*
> *Alle aus Saba werden kommen und Gold bringen.*
> *Und Weihrauch werden sie bringen*
> *und die Rettungstat des Herrn verkünden.*

V. 6 steht im Kontext einer prophetischen Verheißung, die Zion direkt anspricht und die überreichen Gaben der Völker ankündigt. Dabei wird neben den Goldgeschenken auch Weihrauch (λίβανος) erwähnt.[57] Mit der Erwähnung von Gold und Weihrauch als Geschenke fremder Besucher besteht eine enge Verbindung zwischen dem Text des Mt und dem biblischen Text. Durch die Bezugnahme auf den Prophetentext wird die Geburt Jesu in den Kontext der dort entworfenen Heilsprophetie

---

55 So SEYBOLD, a.a.O., 277.

56 Auch in *Ez 27,20* wird Balsam mit Saba verbunden.

57 Zum Gold vgl. auch *Jes 60,9*.

gestellt und erhält so universale Relevanz. Sie wird als Anbruch der eschatologischen Heilszeit gekennzeichnet, die alle Völker betrifft.
Der biblisch bestimmte Kontext, wie er von *Ps 72 (71)* und *Jes 60,6* konstituiert wird, ist also von zwei Motivkomplexen bestimmt, einmal vom Besuch fremder Gabenbringer beim König und zum anderen durch das Konzept der Völkerwallfahrt zum Zion. Durch diese Motivkombination wird Jesus als eschatologischer Heilskönig Israels gedeutet, mit dessen Geburt die Heilszeit beginnt, welche universale Geltung hat. Vor diesem Hintergrund sind nun auch die Geschenke der Magier aus dem Osten zu deuten.

Aufgrund einhelliger antiker Belege ist das *Gold* auf die königliche Würde des Beschenkten zu deuten. Allerdings ist festzuhalten, daß Gold nicht einfach auf den königlichen Reichtum hindeutet, sondern den König auch in seiner göttlichen Qualität kennzeichnet. Der Glanz von Gold und Silber galt in der Antike als Sinnbild für die göttliche Herrlichkeit, was sich z.B. in der Bevorzugung dieser Materialien im kultischen Bereich ausdrückte. Daß sich die jüdische Auffassung von der Symbolik des Goldes wesentlich von der anderer antiker Kulturbereiche unterschied, ist nicht zu erkennen. Als Beleg für die Goldsymbolik im hellenistisch-jüdischen Bereich sei hier nur auf den jüdischen Bekehrungsroman *Josef und Aseneth* verwiesen.
Josef, der männliche Protagonist der Erzählung, wird bei seinem ersten Auftreten in *JosAs 5,4 f.* mit den Topoi der hellenistischen Herrscherepiphanie geschildert. Das hat seine erzählerische Logik, denn er ist ja vom Pharao als Herrscher über Ägypten eingesetzt. Er fungiert als *"König, Retter und Korngeber"*[58] und wird nach dem Tode des Pharao für 48 Jahre dessen Nachfolger *(JosAs 29,9)*. So ist es auch nicht verwunderlich, daß die Darstellung des Josef bei seinem ersten, imposanten Auftreten eine Fülle königlicher Attribute aufbietet: weiße Pferde, mit Gold gezäumt, ein königlicher Wagen ganz aus Gold, ein königliches Gewand (Purpur und Gold) und ein goldener, mit Edelsteinen geschmückter Strahlenkranz.
Die ganze Szenerie wirkt wie die Schilderung eines ptolemäischen Monarchen, der sein Auftreten als Epiphanie des Sonnengottes inszeniert. Das kann der Text dem frommen Juden Josef natürlich nicht zuschreiben, weswegen der Erzähler selbst auch keine direkte Deutung

---

58 *JosAs 4,7; 25,5.*

gibt und eine Art Judaisierung der Symbolik vornimmt.[59] Allerdings erfolgt die entsprechende Reaktion bei Aseneth. Sie ist erschüttert und bereut, daß sie Josef als armseligen Hirtensohn aus Kanaan bezeichnet hat, während er doch ein Sohn Gottes ist *(JosAs 6,2-5)*.

Hier ist der Glanz des Goldes nicht nur ein Ausdruck des königlichen Reichtums, sondern der göttlichen Qualität des königlichen Amtsträgers als Gottessohn.[60] In bezug auf Silber findet sich eine ganz ähnliche Symbolik in einer von Josephus in *ant. 19,8,1* erzählten Legende: König Agrippa I. wird von Gott mit dem Tode bestraft, weil er die Schmeicheleien seiner Entourage nicht zurückweist. Die Höflinge hatten ihn erwartungsgemäß als Gott bezeichnet, als er in der Öffentlichkeit ein strahlend silbernes Gewand trug und damit recht offensichtlich den Anspruch auf göttliche Würde signalisierte.[61] Die Geschichte, die zugleich ein Hinweis darauf ist, wie wenig sich jüdische Könige der im Hellenismus gängigen Herrscherideologie entziehen konnten, findet sich ähnlich auch in *Apg 12,21-23*. So ist zu schließen, daß die symbolische Konzeption von Gold als Hinweis auf königlich-göttliche Würde, wie sie in der Antike geläufig ist, auch im hellenistischen Judentum bekannt ist.

Was nun das zweite Geschenk der Magier, den *Weihrauch*, angeht, so wurde dies üblicherweise als Hinweis auf die Gottheit Jesu gedeutet.[62] Selbstverständlich geht es bei *Mt* noch nicht um die Gottheit Jesu im Sinne der späteren Trinitätstheologie. Aber das ist kein Grund, die Beziehung Weihrauch/ Gott voreilig aufzugeben. Zu deutlich ist die vielfältig belegte antike Duftmetaphorik. Selbstverständlich spielen solche Vorstellungen in Israel nicht die prominente Rolle wie etwa in Ägypten. Vor allem gibt es keinen Anhalt (mehr?) für die Vergöttlichung des Königs im Kult. Daß aber die Verbindung von Weihrauch und göttlicher Würde des Königtums auch in der biblischen Literatur nicht

---

59 Die Zwölfzahl bei den Edelsteinen und den Strahlen der Krone verweist jüdische Leser natürlich auf die zwölf Stämme Israels. Josef ist nicht nur Stellvertreter des Pharao. Seine königlich-göttliche Würde speist sich auch aus der Repräsentation des Schöpfergottes.

60 Um Mißverständnissen vorzubeugen, sei gesagt, daß Josef in der Logik der Erzählung seine Sohn-Gottes-Würde nicht seinem Königsein, sondern seinem Judesein verdankt. Das gesamte jüdische Volk, dessen Erster Josef ist, hat königliche Würde.

61 Die Symbolik von Silber unterscheidet sich nicht von der des Goldes. Beides konnte auch als Legierung (Elektron) Verwendung finden.

62 Vgl. LUZ, Matthäus, 121.

unbekannt ist, zeigt doch zumindest der Königshymnus *Ps 45 (LXX 44)*, wenn er die göttliche Würde des König (V. 7) und den Duft seiner Gewänder auf das engste miteinander koppelt (V.9).[63] So kann man durchaus schließen, daß auch biblisch eine Vorstellung belegt ist, die Wohlgeruch und Göttlichkeit des Königs miteinander verbindet. Hinzu kommt die Tradition der kultischen Verwendung des Weihrauchs, welche eine besondere Verbindung zum Göttlichen stiftet. Zwar ist biblisch nicht vom Duft Gottes die Rede, aber durch die exklusive Bindung des Weihrauchs an den Kult *(Ex 30,37 f.)* wird die Assoziation Weihrauch - Heiligkeit bekräftigt.
Deshalb hat die alte Deutung des Weihrauchs auf die Göttlichkeit Jesu wohl durchaus ihre Berechtigung. Nur geht es wie gesagt bei Mt noch nicht um eine Göttlichkeit in einem trinitätstheologischen Sinn, sondern um eine königliche Göttlichkeit in Sinne frühchristlicher Messiaschristologie: Jesus soll als der kenntlich gemacht werden, dem das heilige Amt des endzeitlichen Messiaskönigs zukommt.[64]
Zu fragen wäre natürlich noch, ob Jesus bei Mt auch priesterliche Würde als König zugedacht wird. Immerhin ist die Zuordnung der Priesterrolle dem davidischen Königtum nicht fremd,[65] und für das hellenistische Judentum ist auf die kompakte Rolle hinzuweisen, die etwa PHILO dem Mose zuschreibt *(Mos. 2,187)*. Mose vereint auf sich

---

63 Daß hier von Myrrhe (σμύρνα) und nicht von Weihrauch (λίβανος) die Rede ist, kann als unerheblich eingestuft werden, da Weihrauch und Myrrhe zusammengehören *(Hld 3,6; 4,6.14)* und Heiligkeit vermitteln *(Ex 30,23-29; Sir 24,15)*.

64 Zur Entwicklung der frühchristlichen Messiaschristologie vgl. den Überblick in KÜGLER, Der andere König, 17-29; sowie: *ders.*, Sohn Gottes/ Gottessohnschaft II. Neues Testament, LThK³ 9, 690-693.

65 Nach *Psalm 110 (LXX 109)* ist der Regent Priester und König zugleich. Unter Berufung auf das Urbild des legendären Priesterkönigs Melchisedek wird dem König priesterliche Würde zugesprochen (V.4). Schon der jebusitische Stadtkönig muß als Priester aufgefaßt worden sein, und in Fortführung altjerusalemer Tradition weisen biblische (auch nachexilische) Texte den Königen Israels kultische Funktionen zu: Saul bringt Opfer dar *(1Sam 13,9)*; David agiert bei der Heimholung der Lade als Priesterkönig. Er trägt priesterliche Kleidung aus Leinen, führt kultische Tänze aus, bringt Opfer dar, segnet das Volk im Namen Gottes und speist die Massen *(2Sam 6,12-19)*. Auch für Salomo wird die priesterliche Funktion erwähnt *(1Kön 9,25)*.

die Rolle des Königs, des Gesetzgebers, des Priesters und des Propheten. In dieser Rolle kommt Mose eine Art göttlicher Würde zu.[66]
Insgesamt kann in bezug auf den Horizont kulturellen Wissens, der für *Mt 2,11* relevant ist, also geschlossen werden, daß der Weihrauch, indem er auf die göttliche Würde Jesu als Messiaskönig hinweist, zugleich auch eine priesterliche Funktion mitmeinen kann, daß diese aber bei Matthäus nicht funktionalisiert wird und deshalb auch nur zum Bereich der möglichen Konnotationen, nicht aber zum eigentlichen Textsinn gehört.
Was die *Myrrhe* (σμύρνα), das dritte Geschenk der Magier aus dem Osten, angeht, so ist in der Deutungsgeschichte bisweilen ein Bezug zum Begräbnis des Menschen Jesus hergestellt worden.[67] Diese Deutung ist mit KRUSE abzuweisen.[68] Die zahlreichen biblischen Texte,[69] die den Begriff verwenden, weisen keine Assoziation mit Tod und Begräbnis auf, wenn man von *Joh 19,39* absieht. Eine Deutung von dieser Stelle her verbietet sich aber, zumal Matthäus in seiner Grabeserzählung im Unterschied zu Markus und Lukas keinerlei Salbungsaromen erwähnt.[70]
Naheliegend ist dagegen der Hinweis von KRUSE auf die Rolle des besonderen Wohlgeruchs der göttlichen Weisheit *(Sir 24,15)*. Auch die Verbindung von Weisheit und Prophetie ist angesichts von *Sir 24,31* und *Weish 7,26* nicht zu leugnen. Allerdings sollte man im Hinblick auf die kompakte Rolle des Königs in der Antike, wie sie sich etwa im Mosebild bei PHILO widerspiegelt, Prophetentum und Königswürde nicht zu sehr voneinander trennen. Immerhin ist die Verbindung von Königtum und Weisheit in der Salomotradition fest verwurzelt. Zudem

---

66 Nach Philo hielt Gott Mose nämlich für würdig, sein Freund und Partner zu sein *(Mos. 1,155 f.)*. Gott ist und bleibt natürlich der eigentliche König, aber er hat als Herrscher der Welt dem Menschen Mose ein Königtum übertragen, das den gesamten Kosmos umfaßt mit all seinen Elementen *(Mos. 1,155-157)*. Als Partner Gottes und Erbe des gesamten Kosmos wird Mose von Philo in *Mos. 1,158* auch "des ganzen Volkes Gott *und König*" genannt. Im Hintergrund dieser kühnen Redeweise stehen biblische Texte wie *LXX Ex 7,1*, eventuell aber auch *LXX Ps 44,8*.

67 Vgl. LUZ, Matthäus, 121.

68 Vgl. KRUSE, Gold, 207 f.

69 Σμύρνα (und Derivate) kommt in der *LXX* an 10 Stellen vor.

70 In *Mt 28,1* wird der Gang der Frauen zum Grab (im Unterschied zu *Mk 16,1* und *Lk 24,1*) nicht mit einer Salbungsabsicht motiviert, sondern damit, daß die Frauen, *"das Grab anschauen"* wollen.

ist die personifizierte Weisheit eine königliche Gestalt, die nicht nur mit der Prophetie in Verbindung gebracht wird, sondern auch den kultischen Dienst des Königs übernehmen kann (*Sir 24,10)*, herrscherliche Züge trägt und Herrschaft vermittelt *(Weish 6,20 f.)*. Darüber hinaus weist *Ps 45 (LXX Ps 44)* darauf hin, daß Myrrhenduft auch ganz ohne prophetische Konnotationen Ausdruck der königlichen Würde sein kann. Damit ergibt sich, daß die Bedeutung der drei symbolträchtigen Gaben im Kern dieselbe ist: Gold, Weihrauch und Myrrhe sind alle drei vor allem Ausdruck der königlichen Würde Jesu.
Allerdings geht es um ein Königtum, das theologisch enorm aufgeladen ist, nämlich um das Amt des endzeitlichen Heilskönigs. Diesem eignet göttliche Würde, und es kann in sich verschiedene Funktionen vereinen, weil dem König auch die Funktion eines Priesters und Propheten zukommen kann. Allerdings steht diese funktionale Auffächerung des Königtums bei *Mt 2,11* nicht im Vordergrund, sondern gehört nur zu den möglichen Konnotationen. Primär geht es um die eschatologische Königsrolle Jesu.
Dieses Ergebnis läßt sich durch einige Beobachtungen zum *erzählerischen Kontext* in *Mt 2* gut bestätigen. Das Finden des Kindes und das Überreichen der Geschenke wird ja in *Mt 2* vorbereitet, wobei immer wieder das Thema "Königtum" angesprochen wird.
Die Magier aus dem Osten wollen den neugeborenen *König der Juden* besuchen *(Mt 2,2)*. Als Zweck ihres Besuchs geben die Magier die anbetende Proskynese vor dem neuen König an. Diese Verehrung durch Sich-zu-Boden-Werfen, die nach hellenistischem Verständnis Göttern oder göttlichen Menschen, also auch Königen, zukommt, wird in der Perikope dreimal erwähnt: *Mt 2,2.8.11*. Die Absicht der fremden Besucher betont die Hoheit Jesu und unterstützt so die christologische Zielsetzung des Evangelisten, der Jesus bis dahin schon als Christus *(Mt 1,1.16.17.18)*, Sohn Davids *(1,1)*, als geistgewirkten Jungfrauensohn und Emmanuel *(1,23)* charakterisiert hat.
Die Würde Jesu als Heilskönig, dem zu Recht die anbetende Proskynese gelten soll, wird vom Erzähler in Opposition zum Unheilskönigtum des Herodes gebracht. Dessen Königstitel wird dreimal genannt, in *Mt 2,1.3.9*, und bildet einen dunklen Hintergrund für die Königswürde Jesu.[71]

---

71 Vgl. M. GIELEN, Der Konflikt Jesu mit den religiösen und politischen Autoritäten seines Volkes im Spiegel der matthäischen Jesusgeschichte (BBB 115), Bodenheim 1998, 29-31.

Das Königtum Jesu wird vom Erzähler als Messiaswürde expliziert, indem er berichtet, daß Herodes in *Mt 2,4* seine Sachverständigen fragt, *"wo der Gesalbte* (χριστὸς) *geboren werde".* Die Schriftgelehrten selbst verweisen auf eine Prophetenschrift und sprechen vom Herrscher (V.6: ἡγούμενος), der das Volk Israel weiden wird, womit deutlich auf davidische Königstraditionen hingewiesen wird.
An den wiederholten Erwähnungen wird erkennbar, daß das Königtum die zentrale semantische Kategorie der Magiererzählung ist. Die ganze Erzählung kreist um das Thema "König". In Abgrenzung zum Königtum des Herodes geht es darum, Jesus in seiner königlichen Würde zu charakterisieren. Jesus ist kein König wie Herodes, sondern der verheißene Messias Gottes. Es geht also nicht darum, Jesus einfach ein politisches Königtum zuzuweisen, sondern darum, Jesus als den Messiaskönig zu qualifizieren, mit dem Gott die eschatologische Heilszeit anbrechen läßt.
In diesem thematischen Kontext tragen die Gaben der Magier aus dem Osten in semantischer Dreieinheit zur Charakterisierung Jesu bei, indem sie sein messianisches Königtum betonen. Die Gaben, welche die Magier bringen, stehen im Zusammenhang der Huldigungsabsicht. Sie sind Teil der anbetenden Anerkennung der messianischen Hoheit Jesu. Zusammen mit dem Goldgeschenk kennzeichnen die Duftstoffe Weihrauch und Myrrhe das Jesuskind als einen König, dem göttliche Würde zukommt. Sie sind mit ihrer symbolischen Bedeutung integrale Bestandteile der Charakterisierung Jesu als eschatologischer Heilskönig, den Gott seinem Volk und auch der Welt der Heiden schenkt.

2.3. Der Duft des Verherrlichten (Joh 12,3)

Die Erzählung von der Salbung Jesu ist in mehreren Varianten überliefert. Die Erzählung bei *Markus (14,3-9)* stellt die älteste Fassung dar. Dort ist es eine unbekannte Frau, die in Betanien den Kopf Jesu mit Nardenöl salbt. In Auseinandersetzung mit den empörten Jüngern deutet Jesus die Salbung als Vorwegnahme der Bestattungssalbung. Bei *Matthäus (26,6-13)* wird der Markustext geringfügig gekürzt, die Grundstruktur der Erzählung aber beibehalten: Eine Unbekannte salbt das Haupt Jesu mit kostbarem Öl und nimmt damit die Bestattungssalbung vorweg. Von diesen beiden Fassungen weicht *Lukas (7,36-50)* deutlich ab. Er erwähnt den Ort Betanien nicht, der Gastgeber Jesu

trägt aber den gleichen Namen wie bei *Markus* und *Matthäus*. Die anonyme Frau ist bei Lukas eine stadtbekannte Sünderin, die nicht das Haupt, sondern die Füße Jesu mit ihren Tränen wäscht, mit ihren Haaren abtrocknet, küßt und dann salbt.
Die entsprechende johanneische Erzählung findet sich in *Joh 12*:

> *1 Sechs Tage vor dem Paschafest kam Jesus nun nach Betanien, wo Lazarus war, den er von den Toten auferweckt hatte. 2 Dort nun bereiteten sie ihm ein Mahl; und Marta bediente, Lazarus aber war einer von denen, die mit ihm (bei Tisch) lagen.*
> *3 Da nahm Maria ein Pfund echtes, kostbares Nardenöl,*
> *salbte die Füße von Jesus*
> *und wischte seine Füße mit ihrem Haar ab.*
> ***Das Haus aber wurde erfüllt vom Duft des Öls.***
> *4 Doch einer von seinen Jüngern, Judas Iskariot, der ihn ausliefern sollte, sagte: 5 Warum wurde dieses Öl nicht für dreihundert Denare verkauft und (der Erlös) den Armen gegeben? 6 Das sagte er aber nicht, weil ihm an den Armen lag, sondern weil er ein Dieb war; er hatte nämlich den Geldbeutel und veruntreute die Spenden. 7 Jesus erwiderte: Laß sie, damit sie es für den Tag meines Begräbnisses bewahre. 8 Die Armen habt ihr nämlich immer bei euch, mich aber habt ihr nicht immer.*
> *9 Die große Volksmenge der Juden erkannte nun, daß er dort war, und sie kamen, jedoch nicht nur wegen Jesus, sondern auch um Lazarus zu sehen, den er von den Toten auferweckt hatte. 10 Die Hohenpriester aber beschlossen, auch Lazarus zu töten, 11 weil viele der Juden seinetwegen hingingen und an Jesus glaubten.*

Die johanneische Erzählung weist Übereinstimmungen mit allen drei synoptischen Fassungen auf: *Joh 12,1-11* bezeichnet das Öl wie Markus als besonders wertvolles Nardenöl. Die salbende Frau ist wie bei Markus und Matthäus nicht als Sünderin dargestellt. Wie bei Lukas geht es aber um eine Salbung der Füße. Ebenfalls wie bei Lukas wischt die Frau die Füße mit ihren Haaren ab, was bei Lukas allerdings seine Logik hat, weil so die Füße vor der Salbung getrocknet werden. Bei Johannes wirkt das Motiv etwas merkwürdig, weil hier keine Waschung erzählt wird und statt dessen das Salböl mit den Haaren abgewischt wird. Man darf diese auffällige Eigenart der johanneischen Erzählung allerdings nicht einfach als unbeholfene Variation des Lukastextes einordnen. Selbst wenn hier eine literarische Abhängigkeit bestehen soll-

te,[72] muß die johanneische Variante als bedeutungstragendes Element des Johannesevangeliums interpretiert werden.
Zweitens unterscheidet sich der Johannestext dadurch von den Synoptikern, daß die salbende Frau als Maria, die Schwester des Lazarus, identifiziert wird. Damit wird ein Rückbezug zur Erzählung von der Totenerweckung des Lazarus in *Joh 11* hergestellt.
Auch wird in *Joh 12* die ungewöhnliche Menge des kostbaren Öls betont: Es geht um ein römisches Pfund, also ca. 320 g. Der johanneische Text zeichnet sich damit durch eine explizite Aussage über Menge, Art, Qualität und Preis des verwendeten Öls aus, was insgesamt eine Betonung der Kostbarkeit ergibt, die sich in dieser Deutlichkeit in keinem der synoptischen Texte findet.[73]
Außerdem sind es in der johanneischen Fassung nicht mehr irgendwelche Jünger, die gegen die verschwenderische Salbung protestieren, sondern konkret Judas, was dem besonderen Interesse des Vierten Evangeliums an der Gestalt des Auslieferers entspricht.
Auffällig ist schließlich auch die Bemerkung über den Duft des Salböls. Während die synoptischen Texte die Geruchsdimension allenfalls voraussetzen, wird sie in *Joh 12* nicht nur explizit gemacht, sondern besonders betont. Nicht nur die direkte Umgebung, sondern das ganze Haus wird vom Duft des Salböls erfüllt.

---

[72] Die Gemeinsamkeiten zwischen dem Johannesevangelium und den Synoptikern werden in der Forschung immer noch ganz unterschiedlich erklärt. Mir erscheint die Annahme eines doppelten Zusammenhanges am plausibelsten: Einerseits bestehen traditionsgeschichtliche Zusammenhänge, die bis in die Phase der mündlichen Tradition zurückreichen, andererseits muß auf der Ebene der johanneischen Redaktion mit einer literarischen Kenntnis der synoptischen Evangelien, mindestens aber des Lukasevangeliums, gerechnet werden. Die vereinzelt vertretene These von der historischen und/ oder literarischen Priorität des Johannesevangeliums (vgl. z.B. B. P. ROBINSON, The Anointing by Mary of Bethany (John 12), DR 115 (1997) 99-111) muß dagegen als abwegig gelten. Wenn man überhaupt ein historisches Ereignis hinter der Salbungsüberlieferung annehmen will, dann noch am ehesten die spontane Zeichenhandlung einer anonymen Prophetin, die das Haupt Jesu salbte, um auf seine prophetische und/ oder königliche Messiaswürde hinzuweisen. Vgl. dazu E. SCHÜSSLER-FIORENZA, Zu ihrem Gedächtnis... Eine feministisch-theologische Rekonstruktion der christlichen Ursprünge, Mainz 1988, 11 f.203 f.

[73] Vgl. N. CALDUCH BENAGES, La fragancia del perfume en Jn 12,3, EstB 48 (1990) 243-265; hier: 249 f.

Die Frage ist nun, was mit dieser auffälligen Formulierung ausgedrückt werden soll. Zunächst einmal wird durch die Bemerkung über die Ausbreitung des Dufts die Kostbarkeit des verwendeten Öls betont und so der Konflikt mit dem moralischen Einwand des Judas verschärft.[74] Damit dürfte die Bedeutung der Bemerkung allerdings nicht erschöpft sein.
Angesichts der antiken Duftsymbolik ist damit zu rechnen, daß hier nicht nur eine Aussage über das Salböl gemacht wird, sondern eine weitere symbolische Sinnebene gegeben ist. So hat schon BULTMANN den Duft, der sich ausbreitet, mit der kerygmatischen Zielsetzung des Johannesevangeliums in Verbindung gebracht und als Hinweis auf die baldige Ausbreitung der christlichen Botschaft in der ganzen Welt verstanden.[75] Diese Deutung hat allerdings den entscheidenden Nachteil, daß sie eher von *2Kor 2,14* inspiriert ist, als daß sie auf einer Analyse des Johannestextes und seiner inneren Bezüge basiert.
In V.7, wo Maria von Jesus gegen den Angriff des Judas in Schutz genommen wird, geschieht dies ja mit einem deutlichen Hinweis auf die Bestattung Jesu.[76] Es geht bei der Salbung also um Jesus und sein Schicksal, und das bedeutet wohl auch, daß die Duftsymbolik eine christologische bzw. soteriologische Dimension hat. Dem kommt SCHNACKENBURG näher, wenn er erschließt, der Evangelist habe die Absicht, *"die Hoheit Jesu"* hervorzuheben, *"der mit Recht diese Ehrung vor seinem Tod empfängt"*.[77] Der Hinweis auf den Tod Jesu entspricht zumindest *Joh 12,7*, wenn auch die Rede von der Hoheit Jesu noch zu unpräzise sein dürfte. Die Erwähnung des Begräbnisses (V.7), des Abschieds Jesu von den Jüngern (V.8) und der Tötungsabsicht der Hohenpriester (V.10) lassen erschließen, daß die Hoheit, um die es hier geht, keine andere ist als die der Erhöhung am Kreuz. Entsprechend der johanneischen Kreuzestheologie offenbart sich Jesus ja gerade im

---

[74] Vgl. J. BECKER, Das Evangelium nach Johannes, 2 Bde. (ÖTK 4), Gütersloh 1979/ 1981, 373 f.

[75] Vgl. R. BULTMANN, Das Evangelium des Johannes (KEK 4), Göttingen 1941, 317.

[76] Die schwierige Formulierung des griechischen Textes ist wohl nicht so zu verstehen, daß es darum geht, etwas von der Salbe für das Begräbnis Jesu aufzubewahren, sondern daß die Salbung die Begräbnissalbung vorwegnimmt.

[77] R. SCHNACKENBURG, Das Johannesevangelium II (HThK 4.2), Freiburg [3]1980, 460.

Tod als König und Heiland. Kreuzestod und Königswürde gehören in der Sicht des Johannesevangeliums auf das engste zusammen. Das Königtum Christi, so hat Martin HENGEL treffend formuliert, *"vollendet sich in der tiefsten Erniedrigung und Ohnmacht, im Tode Jesu am Kreuz"*[78]. Die tiefste Erniedrigung, und das ist das johanneische Paradox des Kreuzes, ist freilich zugleich Erhöhung und wird mit der Auferstehung als soteriologische Einheit gesehen. Der johanneische Christuskönig hat die Macht, sein Leben hinzugeben, und die Macht, es wieder zu nehmen *(Joh 10,18)*. Der Tod Jesu ist keine Niederlage, sondern ein hoheitsvoller Akt. Er wird direkt mit der Auferstehung verbunden und wie diese als göttliche Machttat interpretiert. Der Hinweis auf den Tod Jesu, der den Kontext der Perikope prägt, darf also nicht von seiner Auferstehung getrennt werden.
Dem entsprechen auch die Rückverweise auf die Auferweckung des Lazarus, die sich in *Joh 12,1.9* finden. Lazarus wird an beiden Stellen ausdrücklich als der gekennzeichnet, den Jesus von den Toten erweckt hat. Auch dadurch, daß in V.2 Lazarus als Tischgenosse Jesu erwähnt wird, wird das folgende Geschehen thematisch mit der Lazaruserweckung gekoppelt. Diese thematische Koppelung wird noch dadurch verstärkt, daß Maria, die Schwester des Lazarus, die Salbung vornimmt. Umgekehrt war Maria schon bei der Einleitung der Lazarusperikope als die vorgestellt worden, die Jesus gesalbt hat *(Joh 11,2)*.[79] Die Lazaruserweckung und die Salbung Jesu sind also durch Vorverweis und Rückverweise miteinander verzahnt. Und selbst der Duft der Salbung hat in der Lazarusperikope eine Entsprechung. In *Joh 11,39* heißt es nämlich:

---

78 M. HENGEL, Reich Christi, Reich Gottes und Weltreich im Johannesevangelium, in: M. HENGEL/ A. M. SCHWEMER (Hg.), Königsherrschaft Gottes und himmlischer Kult im Judentum, Urchristentum und in der hellenistischen Welt (WUNT 55), Tübingen 1991, 163-184, hier: 182.

79 Ob es sich bei *11,2* tatsächlich, wie SCHNACKENBURG (Das Johannesevangelium II, 403) u.v.a mit guten Gründen meinen, um eine redaktionelle Glosse handelt, muß im Kontext einer synchronen Analyse, wie sie hier unternommen wird, nicht geklärt werden, ganz abgesehen davon, daß man den Redaktor auch "Evangelist" nennen kann. Vgl. dazu J. KÜGLER, Der Jünger, den Jesus liebte. Literarische, theologische und historische Untersuchungen zu einer Schlüsselgestalt johanneischer Theologie und Geschichte. Mit einem Exkurs über die Brotrede in Joh 6 (SBB 16), Stuttgart 1988, 18-32.

Jesus sagte: Tragt den Stein weg!
Marta, die Schwester des Verstorbenen, sagte zu ihm:
Herr, er riecht schon, denn es ist (bereits) der vierte Tag.

Der Verwesungsgestank der Leiche ist hier das untrügliche Zeichen, daß Lazarus wirklich tot ist. Der Hinweis auf den Todesgeruch, das erfahrungsweltliche Argument für die Unmöglichkeit einer Wiederbelebung, dient hier der äußersten Steigerung des Wunders. Die Lebensmacht Jesu überwindet den Tod und setzt damit ein Zeichen, das auf die lebenspendende Kraft des Glaubens hinweist. Denn Jesus selbst ist die Auferstehung und das Leben, und es geht darum, daß die Glaubenden ein Leben finden, das der Tod nicht tangieren kann *(11,25)*. Für dieses ewige Leben durch Glauben ist die Lazaruserweckung nur ein Zeichen.

Wenn nun in *Joh 11* der Verwesungsgestank des toten Lazarus ein Indiz für den Tod ist, der durch Jesus, der Auferstehung und Leben in Person ist, überwunden wird, dann kann aufgrund der engen Verbindung zwischen Salbungserzählung und Lazarusperikope geschlossen werden, daß der Duft in *Joh 12,3* das Gegenzeichen ist. Der Duft, der das Haus erfüllt, ist in Opposition zum Leichengestank in *Joh 11* als Zeichen für die Auferstehung Jesu zu verstehen.

Wenn im unmittelbaren Kontext nur auf Tod und Begräbnis Jesu hingewiesen wird, nicht aber auf seine Auferstehung, so ist das kein Argument gegen diese Deutung des Duftes.

Zum einen ist an die Zuordnung von Begräbnissalbung und Lebenshoffnung zu erinnern, wie sie im griechisch-römischen (und jüdischen) Bereich kulturell gegeben war. Der Duft jeder Bestattungssalbung war entsprechend dem gängigen kulturellen Wissen der antiken Welt als Hinweis auf Leben über den Tod hinaus zu verstehen. Diese kulturell vorgegebene Sinngebung verstärkt sich natürlich, wenn es um das Begräbnis dessen geht, den das Grab nicht halten kann. Wie gesagt, ist im Rahmen der johanneischen Theologie der Kreuzestod Jesu als Erhöhung und in Einheit mit seiner Auferstehung zu verstehen.

Weder der Kontext des allgemeinen kulturellen Wissens noch der Kontext der johanneischen Kreuzestheologie sprechen also dagegen, den Duft der Salbung, welche die Bestattungssalbung verwegnimmt,[80] als

---

80 Hier ist zu betonen, daß es um eine symbolische Vorwegnahme der Bestattungssalbung geht, nicht um das Ersetzen. Im Unterschied zu den Synoptikern findet ja in *Joh 19,39f* eine ordnungsgemäße Salbung der Leiche statt, wobei die Menge von 100 (!) Pfund auf den opulenten Gebrauch von Duft-

Hinweis auf die Würde Jesu, der in Person Auferstehung und Leben ist, zu deuten. Der Duft, der das Haus erfüllt, überlagert den Hinweis auf Tod und Bestattung Jesu mit einer zweiten symbolischen Ebene und macht damit klar, daß der Tod Jesu eben zugleich Erhöhung ist, Rückkehr zum Vater, Verherrlichung und Auferstehung. Diese Konstitution einer zweiten Bedeutungsebene durch den Duft, der im Kontrast zum Verwesungsgestank des Lazarus steht, entspricht der paradoxen johanneischen Kreuzestheologie auf das beste.
Im folgenden ist nun freilich noch die in der Johannesforschung gelegentlich aufgeworfene Frage zu behandeln, ob die Interpretation des Duftes in *Joh 12,3* aufgrund von Einzelinformationen des Textes weiter zu interpretieren ist, ob es weitergehende symbolische Sinnebenen gibt und wie sie sich beschreiben lassen.

– *Die Narde als Zeichen der Liebe?*

Nuria CALDUCH BENAGES sieht durch die Information, daß es Nardenöl ist, das Maria verwendet, eine weitere Sinnebene gegeben. Ausgehend von der Beobachtung, daß der Duft der Narde biblisch nur in *Joh 12* und im *Hohenlied Salomos* erwähnt wird, stellt sie eine Beziehung zwischen *Joh 12,3* und *Hld 1,12 (LXX)* her.[81]
Dort spricht die Braut:

> *Solange der König zu Tische lag, gab meine Narde ihren Duft.*

Es ist unbestreitbar, daß hier Analogien aufzuspüren sind. Beide Texte haben einen königlichen Kontext, es geht jeweils um eine Mahlsituation und der Duft der Narde wird erwähnt. Und trotzdem erscheint es mir fraglich, ob man aus diesen Übereinstimmungen wirklich folgern darf, daß der königliche Bräutigam des Hohenlieds nun Christus ist, und die Duftspenderin Maria die Gestalt der Braut verkörpert.[82]
Gewiß darf eine erotische Tönung des johanneischen Textes, wie sie etwa im Berühren der Füße mit den offenen Haaren zum Ausdruck kommt, nicht geleugnet werden, aber für eine johanneische Brautmetaphorik scheint mir der Text doch zu wenig Anhaltspunkte zu geben.
Einigermaßen begründet ist wohl nur festzustellen, daß Maria Jesus in freundschaftlicher Liebe verbunden ist. Zwar formuliert *Joh 11,5* nur die Liebe *Jesu* zu Lazarus und seinen Schwestern, aber eine Erwide-

---

stoffen bei königlichen Bestattungen hinweist, wie sie oben erwähnt wurden.

81 Vgl. auch *Hld 4,13 f.*

82 Vgl. CALDUCH BENAGES, La fragancia del perfume, 259 f.

rung dieser Liebe darf wohl vorausgesetzt werden. Durch nichts wird aber angedeutet, daß die Liebe Mariens zu Jesus eine andere Qualität oder Intensität habe als die ihrer Geschwister. Im übrigen gehört die Narde, wie oben zu sehen war, in frühjüdischen Texten *(äthHen 32,1; ApkMos 29,6)* zu den Düften des Paradieses. Wenn eine weitergehende Symbolik der Narde angenommen wird, dann liegt dieser Aspekt näher als eine Brautsymbolik, für welche die Ähnlichkeiten mit *Hld 1,12* keine ausreichende Basis bilden. Vermutlich geht die Erwähnung der Narde in *Joh 12* einfach auf *Mk 14,3* zurück und soll wie dort die besondere Qualität des Salböls betonen.[83] Für Jesus wird nur das Beste als angemessen empfunden. Wenn darüber hinaus eine Beziehung zu *Hld 1,12* vorliegt, so dürfte sie vor allem durch die besondere Qualität der Narde als königliches Duftmittel konstituiert werden und sich folglich auf den königlichen Kontext beschränken, welcher für die johanneische Salbungserzählung unbestreitbar von Bedeutung ist. Immerhin wird Jesus gleich in der nächsten Perikope als König von Israel in Jerusalem einziehen *(Joh 12,13-15)*.
Die Massen huldigen Jesus, der auf einem Esel in die Stadt einzieht, als *"König von Israel" (12,13)*. Zwar können solche Äußerungen der Volksmenge im Johannesevangelium immer auch grobe Mißverständnisse implizieren, aber hier wird durch den Evangelisten eindeutig ausgeschlossen, daß es sich um eines der üblichen Mißverständnisse handelt. Er charakterisiert die Szene in *Joh 12,15* nämlich als Erfüllung biblischer Verheißung. Jesus zieht als der biblisch verheißene Friedenskönig in die Stadt ein. Wenn in *12,16* vermerkt wird, daß die Jünger den Sinn dieses Zeichens damals nicht begriffen, dann zeigt dies, daß erst die "Verherrlichung" Jesu in Tod und Auferstehung zum wahren Begreifen führen kann. Erst der Kreuzestod kann die Königswürde Jesu wirklich erschließen. Zu dieser engen Verbindung von Kreuzestod und Königtum paßt auch, daß die Königswürde Jesu umso häufiger betont wird, je näher sein Tod rückt, und unmittelbar vor der Hinrichtung, nämlich im Verhör vor Pilatus *(Joh 18,33-40)*, am intensivsten bearbeitet wird. Jesus ist der König, der vom Himmel herabgekommen ist, um von der Wahrheit Zeugnis abzulegen. Der Tod am Kreuz ist integraler Bestandteil dieser Sendung. Deshalb entspricht der Kreuzestitel *(19,19-21)* - unabhängig davon, wie er von Pilatus gemeint sein

---

83 Vgl. J. GNILKA, Das Evangelium nach Markus (EKK II.2), Neukirchen-Vluyn [4]1994, 223; D. LÜHRMANN, Das Markusevangelium (HNT 3), Tübingen 1987, 233.

mag - exakt der Wahrheit: Hier hängt wirklich der König der Juden, der Menschensohn, der vom Himmel herabgestiegen ist und am Kreuz erhöht wurde *(Joh 3,13-15)*.[84]
Der allgemeine theologische Kontext der johanneischen Verbindung von Tod und Königswürde und der nähere narrative Kontext sprechen sehr dafür, auch für die Salbungserzählung einen königlichen Hintergrund anzunehmen. Das heißt freilich nicht, daß Jesus hier zum Messias gesalbt wird. Eine "Königssalbung" ist die Salbung durch Maria nur insofern, als sie auf Jesu Tod vorverweist, denn erst im Kreuzestod wird Jesu "verherrlicht", seine Königswürde offenbar gemacht.

– *Das Haus als Sinnbild der Kirche?*

Ein weiteres Textdetail, das CALDUCH BENAGES symbolisch verstehen möchte, ist der Begriff "Haus" (οἰκία) in *Joh 12,3*. Da der griechische Ausdruck in *Joh 8,35* und *14,2* metaphorisch verwendet wird, erschließt sie auch für *Joh 12* eine symbolische Bedeutungsebene. Mit dem Haus, das vom Duft erfüllt wird, wäre demnach nicht einfach die Wohnung des Lazarus gemeint, sondern ein geistliches Haus *("una casa espiritual")*, nämlich die Glaubensgemeinschaft *("la comunidad creyente")*, in welcher der auferstandene Christus als Sohn immer gegenwärtig ist.[85]
Auch wenn es unbestreitbar ist, daß οἰκία und die anderen Bezeichnungen für Haus in den biblischen Texten metaphorisch gebraucht werden können, und auch wenn das Johannesevangelium dazu neigt, über die primäre Sinnebene des Textes eine zweite zu legen, die man gewöhnlich symbolisch nennt, muß man doch darauf achten, nicht in eine allegorische Auslegung mit willkürlichen Assoziationen abzugleiten. Nicht alles, was in anderen Abschnitten des Johannesevangeliums (und darüber hinaus) an Haussymbolik zu finden ist, muß für *Joh 12,3* relevant sein. Ich halte es für schwierig zu belegen, daß der Text hier tatsächlich eine symbolische Ebene konstituiert, die das Haus des Lazarus als Sinnbild der Glaubensgemeinschaft erkennbar werden läßt. Welche innertextlichen Anhaltspunkte gibt es dafür, daß der Text die Hausmetaphorik, die anderweitig durchaus feststellbar ist, für sich funktionalisiert? Es dürfte schwerfallen, hier Indizien zu nennen.

---

84 Vgl. HENGEL, Reich Christi, bes. 165-174; KÜGLER, Der andere König, 47-49.

85 CALDUCH BENAGES, La fragancia del perfume, 256. Vgl. auch a.a.O. 254-257.

Was den Sinn der Bemerkung über die Ausbreitung des Duftes in *Joh 12,3* angeht, sollte man deshalb etwas vorsichtiger interpretieren. Unbestreitbar scheint mir, daß mit dem Erfüllen des Hauses ein Ausbreiten des Duftes assoziiert ist, das über den unmittelbaren Kreis der anwesenden Personen hinausgeht. Dieses Ausströmen und Sich-verbreiten läßt zunächst auf die Intensität des Wohlgeruchs und damit die erlesene Qualität des Duftöls schließen. Wenn die Deutung des Duftes auf die lebensspendende Macht Jesu als Auferstehung und Leben in Person zutrifft, dann ist in einem zweiten Schritt der Schluß zulässig, daß die Intensität und Ausbreitungskraft des Wohlgeruchs auf die universale Bedeutung von Tod und Auferstehung Jesu hinweist.Der Sinn der Duftausbreitung entspräche dann in etwa universalen soteriologischen Aussagen wie der in *Joh 12,32*, wo Jesus ankündigt, er werde nach seiner Erhöhung *alle* an sich ziehen. Mehr sollte man aus der Notiz über die Ausbreitung des Duftes im Haus nicht erschließen. Eine direkte allegorische Deutung des Hauses als Welt oder Kirche scheint mir nicht gut begründbar zu sein.

– *Das Abwischen des Salböls als Hinweis auf die Auferstehung?*

Abschließend soll nun noch der Frage nachgegangen werden, ob das Abwischen des Salböls mit den Haaren von eigener Bedeutung ist. Immerhin scheint dieses Detail so wichtig zu sein, daß es in dem Vorverweis in *Joh 11,2*, welcher eine Kurzfassung der Salbungsgeschichte bietet, eigens erwähnt wird. Möglicherweise entstand dieses eigenartige Detail der johanneischen Erzählung bei der Verschmelzung der Kopf*salbung*, wie sie von Markus und Matthäus überliefert wird, mit dem Waschen und Abtrocknen der *Füße*, wie es Lukas erzählt (s.o.). Eine solche überlieferungsgeschichtliche Erklärung ersetzt jedoch, auch wenn sie zutrifft, nicht die Interpretation.

Wenn man nun also fragt, was das Abwischen des Nardenöls mit den Haaren bedeuten soll, dann ist zunächst festzustellen, daß das Abwischen aus dem Rahmen des kulturell Plausiblen herausfällt. Die Salbung wird ja im Text selbst als Vorwegnahme der Bestattungssalbung gedeutet. Bei einer solchen ist aber das Abwischen des Duftöls völlig unüblich. Die Duftstoffe, die auf den Leichnam bzw. die Leichentücher aufgetragen werden, werden nicht wieder abgewischt, sondern mit ins Grab gegeben.

Aus dieser Beobachtung hat nun GIBLIN den Schluß gezogen, daß das Handeln Mariens in dieser Perikope als zweiteilige Zeichenhandlung zu deuten sei.[86] Dabei weise die Salbung auf den Tod hin, während das Abwischen ein Zeichen für die Auferstehung Jesu sei, für die sein Leib (in Entsprechung zu *Ps 16*)[87] vor Verwesung bewahrt werde. So einleuchtend diese Deutung des Abwischens der Bestattungssalbung auf Jesu *"rising incorrupt"*[88] wirken mag, sie krankt doch daran, daß sie die kulturelle Bedeutung der Bestattungssalbung nicht genau genug berücksichtigt. Es geht bei der Salbung des Leichnams zum Begräbnis eben nicht nur darum, den Verwesungsgeruch zu überdecken, wie GIBLIN meint.[89] Wie oben ausgeführt wurde, wurde der Salbungsduft in der griechisch-römischen wie auch in der jüdischen Bestattungskultur als symbolischer Hinweis auf postmortales Leben vestanden. Die Salbung der Maria ist also schon als *Bestattungs*salbung nicht nur ein Zeichen des bevorstehenden Todes, sondern zugleich ein Symbol des Lebens. Das Abwischen der Totensalbung als eigenes Zeichen der Auferstehung ist vor diesem kulturellen Hintergrund schlichtweg überflüssig.

Dies gilt umso mehr, wenn man den narrativen und den theologischen Rahmen der Salbungserzählung berücksichtigt. Wenn, wie oben ausgeführt, der Duft der Salbung Jesu in Opposition zum Todesgeruch des Lazarus zu verstehen ist und wenn weiter Kreuzestod und Auferstehung entsprechend der johanneischen Theologie in paradoxer Einheit als Erhöhung zu verstehen sind, dann gibt es erst recht keine Notwendigkeit, den Aspekt der Auferstehung durch eine eigenes Zeichen zu veranschaulichen. Auch hier gilt: Die Bestattungssalbung verweist als solche auf die Überwindung des Todes in der Auferstehung.

Das bedeutet nun aber nicht, daß der eigenartige Akt des Abwischens völlig uninterpretiert bleiben muß.[90] CALDUCH BENAGES hat darauf aufmerksam gemacht, daß die Haare Mariens beim Abwischen der Fü-

---

86 Vgl. C. H. GIBLIN, Mary's Anointing for Jesus' Burial-Resurrection (John 12,1-8), Biblica 73 (1992) 560-564.

87 Vgl. bes. *Ps 16,10 (LXX)*: *Denn du gibst meine Seele nicht dem Hades preis; du läßt deinen Frommen die Verwesung nicht schauen.*

88 GIBLIN, Mary's Anointing, 564.

89 Vgl. GIBLIN, Mary's Anointing, 560.

90 Auch zu historisierenden Erklärungen besteht kein Grund. Aus dem johanneischen Text ist nicht zu schließen, daß Maria eine Prostituierte ist. Eine Deutung der Haare als Sinnbild ihres verkehrten Lebens und des Gebrauchs der Haare zum Abwischen der Füße als Zeichen ihrer Umkehr ist evtl. für *Lk 7* passend, in bezug auf *Joh 12* aber ohne Anhalt im Text. Gegen ROBINSON, Anointing, 101 f.

ße Jesu das Salböl und dessen Duft aufnehmen. *"Von diesem Moment an ist der Duft Jesu zugleich der Duft der Maria."*[91] Auch wenn an dieser Stelle der Duft des Salböls noch nicht erwähnt wird, sondern erschlossen werden muß, dürfte der Aspekt der Gemeinschaft im Duft richtig beobachtet sein: Maria gibt das wertvolle Nardenöl auf die Füße Jesu, und übernimmt es, nachdem sie es so Jesus zu eigen gemacht hat, von dort auf ihr Haar. Sie überträgt damit etwas von Jesus auf ihren Leib. Durch diese Übertragung des Salböls wird eine Duftgemeinschaft zwischen Maria und Jesus gestiftet.

Wenn es zutrifft, daß die Salbung und ihr Duft auf Tod und Auferstehung Jesu hinweist, dann deutet die Partizipation Mariens am Duft Jesu auf ihre Teilhabe an dieser Erhöhung. Daß eine solche Teilhabe an der Verherrlichung Jesu durch den Glauben vermittelt wird, hat den Lesenden (neben vielen anderen Stellen des Johannesevangeliums) die unmittelbar vorausgehende Lazarusperikope deutlich gemacht, wo Jesus sagt:

> *Ich bin die Auferstehung und das Leben.*
> *Wer an mich **glaubt**, wird leben, auch wenn er stirbt, und*
> *jeder, der lebt und an mich **glaubt**, wird auf ewig nicht sterben.*
> *(Joh 11,25 f)*

Dies entspricht auch der Leitidee des Johannesevangeliums, nämlich zum Glauben an Jesus zu führen, der Leben spendet *(20,31)*.

Die Gemeinschaft zwischen Maria und Jesus im duftenden Öl ist also eine Gemeinschaft des Glaubens. Als solche ist sie auch eine Gemeinschaft der Liebe. Das entspricht dem johanneischen Verständnis des Glaubens (und auch den erotischen Untertönen der Erzählung).

Die liebende Glaubensgemeinschaft Mariens mit Jesus ist freilich eine durch und durch hierarchische Gemeinschaft.

Das wird schon aus dem Glaubensbegriff klar: Maria glaubt an Jesus, aber nicht umgekehrt. Auf die hierarchische Struktur der Beziehung weist aber auch die Körpersymbolik hin. Maria salbt Jesus die *Füße* und wendet sich damit einem unteren, als minderwertig eingestuften Körperteil zu.[92] Wie die Fußwaschung als Sklavendienst[93] und das

---

91 CALDUCH BENAGES, La fragancia del perfume, 251 (Übersetzung: J. K.). Die ebd. geäußerte Behauptung, daß der gemeinsame Duft von Maria und Jesus, der sich im Haus ausbreitet, mit dem Evangelium zu vergleichen sei, das sich in der Welt ausbreitet, leuchtet mir allerdings nicht ein.

92 Zur Symbolik der Füße vgl. S. SCHROER/ Th. STAUBLI, Die Körpersymbolik der Bibel, Darmstadt 1998, 215-224.

Niederwerfen zu den Füßen eines höhergestellten Menschen oder einer Gottheit,[94] so drückt auch die Fußsalbung eine demütige Unterordnung aus.
Diese Hierarchiesymbolik wird durch den Einsatz der Haare beim Abwischen des Salböls noch verstärkt. Die *Füße* Jesu und das *Haupt* der Maria werden in Kontakt gebracht. Maria ordnet sich Jesus also ganz und gar unter.
Es wäre freilich eine patriarchale Mißdeutung des Textes, wollte man in dieser radikalen Unterordnung ein allgemeines Modell für die Beziehung von Mann und Frau finden. Wenn auf der Erzählebene die Frau Maria sich dem Mann Jesus unterordnet, dann geht es dabei um das johanneische Modell für die adäquate Beziehung *jedes* glaubenden Menschen zum inkarnierten Logos, der von sich sagt, er sei mit dem Vater eins *(Joh 10,31)*, und dem Thomas als seinem Herrn und Gott huldigt *(Joh 20,28)*.[95]

Zusammenfassend läßt sich also sagen, daß die Salbung in *Joh 12* entsprechend V.7 als vorweggenommene Bestattungssalbung zu verstehen ist. Aufgrund des allgemeinen kulturellen Verständnisses solcher Salbungen und vom spezifisch johanneischen Kontext her impliziert die Salbung Jesu einen Hinweis auf das zukünftige Leben. Jesus ist die Auferstehung und das Leben in Person und er eröffnet in seiner Verherrlichung (Kreuzestod und Auferstehung als paradoxe Einheit) den Raum eines neuen Lebens, an dem alle Glaubenden partizipieren. In Opposition zum Todesgeruch in *Joh 11* verweist der sich ausbreitende Duft des Salböls auf die universale Heilsbedeutung der Erhöhung Jesu. Indem Maria Jesu Füße salbt und die Salbe von seinen Füßen mit ihren Haaren abwischt, geht sie eine Duftgemeinschaft ein, die auf ihre Glaubensbeziehung zu Jesus hinweist. In diesem liebenden Glauben hat sie Gemeinschaft mit Jesus, und zwar als Anteil an der Leben spendenden Kraft seines Todes.
Wir haben es beim Duft der Salbung Jesu also nicht einfach mit dem Duft eines göttlichen Menschen zu tun, auch wenn solche Konzepte zum allgemeinen kulturellen Hintergrund des Johannesevangeliums ge-

---

93 Zur Fußwaschung in *Joh 13* vgl. KÜGLER, Der Jünger, den Jesus liebte, 128-171.

94 Schon in *Joh 11,32* fällt Maria Jesus zu Füßen und äußert ihr Vertrauen, daß Jesus die Macht hat, ihren Bruder vom Tod zu retten.

95 Zum johanneischen Konzept der Gottheit Jesu vgl. KÜGLER, Der andere König, 146-165.

hören. Der Text funktionalisiert solche Vorstellungen aber nicht, sondern bezieht sich auf die Duftsymbolik der Bestattungssalbung. Diese kulturelle Vorgabe wird aber ganz in den Rahmen johanneischer Kreuzestheologie eingebaut und zu einer komplexen soteriologischen Metapher transformiert.

Im Hinblick auf die Dufttexte des Neuen Testaments ingesamt ist abschließend zu sagen, daß es *die* neutestamentliche Duftmetaphorik oder gar Dufttheologie nicht gibt. Wir haben es nicht mit einer weitgehend einheitlichen Duftkonzeption zu tun, wie wir sie etwa im ägyptischen Bereich antrefffen, sondern mit pluralen Rezeptions- und Transformationsprozessen, in denen ganz unterschiedliche Elemente biblischer und paganer Dufttradition aufgegriffen und bearbeitet werden. Dabei werden die betreffenden Elemente ganz in den jeweiligen theologischen Rahmen integriert. An keiner Stelle ist ein Interesse am Duft als einem selbständigen Kulturphänomen erkennbar. Insgesamt sind die neutestamentlichen Schriften zurückhaltend gegenüber der antiken Duftkultur. Hier wird die generelle kritische Distanz gegenüber einer Gesellschaft und Kultur erkennbar, die die ChristInnen der ersten Generationen doch überwiegend als feindliche Welt erlebten. Es hat lange gedauert, bis diese Skepsis schwand und dann auch der Weihrauch in die Kirche Einzug halten konnte.
Trotz des überwiegenden Desinteresses am Geruchsinn wird in den wenigen Texten, in denen er als theologisches Symbol aufgegriffen wird, ein vielfältiger und kreativer Umgang mit diesem Bereich menschlicher Erfahrung greifbar. Hier liegen Schätze christlicher Tradition, die in ihrer furchtlosen Rezeptionshaltung vorbildlich sein und mit ihren Inhalten frische und unverbrauchte Impulse für einen zeitgenössischen christlichen Umgang mit dem Duft und seinem Symbolpotential geben können.

VII. Liturgiewissenschaftliche Perspektiven

PETER WÜNSCHE

1. Erfahrungen

Mitte der sechziger Jahre: Der Verfasser steht als junger Ministrant in der Sakristei. Das Festhochamt wird gleich beginnen. Fasziniert schaut er auf die beiden Oberministranten, vielleicht zehn Jahre älter als er selbst. Die Ältesten sind für den Weihrauchdienst eingeteilt. Der Rauchfaßträger schwenkt sein Rauchgefäß heftig hin und her. Salpeterhaltige Kohlen, die man einfach mit dem Feuerzeug anzünden kann, sind noch nicht gebräuchlich; die Kohlen brauchen zu dieser Zeit noch viel Luft, um durchzuglühen und so heiß zu werden, daß der aufgelegte Weihrauch seinen Duft entwickeln kann. Wenn die Kohle nach Meinung des Rauchfaßträgers ihre Glut nicht so recht entfaltet, dann greift er zum letzten Mittel: Das Schwenken des Rauchfasses geht in eine energische Schleuderbewegung über. Fünf- oder sechsmal läßt der Oberministrant das Faß senkrecht kreisen. Ob das nun notwendig ist oder nur Imponiergehabe, das ist schon damals nicht ganz klar. Zumindest macht es einen großen Eindruck auf uns Jüngere. So müßte man das sperrige Rauchfaß beherrschen können. Aber bis dahin war noch ein weiter Weg durch die festgefügte Hierarchie eines Ministrantenlebens.
Fünfzehn Jahre später. Das Konzil ist schon fast Geschichte, die "wilden" und auch liturgisch experimentierfreudigen siebziger Jahre neigen sich ihrem Ende zu. Aus dem kleinen Ministranten von damals ist ein Theologiestudent und Seminarist geworden. Unterschiedliche Weisen, Theologie zu treiben, schlagen bis ins Seminarleben durch. Unterschiedliche Auffassungen von dem, was Gottesdienst ist und sein soll, bestimmen die Auseinandersetzungen zwischen den Studenten. Die sich als aufgeklärt einschätzende Mehrheitsfraktion lehnt den Weihrauch weitgehend ab. Weihrauch, das war "Kult". Und das war Ende der 70er Jahre unter Theologiestudenten eindeutig ein Schimpfwort. "Kult", das stand für eine überholte Auffassung von Gottesdienst. Wer "Kult machte", war verdächtig, im Herzen doch noch vorkonziliaren Zeiten nachzutrauern, einer längst überholten Liturgieauffassung anzuhängen und damit theologisch von gestern zu sein. Gottesdienst

sollte aufschrecken und Bewegung anstoßen, nicht die Sicht vernebeln. Weihrauch war aus einer zeitgemäßen Liturgie verbannt – das war Konsens. Im Dom war seine Anwendung gerade noch geduldet, im Seminar selbst galt Weihrauch als schlichtweg unmöglich, und die wenigen, die es anders sahen, waren Außenseiter.
Wieder einige Jahre später, Pfingsten 1981: Der erste Dienst als Diakon im Dom steht an. Die richtige Reihenfolge der Inzensierungen beim *Magnificat* der Pontifikalvesper einzuhalten, war nach der damals noch geltenden Ordnung nicht leicht. Erst wurde durch den Erzbischof selbst der Altar beräuchert, dann durch den assistierenden Presbyter der Erzbischof, dann durch den Diakon die Assistenz des Erzbischofs, der Alterzbischof, der Weihbischof, die Chorgestühlseite mit dem ranghöchsten Kapitelsmitglied, die andere Chorseite, zuletzt das Volk. Im Bewußtsein, alles richtig gemacht zu haben, kommt der Diakon nach der Vesper zurück in die Sakristei – und erhält prompt die milde, aber ernste Mahnung des Generalvikars: "Der Diakon hält beim Weihrauch-einlegen nur am Altar das Schiffchen. An der Kathedra ist dafür der *Presbyter assistens* zuständig." Doch etwas falsch gemacht! Das Schuldbewußtsein des Diakons hält sich trotz der Mahnung in Grenzen; eher wächst die Verwunderung darüber, wie sehr das Weihrauchsymbol immer noch als Mittel verstanden wird, Hierarchie darzustellen.
"Wie gut der Weihrauch damals roch", so betiteln die niederländischen Autoren Godfried BOMANS und Michel VON DER PLAS die deutsche Ausgabe eines Buches, in dem die Gespräche nachgezeichnet werden, die beide zu Anfang der siebziger Jahre miteinander führten.[1] In diesen nachkonziliaren Dialogen steht "Weihrauch" als Symbol für eine vergangene Zeit. Damals, als die Kirchen noch nach Weihrauch dufteten, da waren Glaube und Kirche noch weitgehend unangefochtene Größen. Weihrauch, das war der Duft einer nun verlorenen Ära, an die man sich teils gern, teils mit Schaudern erinnert, die aber nun unwiederbringlich vorbei ist. Das Wort "Weihrauch" steht für Geborgenheit und Freude am Glauben, aber andererseits auch für Enge, Mangel an Reflexion, fehlende Aufgeklärtheit und ängstliche Unfreiheit. Die Autoren sind sich – trotz der unterschiedlichen Bewertung früherer volkskirchlicher Gegebenheiten – weitgehend darin einig, daß es bei aller nostalgischen Verklärung keinen Sinn hat, dieser Zeit nachzutrauern.

---

1 G. BOMANS/ M. VON DER PLAS, Wie gut der Weihrauch damals roch, Freiburg 1973.

Die unmittelbar nachkonziliare Zeit ist inzwischen selbst Vergangenheit. Das Monopol des Wortes im Gottesdienst und die damit oft verbundene Entsinnlichung gelten vielen als Irrweg. Die Einsicht ist gewachsen, daß Liturgie, wenn sie als Fest gelingen soll, die Beteiligung aller Sinne und ihrer Organe, auch der Nase, erfordert.
Dazu mag auch die Esoterikwelle beigetragen haben, als deren Nebenprodukt die Wiederentdeckung des Dufts – und dessen Kommerzialisierung – gelten kann.[2] Auch wenn der große Boom, den die Duftlampen und die Räucherstäbchen in den 90er Jahren erfuhren, wohl seinen Höhepunkt schon wieder überschritten hat, ist hier doch ein bleibender Bewußtseinswandel eingetreten. Das Wissen um die vielfältigen Wirkungen des Duftes, das Suchen nach Formen von Fest und Feier, die den Menschen ganzheitlich ergreifen, haben dazu geführt, daß der Weihrauch und andere Formen von Duft und Duftstoffen in der Liturgie in einigen Gemeinden und Kreisen von neuem auf Interesse stoßen.
Vielleicht können die folgenden Überlegungen helfen, das *"schwierige Sinnzeichen"*[3] besser einzuordnen.

---

2 Die Zahl der aus dem Esoteriksektor angebotenen Schriften zur Aromatherapie und zur Verwendung von Weihrauch ist schwer übersehbar. Beispielhaft seien hier genannt: M. HENGLEIN, Die heilende Kraft der Wohlgerüche und Essenzen, Zürich, [2]1991; S. FISCHER-RIZZI, Botschaft an den Himmel. Anwendung, Wirkung und Geschichten von duftendem Räucherwerk, München 1999; F. X. J. HUBER/A. SCHMIDT, Weihrauch, Styrax, Sandelholz. Das Erlebnisbuch des Räucherwerks, Bern 1999.

3 So F. KOHLSCHEIN, Von der "duftenden Wolke" als liturgischem Symbol. Nachdenkliches über das schwierige Sinnzeichen des Weihrauchs, Gottesdienst 21 (1987) 73-75.

2. *Die Anfänge*

Der Weihrauch ist innerhalb der christlichen Liturgie ein relativ spät hinzugekommenes Element.[4] Das lag zum großen Teil an den leidvollen Erfahrungen, die das frühe Christentum mit dem Weihrauch gemacht hatte. Das Streuen von Weihrauch vor einem Bild des Kaisers oder eines römischen Gottes dokumentierte vor allem in der Verfolgung durch Kaiser Decius (249–251) die Abwendung vom Christentum und die Zuwendung zum restaurativen Kurs des Kaisers, der den Glauben an die alten römischen Götter als einzig legitime Religion betrachtete. Aufgrund dieser Verwendung von Weihrauch als Zeichen des Abfalls war es den Christen zunächst unmöglich, in ihrem eigenen Gottesdienst Weihrauch zu verwenden.[5]

Nichts stand auch in christlichen Kreisen allerdings einer profanen Verwendung von Weihrauch entgegen. Tertullian (ca. 160–220) unterschied hier scharf:

> *Aber es kommt darauf an, wie ich die Dinge gebrauche. Denn auch ich schlachte mir ein Hähnchen, wie Sokrates dem Äskulap, und wenn mich der Geruch eines Ortes stört, entzünde ich etwas aus Arabien, aber nicht nach demselben Ritus, in derselben Haltung und demselben Aufwand, wie das vor Götzenbildern geschieht.*[6]

Auch im Zusammenhang mit der Feier des Begräbnisses wird Weihrauch von Tertullian ausdrücklich geduldet.[7] Gegen die Luftverbesserung durch den Weihrauch hatte offensichtlich der sonst zum Rigorismus neigende Tertullian nichts einzuwenden; entscheidend war allein die "Haltung", in der das Weihrauchverbrennen geschah.

So kam denn auch nach dem Ende der Verfolgungen und dem Bau großer Basiliken der Weihrauch zunächst als ein profanes Element in den christlichen Gottesdienst, einfach als willkommenes Mittel zur Luftverbesserung. Daß man dem Weihrauch auch Schutzwirkungen zuschrieb,

---

4 Über die Geschichte des Weihrauchgebrauchs in der christlichen Liturgie informieren ausführlich: E. ATCHLEY, A History of the Use of Incense in Divine Worship (ACC 13), London 1909; M. PFEIFER, Der Weihrauch. Geschichte, Bedeutung, Verwendung, Regensburg 1997. Einen kurzen Überblick bietet: R. BERGER, Naturelemente und technische Mittel, in: H.-B. MEYER (Hg.), Gestalt des Gottesdienstes. Sprachliche und nichtsprachliche Ausdrucksformen (GdK 3), Regensburg 1987, 249-288, hier 278-281.

5 Vgl. PFEIFER, Weihrauch, 44 f.; BERGER, Naturelemente, 279.

6 Tertullian, *Corona X 4 f.*; CChrL 1,141(140) f.

7 Vgl. Tertullian, *Idol 11,2*; CChrL 2,1110; vgl. PFEIFER, Weihrauch, 99.

ist sehr wahrscheinlich, wenn man in Rechnung zieht, daß bis zur Entdeckung der mikrobiellen Krankheitserreger die vorwissenschaftliche Überzeugung verbreitet war, daß sich Krankheiten durch schlechte Gerüche ausbreiten können.[8]
Bald nach dem Ende der Verfolgungen faßte der Weihrauch auch als liturgisches Ausdrucksmittel in den christlichen Kirchen Fuß. Eines der frühesten Zeugnisse findet sich im Bericht der Pilgerin Egeria. Sie kommt aus dem südfranzösischen oder nordspanischen Raum und unternimmt gegen Ende des 4. Jh. eine mehrjährige Pilger- und Studienreise zu den heiligen Stätten. Ihr Reisetagebuch bietet ein Zeugnis für den Weihrauchgebrauch in der Jerusalemer Sonntagmorgen-Liturgie:

> *Und siehe, wenn die drei Psalmen gesungen und die drei Gebete gesprochen sind, bringt man auch Weihrauchgefäße in die Grotte der Anastasis hinein, so daß die ganze Anastasis-Basilika von den Düften erfüllt wird. Dann nimmt der Bischof innerhalb des Gitters, wo er steht, das Evangelium, trägt es bis zur Tür und liest dort selbst die Auferstehung des Herrn.*[9]

Die Deutung der Stelle ist nicht ganz einfach. Daß die "Düfte" Ziel der Handlung sind, belegt der Text selbst. Daß man darüber hinaus dem Weihrauch in diesem Zusammenhang auch eine symbolische Qualität zumaß, legt der Text zumindest nahe. Der Weihrauch zum Verlesen des Evangeliums konnte den "Wohlgeruch" der Auferstehungsbotschaft veranschaulichen. Die Freude am Duft konnte symbolisch für die Freude am österlichen *eu-angelion*, der frohen Botschaft, stehen.[10]

---

[8] Vgl. z. B. A. CORBIN, Pesthauch und Blütenduft. Eine Geschichte des Geruchs, Berlin 1984, 9–13; zur Überwindung dieser Vorstellung durch die Entdeckung der Mikroben ebd. 292 f.

[9] Egeria, *Itinerarium 24,9.* Ausgabe: G. RÖWEKAMP/ D. THÖNNES (Hg.) Egeria, Itinerarium – Reisebericht (FC 20), Freiburg 1995.

[10] Die Deutung des Weihrauchs und des damit verbundenen Wohldufts auf die Frauen, die duftende Salben zum Grab bringen (RÖWEKAMP, Egeria 232, Anm. 21), ist durch den Text nicht belegt. Allerdings findet sich diese Deutung in mittelalterlichen Osterspielen wieder, in denen die "Frauen", meist von männlichen Klerikern dargestellt, Weihrauchgefäße zum "Heiligen Grab" bringen. Es ist aber problematisch, diese Dramatisierung in die Spätantike zu projizieren. Dafür daß der Weihrauch hier, wie PFEIFER (Weihrauch, 51 f.) vermutet, als Ehrenzeichen für den Bischof verwendet wird, findet sich im Text ebensowenig Anhalt.

3. *Deutungen*

Im folgenden soll nun darauf verzichtet werden, der Geschichte des Weihrauchgebrauchs chronologisch im einzelnen nachzugehen; das ist anderwärts bereits geleistet worden und würde den gegebenen Rahmen überschreiten.[11] Vielmehr soll anhand der dem Weihrauchduft gegebenen Deutungen ohne Anspruch auf letzte Vollständigkeit ein zeit- und raumübergreifender Überblick über die Verwendung des Weihrauchs in der Liturgie gegeben werden.[12]

– *Ehrung*

Der Weihrauchgebrauch in der Liturgie hat eine seiner Wurzeln in der Möglichkeit, durch den Rauch und den damit verbundenen Wohlgeruch Ehrerbietung auszudrücken. Die Ehrenbezeigungen durch Weihrauch gelten im christlichen Gottesdienst vor allem den Personen und Symbolen, die im Zusammenhang der liturgischen Handlung Christus repräsentieren; somit gilt die Ehrung im letzten Christus selbst.

Erster Repräsentant Christi ist im Verständnis der alten Liturgie der *Bischof*. Die älteste bekannte vollständige Ordnung der bischöflichen Messe, der *Ordo Romanus 1* aus dem 7. Jahrhundert[13], schreibt vor, daß dem zur Messe einziehenden Bischof ein Weihrauchfaß vorangetragen wird.[14] Damit greift die liturgische Ordnung Formen auf, die dem öffentlichen Leben des spätantiken Rom entstammen. Das Vorantragen von Weihrauch war ein Privileg des Kaisers und seiner hohen Beamten, das von Konstantin auch auf die Kleriker übertragen wurde.[15] An dieser Ehrung des einziehenden Vorstehers halten die liturgischen Ordnungen bis heute fest.

Durch den Weihrauch geehrt wird schon in der Frühzeit das *Evangeliar* als das Symbol des zu seiner Gemeinde sprechenden Christus. Nach dem *OR 1* tragen bei der Evangeliumsprozession zwei Subdia-

---

11 Ausführlich informiert dazu PFEIFER, Weihrauch, 55–135.

12 Zur Symboldimension des Weihrauchs und anderer Duftelemente in der Liturgie im allgemeinen vgl. H. REIFENBERG, Duft – Wohlgeruch als göttliches Symbol. Liturgisch-phänomenologische Aspekte des odoratischen Elements, ALw 29 (1987) 321-351; auch KOHLSCHEIN, Wolke.

13 Üblicherweise als *OR 1* abgekürzt. Textausgabe: M. ANDRIEU, Les Ordines Romani du haut moyen-âge, 5 Bde. (SSL 11.23.24.28.29) Louvain, 1931-1961, hier Bd. 2, 67–108.

14 *OR 1, 46.*

15 Vgl. PFEIFER, Weihrauch, 50.

kone dem Diakon, der selbst das Evangelienbuch trägt, Weihrauch voraus, heben so das Buch durch die duftende Wolke hervor und zeigen die Hochschätzung des zu verkündenden Textes.[16] Dieser Weihrauchgebrauch bei der Evangeliumsprozession hat sich in den meisten Liturgien des Ostens und des Westens erhalten.

Geehrt wird durch den Weihrauch auch die *Gemeinde* selbst. Daß auch sie im Zusammenhang der Liturgie Christus repräsentiert, ist zumindest im katholischen Bereich erst in jüngerer Zeit wieder entdeckt worden.[17] Als Leib Christi *(1Kor 12 ff.)* gilt ihr die Ehrung, die letztlich auf Christus selbst bezogen ist. Das Pauluswort vom *"Duft der Erkenntnis Christi"* und vom *"Wohlgeruch Christi"* in *2Kor 2,14 f.* (s.o. Kap. VI) kann (in einer ekklesiologischen Deutung) der Beräucherung eine weitere Sinndimension geben.

Die Ehrung der *eucharistischen Gestalten* von Brot und Wein durch den Weihrauchduft hat relativ spät in der Liturgie Fuß gefaßt. Erst im 13. Jahrhundert sind Zeugnisse dafür zu finden, daß in der Messe während der Erhebung von Hostie und Kelch nach der Konsekration geräuchert wurde.[18] Nachdem man diesen Brauch eingeführt hatte, verstand es sich von selbst, daß man auch bei der Eucharistieverehrung außerhalb der Messe, bei Andachten, Prozessionen und beim sakramentalen Segen Weihrauch verwendete, um den im Zeichen des Brotes gegenwärtigen Christus zu ehren. Es dauerte nicht lange, bis der Gebrauch von Weihrauch bei jeder sakramentalen Aussetzung Vorschrift wurde.[19]

Die Ehrung durch Weihrauch gilt weiterhin dem *Kreuz* als Erinnerungszeichen an Leiden und Auferstehung des Herrn. Weihrauch wird beim Einzug und bei Prozessionen dem Kreuz vorausgetragen; das Altarkreuz wird gewöhnlich im Rahmen der Altarinzens beräuchert, nach der Ordnung des *Römischen Missale von 1570* sogar an erster Stelle.[20]

---

16 Vgl. *OR I, 59.*

17 Vgl. II. Vatikanisches Konzil, *Konstitution über die Heilige Liturgie 7: "Gegenwärtig ist er* [Christus] *schließlich, wenn die Kirche betet und singt, er, der versprochen hat: 'Wo zwei oder drei in meinem Namen versammelt sind, da bin ich mitten unter ihnen' (Mt 18,29)."*

18 Vgl. PFEIFER, Weihrauch, 76.

19 Zu den Einzelheiten vgl. PFEIFER, Weihrauch, 78 f.

20 Vgl. das *Römische Missale von 1570*, das bis zur Neuausgabe des Missale nach dem II. Vatikanum in Gebrauch war *(MRom 1570)*, Ritus servandus in celebratione Missae IV, 4.

In ähnlicher Weise ist schließlich die Beräucherung der *Osterkerze* vor dem *Exsultet* der Ostervigil zu verstehen[21]; die Inzens gilt der brennenden Kerze, die im Zusammenhang der die Osternacht eröffnenden Lichtfeier hinweist auf den *"wahren Morgenstern, der in Ewigkeit nicht untergeht"*[22].

– *Opfergedächtnis*

Christliche Liturgietradition kennt nur *ein* Opfer im strengen Sinn: das Opfer Christi, das einmalig und unwiederholbar ist, das jedoch im aktuell gefeierten Gottesdienst jeweils wieder neu vergegenwärtigt wird. Von diesem *"einzigen Opfer" (Hebr 10,12.14)* her sind alle anderen Opfer überholt. Im Frühmittelalter entwickelte sich jedoch insbesondere vom Frankenreich und von England ausgehend ein neues Interesse an den rituellen Vollzügen des Alten Testaments. Der in den Büchern *Exodus* und *Levitikus* geschilderte Tempelkult beschäftigte die Theologen von neuem. In vielen Einzelheiten fing man an, den alttestamentlichen Kult in der christlichen Liturgie nachzuahmen. Insbesondere wurde jetzt der Kirchenbau in seiner Beziehung zum Jerusalemer Tempel verstanden. Auf diesem Hintergrund entwickelten sich verschiedene Weisen, den Tisch des Herrenmahls als "Altar" herauszuheben und ihn in Parallele zum alttestamentlichen Altar auch sichtbar als Ort des Opfers zu kennzeichnen.
Einige auffällige Elemente im Ritus der Altarweihe sind auf diesem Hintergrund entstanden.[23] So werden im Verlauf der Altar- bzw. Kirchenkonsekration Wachskreuze, in die Weihrauchkörner eingedrückt sind, auf dem Altar ausgelegt und angezündet. Andernorts entsteht der Brauch, daß ein Diakon mit dem Rauchfaß den Altar während des Weihegebets ständig umschreitet. Spätmittelalterliche Ordnungen und das nach dem Konzil von Trient herausgegebene *Pontifikale von 1596* kombinieren beide Weisen des Umgangs mit dem Weihrauch. Der Altar ist während der Weihehandlung in eine Wolke aus duftendem Weihrauch eingehüllt. So wird er einerseits in Beziehung gesetzt zum Altar des alttestamentlichen Tempels, den er als Ort des Opfers Christi überbieten soll. Andererseits wird der sichtbare Tisch des Herrenmahls

---

[21] Vgl. das heutige Meßbuch *(Meßbuch 1975/²1988)*, Die Feier der Osternacht, Nr. 14.

[22] So der Schluß des *Exsultet*, vgl. *Meßbuch 1975/²1988*, Die Feier der Osternacht, Nr. 18.

[23] Vgl. zum Folgenden z. B. PFEIFER, Weihrauch, 67–73, BERGER, Naturelemente, 280 f.

zum Abbild des himmlischen Altars. Die liturgische Begründung dazu liefert der *"Supplices"*-Abschnitt aus dem Römischen Kanon, in dem die Bitte ausgesprochen wird:

> *Wir bitten dich, allmächtiger Gott: Dein heiliger Engel trage diese Opfergabe auf deinen himmlischen Altar vor deine göttliche Herrlichkeit; und wenn wir durch unsere Teilnahme am Altar den heiligen Leib und das Blut deines Sohnes empfangen, erfülle uns mit aller Gnade und allem Segen des Himmels.*[24]

Die sprechende Symbolik des Weihrauchgebrauchs bei der Altarweihe regte dazu an, sie wenigstens andeutungsweise regelmäßig wiederaufzunehmen. Der Brauch, den Altar zu Beginn der Meßfeier und ein zweites Mal nach dem Niederlegen und der Inzens der Gaben zu beräuchern, geht wohl auf dieses Bedürfnis zurück.[25] Das Opfergedächtnis sollte nicht ein einmaliger Akt bleiben, sondern permanent erneuert werden. Mancherorts ging man noch weiter und wiederholte den Ritus der brennenden Wachs- und Weihrauchkreuze aus der Altarweihe an jedem Gründonnerstag im Zusammenhang mit der Entblößung und der Reinigung und der Altäre.[26]

Im Sinne eines Opfergedächtnisses ist auch die Verwendung des Weihrauchs in der Vesper zu sehen.[27] Die Wurzeln dieses Brauchs gehen in eine frühe Phase der Liturgiegeschichte zurück. Alter Bestandteil des Abendlobs der Gemeinde ist *Psalm 141(140)*, der das abendliche Gebet als Rauchopfer deutet (s. o. Kap. III). Die Erinnerung an das abendliche Weihrauchopfer des alttestamentlichen Tempels bot nun schon früh Anlaß, dieses Opfer nicht nur mit den Psalmworten zu zitieren, sondern auch tatsächlich Weihrauch im Abendgottesdienst zu verbrennen. Man störte sich offensichtlich nicht daran, daß man mit der tatsächlichen Weihrauchverwendung gegen den Wortsinn des Psalms handelte, der gerade von der Ablösung des Weihrauchopfers durch das Gebet spricht. Insofern wird man den Weihrauchgebrauch nicht als Opfer im eigentlichen Sinn verstehen können, sondern als ein anamnetisches (erinnerndes) Zeichen, durch welches die Opfer des Volkes Is-

---

24 *Meßbuch 1975/²1988*, Erstes Hochgebet. Das Gebet ist eine leicht angepaßte Fassung des Römischen Kanons, der vom frühen Mittelalter bis zum II. Vatikanum das einzige Hochgebet der römischen Messe bildete.

25 *Meßbuch 1975/²1988*, Allgemeine Einführung Nr. 235.

26 Vgl. P. WÜNSCHE, Kathedralliturgie zwischen Tradition und Wandel (LQF 80), Münster 1998, 163-165.

27 Vgl. dazu PFEIFER, Weihrauch, 80–92.

rael und das Opfer Christi in das Gedächtnis der Feiernden gerufen werden. Im Laufe der Zeit verlagerte sich der Weihrauchgebrauch vom *Psalm 141(140)* zum *Magnificat*, dem Lobgesang Marias *(Lk 1,46–55)*, der zum festen Bestandteil der Vesper geworden war. Man verstand diesen Gesang als "Evangelium" und Höhepunkt der Vesper und ehrte ihn entsprechend dem Evangelium der Messe. *Ps 141(140)*, der Anlaß zur Einführung des Weihrauchs gegeben hatte, verkürzte sich zunächst auf einen einzigen Vers[28] und bildet nach der heutigen Ordnung keinen festen Bestandteil der Vesper mehr[29], so daß der ursprüngliche Zusammenhang zwischen Vesper und Weihrauch aus dem heutigen römischen Ritus nicht mehr unmittelbar zu ersehen ist. Der Weihrauchduft ist zum Element der Ehrung und Verfeierlichung geworden.

– *Ausgrenzung und Hervorhebung*

Ältere werden sich noch erinnern: Der vorkonziliare Meßritus sah vor, daß Brot und Wein am Ende der Gabenbereitung in einer genau festgelegten Weise beräuchert wurden. Der Vorsteher der Messe zeichnete mit dem Weihrauchfaß drei Kreuze über den Gaben, anschließend umkreiste er sie mit dem Rauchfaß insgesamt dreimal, zweimal von rechts nach links, einmal im Uhrzeigersinn von links nach rechts.[30] Eine Deutung dieser Gabeninzens ist nicht vom Begleitgebet her möglich, das nur sehr allgemein vom Aufsteigen des Weihrauchs und vom Herabsteigen der göttlichen Barmherzigkeit spricht.[31] Das Umkreisen der Gaben mit dem Rauchfaß, durch das die Gaben in den Weihrauch eingehüllt werden, legt die Deutung nahe, daß Brot und Wein durch den Einschluß in die duftende Wolke dem rein profanen Gebrauch entzogen und in die Sphäre des Heiligen aufgenommen werden. Die Kreisbewegung schafft ein "Innen" und ein "Außen", sie legt den neuen Horizont fest, in dem die Gaben nun zu stehen kommen; die Inzens grenzt Brot und Wein als geheiligte Gaben und innerstes Zentrum der Feier vom Umfeld ab, schafft eine Zone des Allerheiligsten inmitten der hei-

---

[28] Vgl. dazu PFEIFER, Weihrauch, 91; er bezieht sich auf H. BECKER, Zur Struktur der "Vespertina Synaxis" in der Regula Benedicti, ALw 29 (1987) 177–188, hier 181 f.

[29] *Ps 141 (140),1–9* haben für die Vesper noch insofern einen herausgehobenen Platz, als diese Verse den ersten Psalm der ersten Sonntagsvesper der ersten Woche bilden und somit den ganzen Vierwochenpsalter heutiger römischer Ordnung eröffnen.

[30] Vgl. *MRom 1570*, Ritus servandus in celebratione Missae VII, 10.

[31] Vgl. *MRom 1570*, Ordo Missae.

ligen Versammlung und des heiligen Raumes. Hier ist die religionsgeschichtliche sehr alte Deutung des Weihrauchs als Heiligungsmittel deutlich zu greifen (s. o. Kap. II). Die Verwendung von Weihrauch bei Weihen und Segnungen – so bei der Segnung der Kerzen an Lichtmeß[32] und bei Segnung der Zweige am Palmsonntag[33] – konnte in ähnlicher Weise Ausdruck für eine Sphäre des Heiligen sein, in welche die geweihten Gegenstände aufgenommen werden.

– *Veranschaulichung*

Weihrauch ist wärmer als die umgebende Luft und strebt deshalb nach oben, in den "himmlischen" Bereich. So wurde das Aufsteigen des Weihrauchs als Sinnbild für das Emporsteigen des Gebets zu Gott begriffen. Der bereits genannte *Psalm 141(140)* dürfte Pate gestanden haben für diese Deutung. Ähnlich versteht das Begleitgebet zur Gabeninzens aus dem Meßbuch von 1570 den aufsteigenden Weihrauch als Veranschaulichung des zu Gott aufsteigenden Opfers:

> *Dieser von dir gesegnete Weihrauch steige zur dir, Herr, hinauf,*
> *und deine Barmherzigkeit komme auf uns herab.*[34]

Um Veranschaulichung geht es auch, wenn nach einigen frühmittelalterlichen Meßordnungen das Rauchfaß nach dem Evangelium durch die Reihen der Kleriker oder durch die Gemeinde getragen wird, wobei jeder Anwesende sich mit den Händen ein wenig Rauch zufächelt.[35] Wie schon bei den allerersten Anfängen nach dem Bericht der Egeria dürfte dieser Brauch darin begründet sein, daß der "Wohlgeruch" der frohen Botschaft für alle gleichsam körperlich erfahrbar wird.
Der gegenwärtige Begräbnisritus versteht, wie das Begleitwort belegt, ebenfalls den Weihrauch als Mittel der Veranschaulichung. Diesmal geht es um den Leib als Tempel des Geistes (vgl. *1Kor 6,19*). Der Weihrauch weckt Erinnerungen an den Tempel als die Stätte des Rauchopfers:

> *Dein Leib war Gottes Tempel, der Herr schenke dir ewige Freude.*[36]

Auf eher spielerische Weise veranschaulicht der Weihrauch das Geschehen um den Besuch der Magier beim neugeborenen Jesus in Betle-

---

32 Vgl. *MRom 1570*, In Purificatione B. M. V.
33 Vgl. *MRom 1570*, Dominica in Palmis.
34 Vgl. *MRom 1570*, Ordo Missae.
35 Vgl. PFEIFER, Weihrauch, 74.
36 *Die Kirchliche Begräbnisfeier in den katholischen Bistümern des deutschen Sprachgebietes*, Einsiedeln 1972/ 2. Aufl. o. J., 67 u. ö.

hem, wenn die Sternsinger ein Weihrauchfaß mit sich führen oder unabhängig vom Sternsingerbrauchtum am Epiphanietag Weihrauch in den Häusern verbrannt wird. Durch die Aufnahme eines Segens für diesen Weihrauch in das offizielle Segensbuch *(Benediktionale)* wird dieses aus dem Volksbrauchtum stammende Element von der Liturgie der Kirche ausdrücklich zur Kenntnis genommen und gefördert. Das Segensgebet versteht den Weihrauch als ein Erinnerungszeichen an die Gaben der Weisen und erbittet zugleich Segen für die Häuser und Wohnungen, die er durchdringt.[37]

– *Sühne und Reinigung*

Als Mittel der Sündenvergebung wurde der Weihrauch im Westen kaum weiter entfaltet, sieht man davon ab, daß der alte Vesperpsalm *141(140)* die Bitte um die Bewahrung vor der Sünde deutlich ausspricht, ohne ein eigentlicher Bußpsalm zu sein.
Anders verlief die Entwicklung in der koptischen (ägyptischen) Kirche. Dort ist die "Beichte über dem Rauchfaß" eine bis heute beliebte Form der Buße.[38] Das Rauchfaß wird durch die Kirche getragen, wobei alle Mitfeiernden die Gelegenheit haben, ihre Sünden – individuell oder mit einer allgemeinen Formel, aber immer für andere unhörbar – über dem Rauchfaß zu bekennen. Das Rauchfaß wird schließlich zum Altar gebracht, der Priester verbrennt darin Weihrauch und spricht ein Sühnegebet. Der Glaube an die auch von Sünden reinigende Kraft des Weihrauchs, wie er sich schon im altägyptischen Kult findet, wird in in diesem Ritus in christlicher Deutung weitergeführt.[39]

---

[37] Vgl. *Benediktionale*. Studienausgabe für die katholischen Bistümer des deutschen Sprachgebietes, Freiburg 1979, 48.

[38] Vgl. dazu v. a. E. HAMMERSCHMITT, Das Sündenbekenntnis über dem Weihrauch bei den Äthiopiern. Nach einem Manuskript aus dem Nachlaß von S. EURINGER bearbeitet u. hg., OrChr 43 (1959) 103–109; vgl. auch R. MESSNER, Feiern der Umkehr und Versöhnung, in: Gottesdienst der Kirche. Handbuch der Liturgiewissenschaft, Teil 7,2: Sakramentliche Feiern I/2, 9–240, hier 75; PFEIFER, Weihrauch, 106 f.

[39] Das Weiterleben dieses Ritus ist einer der Gründe, daß die Beichte nach westlicher Art bei den Kopten nicht sehr verbreitet ist; vgl. MESSNER, Feiern der Umkehr, 157.

4. *Perspektiven*

Die weitgehend einzige Einsatzform für den Weihrauch in der heutigen westlichen Liturgie ist das Beräuchern, das Schwenken des Rauchfasses in die Richtung der zu ehrenden Person oder des zu verehrenden Symbols; unter den oben aufgezählten vielfältigen Deutungsmöglichkeiten liegt auf dem Verständnis des Weihrauchs als Mittel der Ehrung ein etwas einseitiger Akzent.[40] Die Beräucherung als Ehrung ist aber nur *eine* Möglichkeit, den Rauch einzusetzen. Sie ist insbesondere dadurch belastet, daß die Konnotation "beweihräuchern" hier stark in Erscheinung tritt. Gemeinden, die gegenüber Herrschaftssymbolen kritisch geworden sind, neigen daher dazu, den Weihrauch ganz abzulehnen. Damit gehen aber zugleich die vielfältigen Wirkungen des Dufts und die Duftsymbolik verloren, die mit dem Weihrauch verbunden sein können.

Der Blick auf den Einsatz des Rauchs in der Geschichte der Kirche und in östlichen Kirchen bis hin zur Gegenwart kann zeigen, daß das "Beweihräuchern" nicht die einzige Form sein muß, in welcher der Weihrauch verwendet wird. Der weitere Horizont kann helfen, die derzeitigen teilweise verkümmerten Formen aufzubrechen und den Weihrauchgebrauch in seiner vielfältigen Sinndeutung neu zu entfalten. Die heutigen liturgischen Bücher geben zwar mögliche Einsatzstellen des Weihrauchs vor, machen im Gegensatz zu den früheren Büchern kaum detaillierte Vorschriften, in welcher Weise der Weihrauch anzuwenden ist, so daß hier Räume des Experimentierens offenstehen.

– So muß die Inzensierung der Gemeinde keineswegs in der Form ablaufen, daß die im Altarraum stehenden Helfer den Weihrauch nur aus der Distanz heraus wirken lassen. Besser wäre es, diese Distanz aufzugeben und sich mit dem Rauchfaß durch die Reihen der Gemeinde zu bewegen, so daß der Duft die Gemeinde tatsächlich einschließt, von allen wahrgenommen werden kann und eine Duftgemeinschaft konstituiert. Der heilige "Familienduft", der die

---

40 Vgl. das vor dem Konzil verbreitete Ritus-Lehrbuch von P. HARTMANN, Repertorium Rituum. Zusammenstellung der rituellen Vorschriften für die bischöflichen und priesterlichen Funktionen, 14., vollständig umgearbeitete Auflage besorgt v. J. DREY, Paderborn 1940. Dort wird der Weihrauch fast ausschließlich unter der Überschrift *"Ehrenbezeugungen beim Gottesdienst"* (ebd. 227) behandelt. Es ist zu vermuten, daß dieses Verständnis von Weihrauch bis heute nachwirkt.

Anwesenden miteinander und mit Christus verbindet, kann so zur Konstituierung der feiernden Gemeinschaft derer beitragen, die in Christus als Kinder Gottes angenommen sind.

- Denkbar wäre es, auf einer Schale oder einer Stele inmitten der Gemeinde etwas Weihrauch verbrennen zu lassen. Der Raum füllt sich unaufdringlich mit dem Duft und erhält von daher eine feierliche Atmosphäre. Die Gemeinde partizipiert gemeinsam an der so erzeugten Atmosphäre des Raumes.
- Möglich wäre es auch, z. B. bei einem meditativen Wortgottesdienst, ein zentrales Bild oder Symbol durch eine davorgestellte Schale mit brennendem Weihrauch auszuzeichnen. Das könnte eine Christusikone sein, ein Kreuz, eine Bibel oder ein Evangelienbuch. Damit ist die Möglichkeit gegeben, daß sich das Duftsymbol von dem so ausgezeichneten Zentrum des jeweiligen Gottesdienstes her auf die Anwesenden ausbreitet.
- In kleinen Gruppen ist es unter Umständen sinnvoll, nach dem oben beschriebenen alten Brauch der frühmittelalterlichen Ordnungen ein Gefäß mit Weihrauch an den Mitfeiernden vorbeizutragen und sie den Duft selbst mit der Hand aktiv "schöpfen" zu lassen. Damit kommt zum Ausdruck, daß das Riechen selbst ein aktiver Vorgang des Entgegennehmens ist; der Empfänger eignet sich den Duft aufgrund eigenen Tätigwerdens an. Das könnte eine Form sein, auch in diesem Bereich die vom II. Vatikanischen Konzil gewünschte "tätige Teilnahme" zu intensivieren.
- Die Gabenbereitung bietet sich für eine andere Form der Inzens an: Zusammen mit den Gaben von Brot und Wein werden einige Weihrauchkörner zum Altar gebracht und dort auf bereitstehende Kohlen gelegt. Zu überlegen wäre es auch, ob das oben angeführte Umkreisen der Gaben und des Altars, jetzt aber erweitert durch ein Umkreisen der Gemeinde, als eine mögliche Form zu reaktivieren ist – sie ist ohnehin nicht ganz ausgestorben.
- Einige Gemeinden haben gute Erfahrungen mit dem Gebrauch von Weihrauch bei der Kreuzverehrung am Karfreitag gemacht: Eine Schale mit glühenden Kohlen steht vor dem Kreuz, und einige Gemeindemitglieder sind eingeladen, als Zeichen der Verehrung ein Weihrauchkorn auf die Kohle zu legen.[41]

---

41 Das Meßbuch ist dafür offen. Es läßt die Ehrung des Kreuzes *"durch eine Kniebeuge oder ein anderes Zeichen der Verehrung"* ausdrücklich zu. Vgl.

- Beim Abendlob, das mit einer kleinen Gruppe gefeiert wird, ist es in ähnlicher Weise sinnvoll, zum *Psalm 141(140)* oder zum *Magnificat* durch die Teilnehmer/innen Weihrauch in ein bereitgestelltes Becken mit Kohle legen zu lassen und so das Aufsteigen der Gebete zu visualisieren.
- Die mit dem Weihrauch verbundene Bußtradition nimmt PFEIFER auf, indem er einen Bußgottesdienst vorstellt, der den Weihrauch als Leitmotiv verwendet.[42]
- Sinnvoll wäre es auch, die zwischenzeitlich verschüttete biblische Tradition des Klagegebets, wie sie sich in *Psalm 22* verdichtet,[43] wieder aufzunehmen. Die Klage über eigenes Leid und das stellvertretende, solidarische Klagegebet angesichts des Leidens anderer ließe sich auf der Basis von *Offb 5.8* (s. o. Kap. VI) mit dem Symbol des Weihrauchs verbinden. Das Aufsteigen des Weihrauchs könnte dann gedeutet werden als das Vor-Gott-Bringen menschlichen Leids, das Gottes "Nase" reizt (s. o. Kap. III) und so seine rettende Gerechtigkeit provoziert.

Meßbuch 1975/²1988, Die Feier vom Leiden und Sterben Christi, Nr. 18. – Den Ritus durch die ganze Gemeinde vollziehen zu lassen, ist aufgrund der dann sehr großen Menge an verbranntem Weihrauch weniger empfehlenswert; die Ernsthaftigkeit der Feier könnte in Frage gestellt werden.

42 Vgl. PFEIFER, Weihrauch, 165–167.

43 Vgl. O. FUCHS, Die Klage als Gebet. Eine theologische Besinnung am Beispiel des Psalms 22, München 1982.

5. *Praxis*

Die weitgehende Einschränkung des Weihrauchgebrauchs auf die Dimension der Ehrung hat in unseren Breiten dazu geführt, daß die primäre Duftsymbolik vernachlässigt wurde. Einige Ostkirchen setzen verschiedene Arten von Weihrauch bei weitem differenzierter ein.[44] Soweit Weihrauch im Westen überhaupt verwendet wird, wird für gewöhnlich beim nächstgelegenen Lieferanten für Kirchenzubehör eine Mischung nach Katalog bestellt. Meist wird dieselbe Sorte für alle Gelegenheiten verwendet, vom Friedhof bis zur Christmette.

Leider geben die Händler für Kirchenbedarf in den seltensten Fällen an, welche Inhaltsstoffe ihre Mischungen ausmachen. Bezeichnungen wie "Gloria", "Vatikan", "Angelus" oder "Pontifikal", die sich bei den verschiedenen Herstellern und Händlern finden, klingen feierlich und fromm, sind aber letztlich nichtssagend. Auf Nachfrage nach den Zutaten wird auf das Geschäftsgeheimnis verwiesen. Wenn schon über die Zusammensetzung nichts zu erfahren ist, lohnt es sich aber durchaus, für den praktischen Gebrauch verschiedene Mischungen von verschiedenen Herstellern zu testen. Die Qualitätsunterschiede sind bemerkenswert. Einige Kriterien für liturgische Brauchbarkeit lassen sich leicht angeben:

- Ist der erste Dufteindruck beim Auflegen auf die Kohle angenehm und der Liturgie angemessen? Erweckt der Duft erwünschte oder lästige Assoziationen?
- Wie entwickelt sich der Duft weiter beim Verbrennen? Ist der Duft noch brauchbar, wenn die Körner bereits einige Minuten auf der Kohle liegen?
- Wie ist es um die Sichtbarkeit des Rauchs bestellt – läßt sich das Symbol der "heiligen Wolke" mit der Mischung darstellen?
- Wie wirkt der Duft längere Zeit nach dem Weihrauchgebrauch nach? Wirkt der Duft fade oder abgestanden, oder betritt man den Raum gern, weil der Weihrauch noch nach Stunden eine angenehme Atmosphäre schafft?
- Bringt der Rauch die Anwesenden zum Husten, weil der Rauch die Atemwege reizt? Das ist in jedem Fall störend. Gut ist eine Mischung nur, wenn sie auch gut verträglich ist.

---

44 Vgl. z. B. M. PFEIFER, Weihrauchherstellung am Berg Athos, COst 49 (1994) 226-229.

Der Gebrauch qualitativ hochstehender fertiger Mischungen bringt oft eine deutlich verbesserte Akzeptanz des Weihrauchs. Zunehmend werden im Handel neuerdings ostkirchliche Mischungen wie z. B. Rosen- oder Akazienweihrauch angeboten; sie bringen Abwechslung, werden allerdings manchmal als etwas aufdringlich und künstlich empfunden.
Eine einfache und trotzdem gute Lösung ist es, das reine Olibanumharz zu verwenden, das zu einem mäßigen Preis[45] in Apotheken zu bestellen ist. Das reine Harz des Weihrauchbaumes entwickelt vor allem unmittelbar nach dem Auflegen auf die Kohle einen unverwechselbaren edel-süßen, "sakralen" Duft, der von den meisten Menschen als angenehm empfunden wird. Der Rauch ist sehr gut verträglich und reizt nicht zum Husten, solange die Menge nicht übertrieben wird. Wer die Möglichkeit hat, an jemenitisches Olibanumharz (Aden-Qualität) zu kommen, sollte die Gelegenheit nutzen; es übertrifft den schon guten Weihrauch aus dem Pharma-Großhandel noch um einiges. Einziger Nachteil der Olibanumkörner ist die relativ langsame Entwicklung einer deutlich sichtbaren Rauchwolke. Dem läßt sich abhelfen, indem man einen Teil der Körner vor Gebrauch im Mörser zerstößt und die zerkleinerten mit den ganzen Körnern mischt.
Wem Olibanum allein zu eintönig wird und wer ein wenig Freude am Experimentieren hat, kann es mit selbst angefertigten Mischungen versuchen:

- Der süße Olibanumduft mischt sich gut mit der *Myrrhe*, die sich wegen ihres bitter-herben Dufts und der damit verbundenen Symbolik gut für die Kartage oder die Begräbnisliturgie eignet, in reiner Form aber kaum auf Akzeptanz stoßen dürfte.
- Die Beimischung von etwas *Zimt* bringt eine "warme", heimelige Note in den Weihrauchduft, die vor allem an Weihnachten als passend empfunden wird.
- Der fruchtige Aspekt des Weihrauchs läßt sich durch Zugabe von *Sandarak* hervorheben, es entsteht ein "frisch" und "kühl" wirkender Rauch; zudem verstärkt Sandarak die Sichtbarkeit des Rauches. *Mastix* hat eine ähnliche Charakteristik.
- Die Zugabe von etwas *Benzoe* verschiebt den Charakter des Weihrauchs in Richtung "süß" und "vanilleartig". Allerdings muß die Menge der zugegebenen Benzoe sehr klein bleiben, da sie in größeren Mengen bei vielen einen Hustenreiz setzt.

---

[45] Derzeit (Sommer 2000) beträgt der Preis etwa DM 40,00 bis 50,00 pro kg.

- Die mit der Benzoe verwandten südamerikanischen Harze, der *Peru-* und der *Tolubalsam*, die seit langem – mit höchster Billigung[46] – als Zusatzstoffe für Weihrauch verwandt werden, bringen einen kakaoähnlichen Ton in die Mischung ein. Allerdings stechen diese südamerikanischen Harze in noch höherem Maß als die Benzoe im Hals und in den Bronchien und tragen wohl in nicht geringem Maß zum teilweise schlechten Ruf des Weihrauchs bzw. der fertigen Mischungen bei.
- Gute Erfahrungen liegen mit dem Versuch vor, den Jerusalemer *Tempelweihrauch* nach *Ex 30,34–38* (in den durch die schwierige Identifizierung aller Inhaltsstoffe gegebenen Grenzen) nachzuahmen. Dazu werden 20 g reiner Weihrauch (Olibanum) und 10–20 g Myrrhe im Mörser zu Pulver zermahlen und mit etwa 10 g flüssigem Styrax und 5 g Galbanum zu einer zähen Paste verknetet. Nachdem die Mischung etwas eingetrocknet ist, kann man daraus erbsen- bis kirschkerngroße Kugeln formen und sie wie Weihrauchkörner verwenden. Vor allem die Langzeitwirkung dieser Mischung ist beachtlich. Das enthaltene Galbanum führt dazu, daß der Raum noch viele Stunden nach dem Gebrauch angenehm balsamisch-holzig duftet.[47]

Dies sollen nur einige Anregungen zum Experimentieren sein. Einfache und kompliziertere Rezepte für Räuchermischungen finden sich in den Büchern der Esoterik-Szene. Man wird wohl gegenüber den dort behaupteten gesundheitlichen, psychischen und "transzendenten" Wirkungen der verschiedenen Einzelstoffe und Mischungen skeptisch sein müssen; vielen Esoterikschriften gemeinsam ist das völlige Fehlen von Belegen für die angegebenen Wirkungen der Räucherstoffe. Man wird aus christlicher Sicht auch kritische Distanz zu den Weltdeutungssystemen der Esoterik-Literatur bewahren. Aber die in den Büchern angege-

---

[46] Papst Pius V. erlaubte 1521 das Strecken des teueren Weihrauchs durch den damals billigeren Perubalsam; vgl. PFEIFER, Weihrauch, 133. Heutzutage entfällt die wirtschaftliche Notwendigkeit des Streckens, da echter Weihrauch (Olibanumharz) eines der preiswertesten Räuchermittel und billiger als die südamerikanischen Harze ist.

[47] Das Rezept ist in ähnlicher Weise zu finden bei FISCHER-RIZZI, Botschaft 188; die Menge der Myrrhe wurde etwas reduziert. Die Zutaten sind in Apotheken bestellbar; leider sind Styrax und vor allem Galbanum mit Preisen bis DM 0,80 *pro Gramm* verhältnismäßig teuer. – Für den Umgang mit den klebrigen Harzen sei der Hinweis gegeben, daß sie Wasser und Seife widerstehen, sich aber mit einfachem Pflanzenöl leicht von den Händen entfernen lassen.

benen Mixturen sind allein vom Duft her wesentlich abwechslungsreicher als vieles, was als fertige Mischung angeboten wird, auch wenn man sich auf die Mischungen beschränkt, die mit den liturgischen Vorschriften übereinstimmen.[48]
Es wäre wünschenswert, daß durch den Einsatz von Duftelementen in der Liturgie ein Gefühl von Beheimatung in der Kirche vermittelt werden könnte. Es wäre anzustreben, daß die großen Feste des Kirchenjahres sich nicht nur durch charakteristische Texte, Lieder und Farben, sondern auch durch einen charakteristischen Duft auszeichnen würden, daß Weihnachten auch in der Kirche anders duftet als Pfingsten oder Erntedank. Einige Gemeinden sind mit guten Erfahrungen erste und weitere Schritte auf diesem Weg gegangen.

Christliche Liturgie braucht den Weihrauch nicht. Sie kann auch ganz schlicht gefeiert werden mit nichts weiter als Brot und Wein und Wasser und einer Bibel. Der Weihrauch gehört zur Liturgie, insofern sie schön sein will und Schönheit alle Sinne betrifft. Er gehört zur Liturgie, insofern sie Fülle darstellen will und den Reichtum des Beschenktseins. Er gehört in den Gottesdienst, insofern er nach Ausdrucksformen sucht, die das sagen, was in Worten schwer mitzuteilen ist. Der Weihrauch fügt dem zweckfreien und dennoch sinnvollen Spiel der Formen, Farben und Gesten das Spiel mit den Düften hinzu. Er gehört zur Liturgie, insofern sie sich versteht als Spiel des Menschen vor Gott.[49]

---

48 Hingewiesen sei auf die Bestimmung des *Zeremoniale für die Bischöfe in den katholischen Bistümern des deutschen Sprachgebietes*, Freiburg 1998, Nr. 84: *"Nur reiner Weihrauch von angenehmen Duft darf in das Rauchfaß eingelegt werden; wenn irgend etwas anderes beigemischt wird, achte man darauf, daß der Anteil des Weihrauchs bei weitem überwiegt."*

49 Vgl. dazu R. GUARDINI, Vom Geist der Liturgie. Taschenbuchausgabe, Freiburg 1983, hier das Kapitel "Liturgie als Spiel", 87–105; *ders.,* Von heiligen Zeichen, Mainz 1963, 35–37.

CATHOLIC THEOLOGICAL UNION
3 0311 00117 4700

BL 65 .S6 M32 2000
Die Macht der Nase